Liefde op het tweede gezicht

Van Josie Lloyd & Emlyn Rees verschenen
eveneens bij Archipel:

Heb mij lief
Blijf bij mij
Oude liefde roest niet
Liefdeslevens
Familiezaken

Josie Lloyd & Emlyn Rees

Liefde op het tweede gezicht

Vertaald door Elles Theulen

Amsterdam · Antwerpen

Copyright © 2005 Josie Lloyd & Emlyn Rees
Copyright Nederlandse vertaling © 2005 Elles Theulen/
Uitgeverij Archipel, Amsterdam
Oorspronkelijke titel: *The Three Day Rule*
Uitgave: William Heinemann, Londen

Omslagontwerp: Woodhouse Productions
Omslagfoto: © Michael Porsche/CORBIS
Foto auteur: Anouk Schneider, Archipel

ISBN 90 6305 199 9 / NUR 302
www.boekboek.nl

Voor onze drie peetkinderen, Oliver, Jack en Paddy
(Jullie kunnen altijd bij ons komen met kerst!)

Dag 1

Kerstavond

Hoofdstuk 1

Kellie Vaughan trok de zware gordijnen open en rilde. Ze knoopte de witte hotelbadjas dicht om zich heen. Vanaf de plek waar ze stond in de erker van de penthouse suite, kon ze over de grijze leien daken van de huizen naar de haven kijken, waar kleine vissersbootjes her en der in de ondiepe baai verspreid lagen. Aan de andere kant, achter de kade met zijn oude stenen muur, lag de kaap, bedekt met paarse en gele hei. Daarachter glinsterde de vaargeul – vanmorgen donkermarineblauw – onder de poederige hemel waarin een sliert wolken hing in de vorm van een vraagteken.

Heel in de verte dacht ze de contouren van het kleine eiland te kunnen ontwaren waar Elliot de kerst zou doorbrengen met zijn familie, maar misschien hoopte ze dat alleen maar.

Kellie draaide zich om en zuchtte, ze keek de hotelkamer rond, neutrale kleuren, alles crème en beige, de champagnefles op haar kop in de ijsemmer op tafel naast het pluchen bankstel. Ze was in Fleet Town, de hoofdstad van St. John's, het grootste eiland van een eilandengroep ten zuiden van de kust van Cornwall. De eilanden stonden bekend als een geweldige vakantiebestemming, maar nu, in het hartje van de winter, was het hier guur en saai. En hoewel ze zich niet kon beklagen over de vijfsterrenluxe om haar heen, lagen er drie lange dagen voor haar waarin ze grotendeels alleen zou zijn.

Misschien had ze daarbij stil moeten staan toen Elliot haar de eerste keer voorstelde om hierheen te komen. Maar dat had ze niet gedaan. Ze had gedaan wat ze altijd deed: ze had de vrolijke, impulsieve waaghals uitgehangen, die zich blijmoedig mee liet voeren door het romantische voorstel van Elliot en in een Sikorsky-helikopter van Penzance naar het beste, meest exclusieve hotel op het eiland vloog. Het had allemaal zo eenvoudig en voor de hand liggend geklonken, zoals hij het had gezegd, maar nu besefte ze dat ze vele lege uren in haar eentje zou moeten vullen.

9

Maar dat had ze er toch wel voor over? Elk moment dat ze samen konden zijn, telde. Zelfs gestolen momenten. Zo ging dat als je verliefd was.

Trouwens, ze zou er ondertussen aan gewend moeten zijn. Afgelopen zomer was Elliot gedwongen om twee weken met zijn familie op vakantie in Italië door te brengen. Toen had hij geregeld dat Kellie in een hotel in een baai verderop kwam te logeren en had als nieuwe hobby zeilen opgepakt zodat hij elke middag bij haar kon zijn.

En nu was ze er wederom, veertig kilometer van de kust van Cornwall, onder dezelfde clandestiene voorwaarden. Maar deze keer twijfelde Kellie eraan of Elliots overtuiging dat hij zou kunnen wegglippen om ten minste één nacht en het grootste deel van de dagen met haar door te kunnen brengen, wel realistisch was. Het huis van zijn vader was immers op Brayner, een van de kleinere eilanden. Het had geklonken of ze buren zouden zijn toen Elliot het erover had, maar Kellie kon wel zien dat Brayner heel wat verder weg was. Om heimelijk heen en weer te kunnen gaan, hadden ze een bootje nodig, net als in Italië. Maar zelfs al kon Elliot er een krijgen, zou het wel echt zo makkelijk zijn om weg te sluipen uit een kerstvierende familie, zoals hij dacht?

Achter haar in het verfrommelde bed kwam Elliot langzaam overeind.

'Wat doe je daar?' zei hij. Zijn stem was hees van de kater, na alle brandy die ze gisteravond in de hotelbar hadden gedronken en de champagne hier in de kamer. 'Kom terug.' Hij deed zijn ogen dicht, glimlachte, liet zijn hoofd weer op het kussen zakken en klopte zachtjes naast hem op de Kellie-vormige deuk in het bed.

Kellie glimlachte en liep naar hem toe, knielde neer en woelde met haar hand door zijn haar. Zo hield ze het meest van hem, zijn haar in de war van het slapen, zijn sexy geur van zweet en dure aftershave. Hij tuurde naar haar door zijn blauwgrijze ogen.

'Je hebt te veel kleren aan,' zei hij.

Ze lachte. 'Ik dacht dat jij een kater had.'

'Genees me dan.'

'Maar het is bijna tijd,' zei Kellie terwijl ze uit haar badjas kroop en in zijn armen ging liggen. Ze wist dat zijn familie hem vandaag op St. John's verwachtte, na een groot feest op zijn werk gister-avond. Ze hadden geen idee dat Elliot er al was.

'Weet ik. Jezus Kel, ik ben zo jaloers op je dat je hier bent. Ik wou dat ik een paar dagen vrij had,' zei hij en draaide zich naar haar toe. 'Maar je hebt het eigenlijk ook wel verdiend.'

Kellie voelde een warme gloed door zich heen gaan nu hij eindelijk erkende hoe hard ze had gewerkt. Elliot was de meest gedreven man die ze in haar carrière was tegengekomen en hij zette haar soms ook flink onder druk. Zo erg zelfs, dat het de laatste tijd leek of ze haar hele leven had uitgeleverd aan wDG & Partners, het advocatenbureau waar ze beiden voor werkten. De druk scheen nooit minder te worden. In het begin van het jaar was ze bevorderd, wat al moeilijk genoeg was geweest, en toen er een paar maanden geleden weer geschoven werd, was ze opnieuw bevorderd. Ze wist dat Elliot bij de besluitvorming betrokken was geweest, maar daardoor was ze alleen nog maar vastbeslotener geworden om zichzelf te bewijzen op haar eigen manier. Als na de kerst iedereen op kantoor op kon houden met speculeren en erachter kwam dat zij en Elliot een stel waren, wilde ze er door niemand van beschuldigd worden dat ze zich op haar rug naar de top gewerkt had.

Maar ze was blij dat hij jaloers was op haar vrije tijd. Hoe meer hij zich voorstelde dat ze een fantastische tijd had, lekker ontspannen, hoe harder hij zou proberen om bij haar te zijn.

'Ja... jij hebt het ook wel verdiend,' zei ze.

Elliot kreunde. 'Ik kan er gewoon niet tegen,' zei hij en verkreukelde zijn gezicht op zo'n manier dat hij op een klein jongetje leek. 'Ik wil er niet heen.'

Kellie was hier wel aan gewend. Elliot vond het veel moeilijker dan zij als ze afscheid moesten nemen. Ze wist dat hij zich schuldig voelde dat hij tijd doorbracht met zijn familie, weg van haar en, ironisch genoeg, was zij meestal degene die uiteindelijk sterk moest zijn. Het leek wel of er twee Elliots waren: die op het werk, machtig, autoritair en sterk, en deze Elliot, van wie ze het meeste hield, maar ook van wie ze zich nauwelijks voor kon stellen dat hij zelf een kind had.

Meestal lachte Kellie om hem, maar nu ze haar kin op zijn borst

11

legde en haar vingertoppen door de dichte krullen donker haar tussen zijn tepels liet wandelen, werd haar gebruikelijke zelfbeheersing vervangen door verstikkende jaloezie.

'Ga dan niet. Blijf hier bij mij. Ga gewoon helemaal niet,' zei ze. 'We kunnen dagenlang in bed blijven en van de roomservice leven. Niemand zou er ooit achter komen...'

'Dat zou ik het liefste doen, echt,' zei hij en strekte zich uit.

'Maar je kan niet,' zei ze, de zin voor hem afmakend. Of wil niet, wilde ze eraan toevoegen, maar ze hield zich in.

'Hé, bekijk het eens van de positieve kant,' zei hij zacht. 'Ik had eigenlijk een hele week moeten gaan. Maar ik heb geweigerd. De drie-dagen-regel moet behouden blijven.'

'Wat is dat?'

'Je weet wel, die uitdrukking... families zijn net vis. Drie dagen houdbaar en daarna worden ze rot.'

'Als het zo erg gaat worden, waarom laat je het dan niet gewoon zitten? Denk er eens over. Dit is misschien de perfecte kans. Bel Isabelle. Zeg haar dat het voorbij is.'

Elliot zuchtte. 'Verdomme, de verleiding is groot, geloof me. Maar we hebben het hier al over gehad. Taylor is er... en mijn vader... het is Kerstmis...'

Daar had je het weer: Kerstmis. Kellie wist dat het fataal was om te jammeren of te zeuren (ze wist dat dat juist de trekjes waren van de vrouw en dochter van Elliot waarvan hij de meeste afschuw had), maar ze snapte niet wat er nou zo belangrijk was aan kerst. Ze was niet religieus en Elliot ook niet. Ze vond het natuurlijk ook leuk om het samen met alle anderen te vieren, maar dat hele gedoe over het samenzijn van de familie vond ze zo ouderwets. Haar eigen familie zou niet eens op het idee komen om Kerstmis een goede reden te vinden om bij elkaar te komen. Haar broer zat op een schip ergens voor de kust van Canada, haar moeder werkte en woonde in Parijs, en haar vader was een paar jaar geleden hertrouwd, thuis in Australië, en had een ander gezin om zich druk over te maken.

'Kerstmis. Kerstmis. Ik haat Kerstmis,' zei ze en rolde van hem weg en vouwde haar armen over elkaar. Ze dacht aan de muzieklijst die ze had samengesteld op haar iPod, getiteld Klotekerst, met

'Christmas Boogaloo' van Big Boss Man, 'Alan Parsons in a winter wonderland' van Grandaddy en 'The Man who slits the turkey's throats at Christmas' van Robin Laing, Kellies persoonlijke favoriet. Ze zou een uitgebreid bad nemen en ernaar luisteren zodra Elliot weg was.

'Ach, flauwekul,' zei Elliot.

'Nee, echt. Het is allemaal zo'n onzin. We worden allemaal tot consumentisme gedwongen en niemand geeft er echt iets om. De enige die ervan profiteren zijn de winkels. Het is net of je een tsunami van smakeloosheid over je heen krijgt. Vorige week was ik in Oxford Street en het was echt de hel op een stokje.'

Elliot lachte.

'En kerstkaarten?' ging ze verder met haar tirade. 'Waar slaat *dat* dan eigenlijk op? Het is zo'n verspilling van bomen. De helft van de tijd vergeten de mensen ze zelfs te ondertekenen. O, en die ronde krulletters – ' Ze stopte, er schoot haar een gedachte te binnen. Ze draaide zich om en steunend op haar ellebogen keek ze Elliot aan. Stuurt Isabelle je er een? Ik durf te wedden van wel.'

Elliot kreunde en verborg zijn gezicht.

'Ha! Ik wist het. Vertel eens. Kom op. Is het – '

'Een kwelling? Ja, heel erg,' onderbrak Elliot haar, terwijl hij de ruimte tussen zijn vingers bestudeerde. Hij zou zich duidelijk niet laten vermurwen om haar alle details te geven. Maar ze wist het al. Elliot was diplomatiek en hij vond het alleen leuk om over Isabelle te roddelen als hij er zelf zin in had (meestal als hij dronken was), maar zo niet. Niet als Kellie probeerde een gesprek uit te lokken waarin hij gedwongen werd om onaardige dingen te zeggen. 'Maar gelukkig,' ging hij verder, terwijl hij lachend op de neus van Kellie drukte, 'heb ik jou om me uit dat soort dingen te halen.'

'Je zou er zo uit kunnen stappen nu, als je zou willen...?'

'Ach liefste. Maak het alsjeblieft niet moeilijker dan het al is. Ik moet doen wat goed is. En ik moet dit doen. Alleen deze ene keer, goed?'

'Maar je gaat het ze wel vertellen in het nieuwe jaar zoals je beloofd hebt?' vroeg ze.

'Ja.'

13

'*Vóór* het nieuwe jaar?' vroeg ze nog eens.

'Ik heb het je al gezegd: ik ga het in orde maken.'

Ze wist dat het geen zin had om nog verder aan te dringen. Ze moest vertrouwen in hem hebben. Dat had ze ook. Ze hield van hem. Een paar maanden geleden was hij in tranen uitgebarsten en had haar verteld dat hij verliefd op haar was en dat ze hem had laten zien dat alles wat hij in het leven had niets betekende zonder haar. Sindsdien had hun toekomst samen zekerheid gekregen.

'Voor mij is het veel erger,' zei hij, terwijl hij zachtjes een streng van haar lange golvende haren uit haar gezicht veegde. 'Hoe denk je dat ik me voel, als ik weet dat jij hier bent? Ik wil elke seconde kunnen weten waar je bent. Wat ga je doen als ik weg ben?'

Nu hij haar zo'n voor de hand liggende vraag had gesteld, besefte Kellie dat ze daar bijna niet over had nagedacht. Ze dacht dat ze zichzelf wel kon amuseren. Ze zou een paar ontspanningsmassages nemen en zichzelf verwennen en genieten van het heerlijke nietsdoen. Maar plotseling voelde ze zich niet meer zo'n held met dat vooruitzicht.

'Je bent vast helemaal in de wolken met al die films waar je naar kunt kijken zonder door mij te worden lastiggevallen,' zei hij.

Ze durfde hem niet te vertellen dat ze al naar de DVD-collectie van de hotelkamer had gekeken en ze stuk voor stuk al had gezien. Net zoals ze bijna elke film in haar plaatselijke videowinkel al had gezien. Ze was onverhoeds een amateur-filmkenner geworden – een onverwacht voordeel van al die late nachten die ze alleen had doorgebracht, wachtend op een telefoontje van Elliot.

'Misschien... of ik ga er een beetje op uit. Wat bijslapen... lezen...' Ze wreef in haar ogen, de mascara van gisteravond knarste onder de muis van haar hand. 'Mijn make-up afdoen,' ging ze verder en liet Elliot de zwarte veeg zien. 'Aantrekkelijk, hè?'

'Zeer. Je bent zo mooi, Kel. Zelfs als je een panda nadoet. Als je dat prachtige, sexy lichaam van jou nou eens hierheen bracht?' zei hij en trok haar boven op hem.

Ze begonnen langzaam, sensueel te vrijen.

Kellie was nooit van plan geweest om de minnares van Elliot Thorne te worden. Maar nu hun relatie al een jaar duurde, waren de feiten heel simpel: Elliot maakte haar gelukkig en zij maakte hem ook gelukkig. Gelukkiger dan hij ooit in zijn leven was geweest, dat zei hij tenminste. En zij geloofde hem. Ondanks hun leeftijdsverschil van tien jaar hadden ze een seksuele aantrekkingskracht en vulden ze elkaar emotioneel zo goed aan dat ze er beiden over praatten alsof het voorbestemd was.

Ook al had het minnares zijn ook zijn moeilijke momenten, ze verdacht Elliot er nooit van dat hij 'van twee walletjes aan het neuken was,' zoals Jane, haar oudste, maar nu uiterst afstandelijke vriendin, zo bot had geconcludeerd. Kellie was ongevoelig voor dat soort beschuldigingen. Elliot was al jaren ongelukkig, lang voordat hij Kellie had leren kennen, en dat was de realiteit.

Het was zelfs zo dat zijn reputatie als ellendige bullebak hem enigszins vooruit was gegaan, toen ze met hem kwam te werken aan haar eerste rechtszaak bij w d g & Partners. Schijnbaar was Elliot Thorne de keiharde, compromisloze *big boss*, en naar verluidt zo veeleisend dat hij menig wetsdienaar in een vergelijkbare positie als Kellie aan het huilen had gemaakt. Maar Kellie had het anders aangepakt, ze antwoordde terug en zorgde ervoor dat hij zijn verontschuldigingen aanbood als hij onbeschoft was. Ze bestreed vuur met vuur en speelde het spelletje mee, en dat scheen te werken. Binnen een paar dagen had ze hem aan het lachen gekregen. Binnen een paar weken waren ze vrienden geworden.

Het duurde niet lang voordat hij voorzichtig zijn hart begon te luchten, en ze ontdekte dat Elliot Thorne zo ongeveer de eenzaamste man was die ze ooit had ontmoet. Algauw wist Kellie alles over zijn bazige, carrièregerichte vrouw, Isabelle, en zijn norse, teruggetrokken dochter, Taylor. Kellie wist dat ze beter geen verhouding aan kon gaan, maar ze kon het niet helpen dat ze het leven van Elliot mooier wilde maken.

Vorige kerst hadden ze in de aanloop naar Kerstmis elke avond tot in de late uurtjes gewerkt aan een zaak. Toen ze eindelijk afscheid hadden genomen, vocht Kellie tegen een heel ander soort tranen dan haar voorgangers. Ze wist dat ze hem zou missen, maar de manier waarop ze hem miste, paste niet in een gezonde relatie met je baas.

Daarom wist ze, toen een druipnatte, radeloos uitziende Elliot achter haar aan de straat op was gerend, haar had platgedrukt tegen de reling en haar afwisselend kuste en zich verontschuldigde, dat ze niet de enige was in de ban van iets groters dan ze ooit had meegemaakt.

Sinds die tijd hadden ze bijna geen dag zonder elkaar doorgebracht. En toen Elliot het appartement had gehuurd niet ver van het Chancery Lane-kantoor, leek het gewoon de natuurlijkste en gemakkelijkste zaak van de wereld voor Kellie om erin te trekken. Hij hield haar dan wel geheim voor zijn familie totdat de tijd er rijp voor was, en het was zeker niet goed om het aan iemand op het werk te laten weten, maar Elliots toewijding aan haar was altijd standvastig.

En nu, naderhand, terwijl ze in zijn armen lag en stilletjes zijn zachte huid streelde, was ze meer verliefd op hem dan ooit tevoren. Na een poosje strekte Elliot zich uit, stond op en ging naar de en-suite badkamer.

Kellie bewonderde de aanblik van Elliots blote achterwerk terwijl hij zichzelf in de spiegel bekeek.

'Zeg, hoe is dat Brayner-eiland eigenlijk?' vroeg ze. Ze kwam langzaam uit bed.

'Het is een mooie plek om in de zomer heen te gaan, maar waarom pa hier permanent is gaan wonen, is een raadsel. Niemand had gedacht dat hij hier fulltime met pensioen zou gaan.'

'Het lijkt me best een goed idee om je terug te trekken op een klein eiland,' zei Kellie en ze ging naast hem staan in de badkamer. 'Dat is romantisch.'

'En totaal onpraktisch, maar hij is zo eigenwijs dat we hem niet op andere gedachten konden brengen.'

'Ik zou het weleens willen zien. Het is mooi, hè?'

'Als je van dat soort dingen houdt. Maar echt, in deze tijd van het jaar is het alleen maar kaal en guur en winderig. En er is absoluut niets te doen. Voor stadsmensen zoals wij is het gewoon... ik weet niet... ik denk dat je het te gewoontjes zou vinden. Saai.'

Hij begon zijn tanden te poetsen. Kellie legde haar armen om zijn middel en drukte haar wang tegen zijn rug. Ze wilde geen ruzie met hem maken. Hij scheen altijd te vergeten dat ze in Australië was opgegroeid en gewend was aan de wildernis. Maar het deed het niet toe. Ze vond het leuk dat hij hen een 'wij' noemde.

'Je praat bijna nooit over je familie, behalve over wat er met Stephanie is gebeurd. Hoe gaat het met haar?' Kellie had met de oudere zus van Elliot te doen. Ze wou dat ze iets voor Stephanie kon doen, maar ze wist dat zelfs alleen die gedachte al een overtreding was van de grenzen van haar huidige relatie met Elliot. Het was zo frustrerend om aan de ene kant zo centraal te staan in zijn leven en aan de andere kant volledig buitengesloten te zijn. 'Redt zich wel, denk ik. Dat is dan tenminste één goed ding aan Kerstmis bij pa. Dan kan ze eens aan iets anders denken. Misschien vrolijkt het haar een beetje op.'

'Jij kunt haar vast opvrolijken.' Kellie liet hem los en keek hem aan in de spiegel, ze probeerde zich de details van zijn gezicht in te prenten omdat ze wist dat ze binnenkort weer zou smachten om hem te zien. 'En haar man dan? Hoe gaat het met hem?'

Elliot zuchtte en draaide zich naar haar toe. 'Moeten we daar nu over praten? Het is al erg genoeg dat ik ze straks allemaal moet zien.'

Ze pakte haar tandenborstel en zag dat de inhoud van haar toilettas overal verspreid lag, terwijl die van Elliot netjes in zijn leren tas was opgeborgen, die hij nu dicht ritste. Waarom begreep hij niet dat het logisch was dat ze over hen wilde praten? Ze zouden over niet al te lange tijd toch ook haar familie zijn? Maar ze wist dat het nog te vroeg was om dat onderwerp aan te snijden.

'Schatje,' zei Elliot, terwijl hij haar aankeek in de spiegel. 'Het is maar familie. Het is niet belangrijk.'

'O nee?' Plotseling moest ze bijna huilen.

'Doe nou niet zo. Weet je dan niet dat ik je elke seconde zal missen?'

Hij trok haar in zijn armen en kuste haar. Ze hoorde hem in haar oor zuchten. Misschien was het niet eerlijk van haar, dacht ze. Misschien zou het voor hem echt zwaarder zijn.

'Taylor is er tenminste,' zei ze, terwijl hij over haar rug wreef. Ze draaide zich om en keek naar hem op, probeerde moedig te zijn. 'Je zei dat je wat tijd met haar wilde hebben.'

'Dat is zo. Ik hoop dat het niet te laat is om tot haar door te dringen voordat ze echt volwassen is. Ze is erg veranderd. Sinds ze naar die school gaat. Ze zal wel woedend zijn dat er geen Sky Plus op Brayner ontvangen kan worden, maar dan heb ik in ieder geval de mogelijkheid om wat tijd met haar door te brengen.'

Kellie vroeg zich af hoe Taylor eruitzag. Elliot had haar nog nooit een recente foto van zijn dochter laten zien. Maar ze had de details van de guitige kleine peuter in het zilveren frame op het bureau van Elliot in haar geheugen gegrift. Ze probeerde de gelaatstrekken van die baby over te zetten naar een jong meisje. Ze stelde zich Taylor voor met vlechtjes en een beugel, verlegen glurend onder een te lange pony.

'Je moet gewoon aardig tegen haar zijn. En niet al te vaderlijk overkomen. Niet als de grote advocaat. Dan zal ze je uiteindelijk wel toelaten,' zei ze.

'Ik hoop het, echt waar. Ik moet het goedmaken met haar. Ik wil dat ze weet dat als er veranderingen zijn in het nieuwe jaar ze nog steeds deel van mijn leven blijft. Dat ze dat altijd zal zijn.'

'Dat weet ze vast. Daar zorgen wij wel voor. Dat beloof ik.'

Wij... ze had het gezegd zonder erbij na te denken. Hij had geen spier vertrokken. Wij... dat waren zij: Kel en El. Een team.

Elliot omarmde haar weer. Ze was blij dat hij haar intuïtie over zijn dochter vertrouwde. Ze verheugde zich erop om Taylor te ontmoeten, maar was er tegelijkertijd zenuwachtig voor. Kellie maakte zich geen illusies. Het zou heel moeilijk kunnen zijn voor Taylor om te aanvaarden dat haar vader een nieuwe partner had. Kellie wist nog goed hoe boos ze was geweest op haar eigen ouders toen ze uit elkaar gingen. En zij was bijna klaar met school, vijf jaar ouder dan Taylor nu. Desalniettemin hoopte Kellie dat ze wat stabiliteit en aandacht zou kunnen geven, wat aan het leven van Taylor scheen te ontbreken. Ze was pas een jonge tiener. Misschien zouden ze wel vrienden worden, als Taylor eenmaal zelf kon zien hoeveel Kellie van haar vader hield.

Even verdween Kellie in een fantasiewereldje, ze stelde zich Taylor en haarzelf voor, lachend en arm in arm lopend over de King's Road, beladen met tassen.

'Hé, ik heb iets voor jou,' fluisterde Elliot.

Kellie keek tussen hen in naar beneden en voelde hem tegen haar aan drukken. 'Alweer?'

Ze lachte. Hij tilde haar op en droeg haar naar het bed terug.

'Maar had je niet afgesproken met je zus – '

Hij snoerde haar de mond met een kus. 'Jij bent belangrijker,' zei hij. 'En ik heb ook nog iets anders voor jou.' Hij legde haar op bed. Ze volgde hem met haar blik en zag hoe hij zich door de kamer haastte. Hij haalde iets uit zijn jaszak en kwam weer terug. Met wijd opengesperde ogen keek ze naar Elliot op en hij grijnsde terug. Ze nam het kleine Tiffany-doosje uit zijn hand.

'Maak maar open,' zei hij.

Binnenin lag een prachtige ketting van gedraaid zilver platina, met daaraan een diamanten hangertje in de vorm van een hart. Het zag er vreselijk duur uit en ze had zelf niets mooiers kunnen kiezen.

'Wat is dit?' vroeg ze, niet zeker wat het betekende.

'Ik wil dat je het ziet als een cadeautje omdat we nu één jaar bij elkaar zijn, voor het geval je dacht dat ik het vergeten was,' zei hij.

Ze zwaaide haar armen om zijn nek. 'Ik vind het geweldig.'

'En ik vind jou geweldig, liefje,' fluisterde hij. 'En ik beloof je dat we voortaan elke kerst bij elkaar zullen zijn.'

Hoofdstuk 2

Het leek of het veel kouder geworden was toen de boot Brayner eindelijk bereikte en afmeerde aan de met zeepokken begroeide steiger in de haven van Green Bay. Stephanie wilde zo snel mogelijk van de boot af. Ze besefte dat ze tijdens de vijfentwintig minuten durende reis vanaf Fleet Town bijna de hele tijd haar adem had ingehouden. Ze had er echt een hekel aan om op het water te zijn, vooral op een boot met haar hele familie aan boord. Ze haalde even diep adem om haar zenuwen tot rust te brengen. De lucht was zo fris en koud dat het pijn deed aan de binnenkant van haar neus.

Ze hield haar hand boven haar ogen en keek omhoog naar het typische ansichtkaartuitzicht van Green Bay Village. Het dorpje bestond uit ongeveer veertig huizen en arbeidershuisjes, een theesalon, het café *The Windcheater*, het postkantoor en een jeugdherberg die alleen in de zomer open was. De enige andere gebouwen van betekenis waren de vuurtoren achter haar, het oude schoolgebouw met zijn golfplaten dak versierd met kerstlichtjes, en de mooie Normandische kerk. De vvv had het niet beter kunnen ontwerpen. Maar voor Stephanie ging het aankomen in Green Bay altijd gemengd met een zekere teleurstelling. Het kwam nooit overeen met het nogal romantische, zonovergoten beeld dat ze in herinnering had, vooral op een dag als vandaag.

'Voorzichtig!' riep Stephanie, toen Simon, haar zoon, langs haar heen stommelde om het eerste van de boot af te zijn. Binnen een tel stond hij op de kade en rende de verharde scheepshelling op naar de weg, waar een kerstmanversiering aan een ijzeren lantaarnpaal hing en wapperde in de wind.

Hij negeerde haar waarschuwing en spreidde zijn armen uit om als eerste weg te scheuren. Ze kon wel zien dat hij ontzettend blij was om terug te zijn op het eiland. Net als zijn grootvader gaf de eindeloze uitgestrektheid van de lucht hem een gevoel van vrijheid. Het was in elk geval een heel andere wereld dan die Simon gewend was in hun buitenwijk van Bristol, waar het verkeer altijd vastzat en de muren met graffiti waren beschilderd.

Maar in Bristol kon Simon tenminste in toom worden gehouden. Ze voelde hoe haar hart een slag oversloeg toen hij de weg bereikte.

'David, kun je Nat even neerzetten en hem in de gaten houden,' zei ze. Ze ergerde zich dat haar man al wankelend tegelijkertijd Nat, hun vijfjarige dochter, twee tassen en een rugzak uit de boot probeerde te tillen. 'Geef haar maar aan mij,' beet ze hem toe. 'Kom maar bij mama,' zei ze en strekte haar armen uit.

'Niets aan de hand met Simon, oké? Laat hem toch,' zei David terwijl Stephanie Nat uit zijn armen nam.

David was groot en nog steeds zo slank als tien jaar geleden toen Stephanie met hem trouwde, maar hij zag er lijvig uit in zijn zwarte donzen jas van North Face. Zijn wangen waren roze van de koude boottocht en zijn gezicht zat vol lachrimpels, maar hij keek bloedserieus toen zijn bruine ogen haar een waarschuwende blik toewierpen.

Stephanie negeerde het. Ze wist dat hij niet graag had dat ze zo publiekelijk de aandacht op Simon richtte, maar dat kwam omdat David weigerde in te zien dat er een probleem was.

Feit bleef dat Simon een probleem wás. Of misschien niet. Hij was perfect; hij was haar zoon. Maar hij moest wél in de gaten worden gehouden. Hij had wél meer aandacht nodig dan andere achtjarige kinderen. Hij had zoveel energie, zoveel gedachten, dat hij het soms moeilijk vond om ze allemaal op een rijtje te krijgen. Dat had de kinderpsychiater tegen Stephanie gezegd. Hij had voor haar en David een plan opgezet om Simon te helpen zich beter te concentreren op wat er rondom hem heen gebeurde en de vele gedachten die hij had één voor één uit te werken. Het maakte haar woedend dat David het niet zo serieus nam als zij. Hij had geen vertrouwen in psychiaters. Hij vond niet dat Simon er een nodig had. Hij dacht dat als ze allemaal hun kop in het zand zouden steken, het probleem vanzelf voorbij zou gaan.

David ging lomp en rakelings met de tassen langs haar heen en klom uit de boot.

'Heeft oom Elliot nog wat lekkers?' fluisterde Nat naar Stephanie en giechelde samenzweerderig. Het nepbonten kraagje van haar roze suède jasje kriebelde in Stephanies gezicht. Ze duwde het plat met haar hand en zag dat de tong van Nat blauw was van de snoepjes.

Elliot had beide kinderen achter de rug van Stephanie steeds een handje M&M's toegestopt, terwijl ze door het stuivende water denderden. Ze had hem willen vragen om op te houden, maar ze wist ook hoe blij de kinderen waren om hun favoriete oom weer te zien.

'Ik dacht dat je zeeziek was?' zei Stephanie.

'Nu niet meer, mama. Toe nou,' bedelde Nat.

'Nee. Je hebt genoeg gehad.'

Stephanie laadde de rest van de bagage uit, voordat ze Nat van de boot af hielp. Ze was opgelucht toen ze veilig op het vasteland stonden. Ze draaide zich om en keek naar Elliot, die nog steeds met de man aan het praten was die hen hierheen had gebracht.

Haar broer, die zich niet bewust was van de stress die zij voelde, zag er gelukkig en ontspannen uit. Het viel Stephanie op hoe goed hij eruitzag. Ze voelde tegelijkertijd jaloezie en genegenheid voor hem. Elliot had altijd zoveel geluk gehad in zijn leven. Maar goed, ze was blij dat hij zich bij hen had gevoegd in Fleet Town. Als hij er niet was geweest om hen op te vrolijken, zou ze zeker zijn uitgevallen tegen David.

'En je kunt ons terugbrengen wanneer we willen? Ik hoef je alleen maar te bellen,' Elliot vroeg het nog eens na aan de jongeman die hen hierheen had gebracht vanuit St. John. Ze zag hoe Elliots hand onder zijn dichtgeknoopte marinejas naar de achterzak van zijn spijkerbroek reikte en er een zilveren geldclip uithaalde waar hij een briefje vanaf pelde.

'Bel me maar op met de mobilofoon als je me nodig hebt,' zei de jongeman. Hij stond geduldig in zijn bootje terwijl de golven tegen de scheepshelling klotsten. 'Vraag maar naar Ben. Dat ben ik. Je vader heeft het nummer wel.'

'Kom op,' zei Stephanie. 'Het is ijskoud.'

Elliot gaf de man wat geld en stapte met tegenzin de steiger op met zijn duur ogende leren Gladstone-tas. Ben maakte het touw los en gaf gas, hij stond duidelijk te popelen om weg te kunnen. Een wolkje blauwe rook zweefde weg over het water.

Stephanie rolde met haar ogen en pakte haar broer bij de arm. 'Zo erg zal het heus niet zijn,' zei ze tegen Elliot, voordat ze naar Ben schreeuwde: 'Geen nood. Hij hoeft echt niet te vluchten, dat beloof ik. Bedankt voor de lift. Vrolijk kerstfeest.'

Ben zwaaide en de boot keerde om.

Verderop hoorde Stephanie de toeter van een auto. Haar vader was bezig zijn donkergroene Landrover te parkeren in het smalle straatje voor de arbeidershuisjes. Hij stapte uit en zwaaide. Stephanie zwaaide terug en voelde een golf van blijdschap, vermengd met de gebruikelijke cocktail van emoties die ze altijd voelde als ze hem op kwam zoeken: de nostalgie van de thuiskomst en de angst en dat onzekere gevoel, alsof ze zichzelf op het verkeerde been had gezet in een niemandsland tussen haar volwassen leven en het kind in haar.

Vanaf hier zag hij er ouder uit, zijn witte haar waaide omhoog in de wind, maar hij leefde en lachte en daar ging het om. Hij opende de dubbele deuren aan de achterkant van de Landrover. Rufus, de laatst overgebleven nakomeling van de springerspaniël Samson die Elliot als kind had, sprong eruit en begon rondjes te rennen van opwinding. Stephanie zag hoe haar vader bijna omver werd geworpen door Simon, die algauw werd omhuld door haar vaders gevoerde groene jas. En voordat Stephanie haar tegen kon houden, rende ook Nat naar Stephanies vader toe.

Ze keek naar Nat en luisterde naar haar opgewonden gegil. Ze kon aan de gezichten van haar kinderen zien hoe hard ze aan vakantie toe waren, hoezeer ze het nodig hadden om van haar weg te zijn. Ze werd er zo verdrietig van dat ze de aandrang voelde om ze terug te trekken en hen allebei te omarmen. Hun verstoorde, maar vertrouwde familiedynamiek zou zich zo meteen oplossen in het grotere geheel van de Thorne-clan. Hoe zou ze het uit kunnen houden met David zonder de bescherming van haar kinderen, die natuurlijk meegesleurd zouden worden in de draaikolk van alle uitbundigheid rondom Kerstmis?

Kerstmis. Ze had er zo lang tegenop gezien en nu was het eindelijk zover. Bij het zien van haar vader en het horen van zijn lach die gedragen werd door de wind, besefte ze dat ze haar best zou moeten doen. Ze hoefde niet toe te laten dat de oude familiehiërarchie weer in dezelfde groef terechtkwam. In het huis van haar vader, volgens de regels van hem en Elliot – wiens beurt het was om de tafel te dekken, wie het beste de vragen kon stellen bij Trivial Pursuit, wie de hond 's morgens moest uitlaten en wie besloot waarnaar gekeken werd op tv – door dit soort dingen hoefde ze zich niet langzaam gek te laten maken. Ze zou het niet toelaten. Ze zou overal rustig doorheen zweven, als een perfecte, afgezonderde wolk. Ze zou de verleiding weerstaan om de oude gewoonten weer op te pakken en zich te gedragen als de verwende tiener die ze ooit was geweest. Ze zou niet bekvechten met Elliot – over zijn sigaren, of dat hij beneden op de wc de krant op de grond liet liggen, ze zou erbovenuit stijgen. Als iedereen dat nou deed. Als ze zich allemaal als volwassenen zouden gedragen. Drie dagen maar. Was dat nou echt zo moeilijk?

'Kom, ik help je even,' zei Elliot toen Stephanie alle tassen aan het inladen was die bij haar voeten stonden.

'Dank je,' zei ze, 'ik snap niet hoe we het voor elkaar gekregen hebben om zoveel troep mee te nemen voor drie dagen.'

Ze keek naar hem op. Hij had een moedervlekje boven zijn jukbeen, een genetisch trekje van hun moeders kant dat Simon ook had geërfd. Het was altijd een teken van haar moeders schoonheid geweest en nu maakte het kleine vlekje Elliot in de bloei van zijn leven knapper dan ooit. Ze zag de rimpeltjes rond zijn ogen en het beetje grijs in zijn haar, maar ze kon nog steeds de jongen in hem herkennen. De jongen die de harten van al haar vriendinnen had gebroken, hoewel ze ouder waren dan hij.

'Alles goed, Steph?' vroeg hij. Hij sprak iedereen altijd aan met volledig oogcontact, bijna alsof hij zo bij je naar binnen wilde kijken. Het was een slimme truc om ervoor te zorgen dat mensen hem aardig vonden. En de waarheid vertelden. Dus heel even voelde ze de verleiding om hem te vertellen hoe het met haar ging. Maar ze vroeg zich af hoe haar perfecte broer met zijn perfecte carrière en perfecte gezin ooit zou moeten begrijpen hoe moeilijk het vooruitzicht van deze kerst voor haar was. Ze had hem nooit lastiggevallen met haar problemen en het was nu niet de tijd om daarmee te beginnen.

Ze knikte en glimlachte.

'Kom op,' zei ze. 'We moeten pa niet laten staan wachten.'

Boven aan de scheepshelling stak Gerald zijn hand uit en plukte een pluisje van Stephanies jas voordat hij haar omarmde. Het gebaar deed haar denken aan de dagen van de schoolfoto's, heel lang geleden. Plotseling moest ze denken aan allerlei andere kleine eigenaardigheidjes van hem.

'Ik ben zo blij dat jullie konden komen,' zei hij en kuste haar op de zijkant van haar hoofd, naast haar oor, zoals hij dat altijd deed.

De laatste keer dat ze haar vader had gezien, was drie maanden geleden, toen hij naar Londen was gegaan voor een concert en gelogeerd had bij Elliot en Isabelle. Stephanie was de volgende dag uit Bristol gekomen en ze waren met z'n allen uitgebreid gaan lunchen in een of ander duister eetcafé vlak bij Elliot, waar haar vader had gemopperd over de vrijblijvende bediening en de kwaliteit van zijn biefstuk.

Maar op zijn eigen stekkie kwam hij heel ontspannen over, hij zag er goed en gezond uit. Ze ademde zijn geur in – een geruststellende mix van muffe truien, hondenhaar en de aftershave die hij al jaren gebruikte. Zoals gewoonlijk werd ze verrast door de kracht van zijn omarming, waarna ze zich altijd kwetsbaar voelde, als een kind, alsof alles wat ze bereikt had, haar eigen gezin, haar positie binnen de kliniek, haar bekwaamheden als een volwassen mens, plotseling was uitgewist.

'Hallo papa,' zei ze.

Ze wurmden zich met z'n allen in de overvolle Landrover onder luid protest van Rufus achter het hek achterin. Stephanie hield Simon vast op haar schoot, nadat ze de discussie over de autogordels had verloren toen haar vader had gezegd dat er geen waren. David zat naast haar achterin met Nat op schoot en kietelde haar, zodat ze de hele tijd om zich heen zwaaide terwijl ze over de hobbelige weg reden.

Zoals gewoonlijk zat Elliot voorin naast haar vader. Nu ze de kans had om hen zo samen te observeren, wist Stephanie weer hoeveel ze op elkaar leken in hun manier van doen, hoe hun hoofden naar elkaar toe leunden en hoe natuurlijk de glimlach was die

25

op haar vaders mond verscheen als Elliot iets zei. Ze onderdrukte haar kinderachtige jaloezie over het feit dat ze was buitengesloten van hun vriendschap.

Terwijl zij aan het kletsen waren en Nat gilde van het lachen, staarde Stephanie uit het raam vol modderspetters. Ze reden richting noorden, langs het kerkhof dat was bezaaid met vergeten grafstenen. Ze hingen alle kanten op als een vloot kleine bootjes die hun zeilen in de wind hadden gestoken. Ze herinnerde zich hoe ze daar rond had gelopen aan het einde van de zomervakantie, toen ze hier voor het laatst was geweest. De zoute lucht had de inscripties op de stenen uitgewist en ze onleesbaar achtergelaten als uitgeveegde potloodstrepen. Er werd gezegd dat sommige graven van zeemannen waren, wiens schepen tot luciferhoutjes waren geslagen op de verraderlijke rotskust van Hell Bay aan de andere kant van het eiland.

Ze dacht aan haar moeders keurige grafsteen, onopvallend in een rij vierkante stenen van gepolijst graniet in het crematorium van Exeter. Zelfs nu, drie jaar nadat Emma Thorne was gestorven aan een plotselinge, onverwachte hartaanval in de tuin van hun oude huis in Exeter, miste Stephanie haar vreselijk. Haar afwezigheid was veel sterker dan ooit tevoren nu ze allemaal samen waren. Stephanie was vastberaden dat ze haar moeder zouden herdenken op eerste kerstdag.

'Is er dit jaar een mis in de kerk, pa?' vroeg ze aan haar vader.

Gerald keek haar aan in de achteruitkijkspiegel. Zijn ogen waren nog steeds helder blauwgrijs onder zijn dikke witte wenkbrauwen.

'Ze hadden het erover dat de dominee hierheen zou komen op kerstochtend vanuit Fleet Town, maar ik geloof niet dat er genoeg belangstelling is.' Hij richtte zijn aandacht weer op de weg. 'Het is een vrouw, weet je. Ik hoor niet veel goeds over haar.'

'Wat is er dan met haar?'

'Ze is nogal bekrompen. De mensen ergeren zich aan haar.'

'We hoeven dus niet bang te zijn dat je er met haar vandoor gaat?' plaagde Elliot.

'Eh, nee,' antwoordde haar vader, en voegde eraan toe: 'Niet met zo'n snor.'

Elliot bulderde van het lachen. Hoe kon hij überhaupt grapjes maken over haar vader met een andere vrouw, vroeg Stephanie zich af. Maar haar vader vond het blijkbaar niet erg. Integendeel, de goedgeluimde plagerijtjes gingen gewoon door, terwijl de auto verder reed naar het noorden, langs de rij schilderachtige arbeidershuisjes net buiten de kom van het dorp.

Plotseling, na de popperige tuintjes met hun lage muurtjes, werd het landschap rotsachtig en overal lagen zwerfkeien weelderig begroeid met hei en brem, geschikt voor de schapenhouderij, maar niet veel meer. De weg slingerde als een slang voor hen uit, omhoog langs de machtige koepelvormige Solace Hill, die oprees uit het midden van het eiland 'als een grote dikke tiet' zoals Elliot het altijd zo graag noemde. Er stonden een paar paarden op de top. Ze staarden onbewogen naar de voorbijrijdende Landrover.

Daarna kwam de rij stenen huizen die uitzicht hadden op de zee, misplaatst in hun isolement.

'Weer allemaal leeg,' merkte haar vader op, alsof dat iets verkeerds was.

Stephanie wist dat ze vanbinnen allemaal waren opgeknapt om te verhuren, met Welshe lappendekens op de bedden en speciaal voor de toeristen gedecoreerd met veel koper en foto's in sepia. 's Zomers en in de weekenden waren hun ramen 's avonds verlicht en kwamen er rookpluimen uit hun schoorstenen. Nu, met kerst, waren de ramen donker.

'Verbaast je dat?' vroeg Elliot lachend. 'Wie is er nou zo gek om in deze tijd van het jaar hierheen te komen?'

'Jullie bijvoorbeeld,' antwoordde haar vader. 'Ik vind het hier fantastisch in de winter. Een echt avontuur. Perfect voor de kinderen.'

Maar ondanks zijn optimisme kreeg Stephanie een akelig voorgevoel, en ze rilde. Instinctief drukte ze Simon een beetje dichter tegen zich aan.

'Auw,' zei hij, 'mam, laat los. Je doet me pijn.'

*

Vijf minuten later arriveerden ze bij hun vaders huis. Stephanie zag hoe Isabelle, de vrouw van Elliot, de laatste hand legde aan een kerstkrans op de klopper van de witte houten voordeur. Isabelle was gisteren al aangekomen en Stephanie concludeerde dat zij de kerstkrans had meegebracht, want ze wist dat haar vader niet erg dol was op kerst en dat zo'n onpraktisch ding onmogelijk te krijgen was in een van de beperkte winkeltjes op het eiland. Plotseling schoot haar een andere mogelijkheid te binnen: Isabelle had de kerstkrans waarschijnlijk zelf gemaakt. Misschien had ze wel een diploma in handvaardigheid gehaald, naast al die andere, want ze leek altijd alles te kunnen.

Isabelle draaide zich om en zwaaide en wierp hen een orthodontisch perfecte, professioneel gebleekte, Amerikaanse glimlach toe. De kinderen zwaaiden terug en Stephanie zag dat haar schoonzus er net zo verzorgd uitzag als altijd. Haar blonde haar viel perfect gekapt achter haar oren. Vandaag droeg ze een roze trui van kasjmier, een konijnenbontje om haar hals dat wapperde in de wind alsof het arme beest nog leefde, en een designspijkerbroek in haar met bont afgezette laarsjes. Ze stampte opgewonden met haar voeten en wachtte iedereen op bij de voordeur. Ze zwaaide en gilde van blijdschap toen Simon en Nat de auto uitklommen en naar haar toe renden om haar te omhelzen.

Binnengekomen na alle hallo's over en weer, merkte Stephanie dat er iets anders was in huis. Het was warm en op de achtergrond speelden de zachte tonen van een onopdringerige soort jazz zoals vaak in hotellobby's te horen was, in plaats van het gebruikelijke gebrabbel van Radio Four. Het rook ook anders: kaneel en baklucht en boenwas in plaats van vistuig en modderige rubberlaarzen.

Stephanie was in de zomer gekomen toen haar vader hier net naar toe was verhuisd om er permanent te komen wonen. Dit was hun oude vakantiehuis en hun huis in Exeter had hij verkocht. Het verbaasde haar om te zien dat nu alles was uitgepakt: de staande klok, de schommelstoel, de oude zwartwitfoto van haar vader in zijn universiteitstoga en zijn collectie zeilbootprenten hadden allemaal een plekje op de muren van de hal gekregen.

Stephanie hield Nat aan haar hand, ze liepen door de hal naar de eetkamer, waar de mahonie tafel blinkend gepoetst was. In de hoek naast de haard stond een gloednieuwe plastic kerstboom beladen met linten, lichtjes en kerstballen. Het had zo in de etalage van Harrods kunnen staan, zo mooi was het gedaan. Stephanie voelde een golf van teleurstelling door haar heen gaan. Dat was haar klusje. Ze had zich erop verheugd om op zoek te gaan naar de oude kerstdoos, die vol zat met in de war geraakte kerstdecoraties. Alleen de geur al en de inhoud: een paar verkreukelde draden zilverfolie, een kinderschoenendoos vol met kerstballen, verroeste belletjes, oude rode kaarsen, een kerststalletje waar al jarenlang niet veel meer van over was, en de gedeukte doos met de plastic kerstboom die al in haar familie was sinds ze hem hadden gekocht in de uitverkoop van Woolworths in 1981. Het bracht haar direct terug naar de tijd dat Kerstmis nog iets betekende. Dit jaar had ze meer dan ooit een glimp nodig van dat gevoel.

Ze had ernaar uitgezien om het ritueel van het kerstboom versieren samen met Nat te doen, zoals zij het vroeger met haar moeder had gedaan. Ze had gehoopt dat haar dochter het ook leuk zou vinden om de doos te zoeken en de boom op te zetten en er de gebutste rode en gele kerstballen in te hangen. Het was een van de dingen die Stephanie er het meest aan herinnerde hoe het was om kind te zijn.

'O,' zei Nat, duidelijk teleurgesteld. 'Mama, je had gezegd dat *wij* de boom mochten doen.'

'O God, daar heb ik niet aan gedacht,' zei Isabelle, ze sloeg haar handen in elkaar. Stephanie zag dat de huid op haar handen perfect was, haar verlovingsring met de grote vierkant geslepen diamant was opvallend als altijd. 'We hadden gewoon zo'n zin om iets te doen te hebben gisteravond toen we op jullie komst zaten te wachten.' Isabelle raakte met haar hand Stephanies arm aan. Haar nagels waren op zijn Frans gelakt en Stephanie vroeg zich af waar ze de tijd vandaan haalde om zichzelf zo te verwennen. Ze was toch een topvrouw in het bedrijfsleven? Moest je dan niet ook wat echt *werk* verrichten?

'Maar ik dacht dat we hadden afgesproken om de boom vóór kerstavond op te maken?' zei Isabelle, en haar zuidelijk Amerikaans accent klonk zacht en verleidelijk als altijd.

Stephanie vroeg zich vaak af of het alleen door het accent van Isabelle kwam dat ze zo succesvol was geworden in het bedrijfsleven en het hart van haar broer had weten te veroveren. Want als je haar stem weg dacht en alleen op haar uiterlijk afging met de staalharde blik in haar ogen, zag Isabelle er angstaanjagend uit. Stephanie had nu geen reden om ruzie met haar te maken. Ze herinnerde zich het telefoontje van Isabelle een paar weken geleden. Stephanie stond in de rij bij de supermarkt en probeerde een ruziënde Nat en Simon uit elkaar te halen. Ze had niet goed kunnen luisteren en in een mum van tijd had Isabelle haar tot instemming met haar voorstel gemanoeuvreerd, zonder dat ze wist waar het over ging.

Dus Stephanie nam aan dat dit het eerste resultaat was van de plannen die Isabelle had gemaakt. Het was haar eigen schuld dat ze de kerstboom had gemist, of beter gezegd, het was de schuld van David. Ze hadden hier gisteravond al moeten zijn met Isabelle en Taylor, maar David zat vast aan een deadline bij het computertijdschrift waar hij redacteur was en had de plannen op het allerlaatste moment gewijzigd.

Maar het had geen zin om kinderachtig te zijn, zei Stephanie tegen zichzelf. Het was maar een boom.

'O ja, dat is ook zo. Heb je de versiersels van pa kunnen vinden?' vroeg Stephanie.

'Ik heb een hele doos vol gevonden, maar het meeste heb ik weggegooid. O God, je moest eens weten wat voor ouwe troep Gerry bewaard had!'

Stephanie beet op haar lip. 'Nou, het ziet er geweldig uit,' perste ze er met moeite uit.

'Ja, hè?' zei Isabelle, blij met het compliment.

'Er zijn nog genoeg andere dingen te doen,' zei Stephanie tegen Nat. 'Ik vind het eigenlijk wel mooi dat Isabelle het huis al zo in kerstsfeer heeft gebracht.'

Nat wees naar de grote stapel cadeautjes die perfect ingepakt onder de boom lagen. 'Kijk eens. Zijn die allemaal voor ons?' vroeg ze.

Isabelle glimlachte en leunde naar voren zodat haar gezicht

op een hoogte kwam met Nat. 'Sommige wel, Natascha.' Plotseling riep Isabelle verbaasd, 'Ach liefje, wat is er in godsnaam met je hoofd gebeurd?' Isabelle duwde de donkere pony van Nat opzij en onthulde een blauwe plek op haar voorhoofd.

'Ik ben thuis uitgegleden over de drempel,' zei Nat. Isabelle keek Stephanie aan.

'Het is alleen maar een bult,' zei Isabelle, boos over het schuldgevoel dat ze kreeg. Maar het ging niet weg. Ze had het gevoel dat Isabelle haar veroordeelde, een gevoel dat ze van iedereen kreeg sinds de gebeurtenissen van vorige zomer. Het was alsof alles wat ze voorheen geweest was – een gerespecteerde huisarts, een sterke en succesvolle moeder, een zorgzame dochter en liefhebbende vrouw – was weggevaagd door de gebeurtenissen van één enkel moment. Die dag had alles voor altijd veranderd. Iedereen wist dat het niet haar schuld was geweest, maar toch vroeg Stephanie zich af hoeveel gesprekken Isabelle met Elliot achter haar rug om had gehad. Hoe vaak hadden ze haar de schuld in de schoenen geschoven? Misschien zelfs zo vaak als ze het zelf had gedaan?

'Je bent heel flink geweest, hè schatje?' zei Stephanie tegen Nat en gaf een klein kusje op de blauwe plek. 'Ga maar eens even kijken wat opa aan het doen is.'

Toen ze bij het huis waren aangekomen had haar vader aangekondigd dat hij wat houtblokken zou gaan hakken in de achtertuin terwijl zij hun tassen uitpakten. Ze keek uit het raam van de eetkamer om te kijken of ze hem kon zien, maar ze zag alleen Rufus die een gat aan het graven was. Haar vader had zich zeker in het schuurtje verstopt.

Stephanie en Isabelle zagen allebei hoe Nat wegrende, terug naar de hal. Geen van beiden zei iets en Stephanie wilde bijna gaan uitwijden over het ongelukje dat de verwonding van Nat tot gevolg had gehad, maar ze liet het moment voorbijgaan. Ze hoefde zich niet te rechtvaardigen, voor niemand. Ze liepen naar de keuken.

'Hoe gaat het met je?' vroeg Stephanie om het gesprek op een ander onderwerp te brengen.

'Gewoon heel erg hectisch,' zei Isabelle. 'Je weet hoe dat gaat. Werk... gezin... kerst.'

Stephanie knikte, maar eigenlijk wist ze helemaal niet hoe het ging. Isabelle was een van de topdirecteuren van een groot bedrijf voor mobiele telefonie. Ze hield zich bezig met reclameleuzen en productlanceringen, Stephanie met gebroken bovenbenen en huilende oude mannen. Hun werelden lagen eindeloos ver uiteen.

'Maar wat kan het schelen. Het is nu vakantie. Weet je, ik kan me niet herinneren wanneer ik voor het laatst meer dan twee dagen niets voor mijn werk hoefde te doen,' ging Isabelle verder. 'En het is *zo geweldig* om niet te hoeven reizen. 'Al die lange vluchten, waarna je met rode ogen uit het vliegtuig stapt.' 'Echt moordend.'

'Zit er geen kans in dat het volgend jaar wat rustiger wordt?'

'Vergeet het maar. Alles gaat zo snel binnen die industrie, het is al een fulltime baan om het allemaal bij te houden. En we zijn aan het herstructureren, dus dat helpt ook al niet. Ik heb de afgelopen week honderdvijf mensen moeten ontslaan.'

'Honderdvijf?' herhaalde Stephanie geschokt. Ze wist uit ervaring wat voor vernietigende gevolgen een ontslag kon hebben voor de gezondheid van mensen. 'Die arme mensen. Net voor kerst –'

'Ik weet het. Maar ik dacht, dan zijn ze tenminste bij hun familie en hebben ze tijd om na te denken. Het zou veel erger zijn om ze in januari te ontslaan. Het jaar beginnen met slecht nieuws, en blut zijn na kerst. Vreselijk. Op deze manier kunnen ze een nieuw begin maken.'

Isabelle knikte, alsof haar rechtvaardiging het thema afsloot. Dat deed ze altijd, herinnerde Stephanie zich nu. Ze was er rotsvast van overtuigd dat iedereen de wereld op dezelfde manier zou moeten bekijken als zij.

Hun weg werd geblokkeerd door David die in de deuropening van de keuken verscheen, worstelend met Simon. Isabelle ging vlug aan de kant.

'O hemel,' zei ze, met het accent van een Southern belle.

Simon viel hard op de grond en lachte.

'Jullie twee,' zei Stephanie met een zijdelingse blik naar Isabelle. De uitdrukking op het gezicht van Isabelle was niet veranderd, maar even vroeg Stephanie zich af of ze vond dat je kinderen wel moest kunnen zien, maar niet horen. Dat zou misschien mede verklaren waarom Isabelle en Elliot hun enige kind naar een kostschool hadden gestuurd. Elliot had gezegd dat het door hun werkverplichtingen kwam, maar Stephanie kon zich niet voorstellen dat ze Simon of Nat zou wegsturen. Nog geen dag. Isabelle was nooit erg moederlijk geweest. Ze was binnen een jaar nadat ze Elliot had ontmoet zwanger geworden van Taylor. Ze was toen net aan het afstuderen, en hij had een jaar stage gelopen bij een advocatenkantoor in New York. Isabelle was eerst helemaal in paniek geraakt bij de gedachte dat ze al haar kansen om carrière te maken nu geruïneerd had. Maar Elliot, die stapelgek was op zijn blonde schoonheidskoningin en alles goed wilde doen, had haar ten huwelijk gevraagd en haar mee terug naar Engeland genomen. Isabelle had zich op laten nemen in een dure privé-kraamkliniek, en vervolgens een fulltime kinderoppas en een persoonlijke fitnesscoach aangenomen toen ze aan het opknappen was van haar vrijwillige keizersnede, tot grote verbazing van Stephanies ouders. Er volgde een reusachtige traditionele trouwdag, waarbij Stephanie Taylor de hele dag had vast moeten houden, alsof Taylor háár baby was en helemaal niets te maken had met de bruid en bruidegom. Binnen een maand had Isabelle een grote sprong gemaakt op de ladder van haar carrière en sindsdien niet meer omgekeken.

'Voorzichtig, hoor,' zei Stephanie tegen David, met een blik naar Isabelle.

'We zijn alleen maar aan het spelen,' zei David terwijl Stephanie Simon overeind hielp.

'Ja, en jij bent vijfentwintig kilo zwaarder dan hij. Kijk een beetje uit, oké? Laat hem tot rust komen.'

'Ach, laat ze toch spelen,' zei Isabelle en glimlachte naar David. 'Simon is een echte tijger geworden, vind je niet?'

Dus was het toch niet zo dat Isabelle vond dat je kinderen wél mocht zien, maar niet horen. Of misschien vond ze het alleen vervelend als haar eigen kind streken uithaalde, dacht Stephanie.

'Dames,' zei Elliot en kwam bij het uitpuilende familieportret staan waarvan de lijst nu werd gevormd door de deurpost van de keuken. 'Kan ik jullie een drankje aanbieden? We hebben heerlijke glühwein op het vuur staan.' Hij begroef zijn neus in het dampende glas in zijn hand. 'Ah, fruitig,' zei hij. 'Laten we maar meteen beginnen.'

'Over een paar minuten. Vind je het erg als ik eerst even uitpak?' zei Stephanie.

'Jij en David krijgen de groene kamer,' zei Isabelle. 'Ik dacht dat dat het aangenaamst zou zijn. En dichter bij de kinderen. Zeg, waar is Taylor eigenlijk? Ze had zich er zo op verheugd om Simon te zien.'

*

Boven duwde Stephanie de slaapkamerdeur open en ergerde zich mateloos. David kwam ook binnen, met de rest van de tassen. Stephanie kreunde.

'Wat is er?' vroeg David.

Stephanie wees op de twee bedden die tegen elkaar waren geschoven. De hoeken van de sprei waren omgeslagen en op elk van de opgeklopte kussens lag een klein doosje bonbons.

'Nou én?' vroeg David. 'Dat is toch leuk.'

'Dit is toch geen hotel.'

'Ze probeert alleen maar te helpen.'

'Ze is mijn moeder niet. Ik wou dat ze ophield met te doen alsof dit haar huis is.'

Stephanie liep naar het bed om de twee kruiken te pakken die netjes waren neergelegd op een setje gevouwen groene handdoeken. Ze wilde ze uit het raam gooien – of erdoorheen. Dit was het huis van haar vader. Het enige ouderlijk huis dat ze nog had. Het was toch zeker niet te veel gevraagd om niet als gast te worden behandeld? Zeker niet door Isabelle.

Opnieuw wou ze dat ze als eerste waren aangekomen. Dan had Stephanie ten minste kunnen regelen wie waar zou slapen. Thuis sliepen David en zij ieder in een eigen kamer. Dat ging al negen maanden zo, vanaf de tijd dat Nat nachtmerries begon te krijgen en minstens twee keer in de week in haar bed plaste. Dan werd ze schreeuwend wakker en hapte naar lucht. Stephanie sliep op de slaapbank in de speelkamer, naast de kamer van Nat, zodat ze bij haar kon zijn voordat ze Simon wakker maakte. Stephanie kon zich niet meer herinneren wanneer ze voor het laatst naakt was geweest in het bijzijn van David, laat staan naast hem in bed had gelegen. Maar het was nu te laat om er moeilijk over te doen. Er was een lange stilte. Ze zette zich schrap, ze verwachtte dat David haar nu zou gaan uitschelden over alle ergernissen tijdens de reis, maar tot haar verbazing controleerde hij of de deur dicht was en kwam naar haar toe. Hij knikte naar het bed en de kruiken in Stephanies hand.

'Het is vast lekker warm. Ik denk niet dat we die nodig hebben.' Zijn toon klonk vergoelijkend, vriendelijk zelfs.

Stephanie was zo verrast dat ze even niet besefte wat zijn ware bedoeling was. Toen verstijfde ze, vol afschuw over zijn insinuatie.

'David, ik denk echt niet – ' begon ze en stapte achteruit. Ze klemde de twee kruiken tegen haar borst. Ze walgde ervan, alsof hij een vreemde was die haar tegen haar zin probeerde te versieren.

David wreef met zijn hand door zijn haar. 'Kunnen we niet gewoon...'

'Wat?'

'Het is Kerstmis, Steph,' zei hij. Zijn stem klonk bijna smekend. 'Ik weet het niet. Zo wil ik het niet. De afgelopen weken waren nog erger dan anders. Je gedraagt je alsof je een hekel aan me hebt.'

Hij keek haar hoopvol aan, alsof ze het zou ontkennen. Stephanie wendde haar blik snel van hem af en keek naar de grond. Ver weg in haar gedachten ving ze een glimp op van woorden waarvan ze nooit had gedacht dat ze die zou zeggen, en de angst sloeg haar om het hart. Ze waren nog niet helemaal uitgekristalliseerd, maar ze wist waar ze voor stonden. Als ze er eenmaal uit kwamen, zou alles veranderen.

David liep naar haar toe en legde zijn hand op haar arm. Zijn vingers waren lang en gebruind. Ze noemde ze altijd pianohanden en plaagde hem ermee dat hij een handmodel zou kunnen zijn. Ooit hield ze zoveel van deze handen. Maar nu...

Ze was zo moe, dacht ze. Moe van het wachten tot het allemaal beter zou worden. Moe van de ergernis dat ze nooit meer met elkaar praatten, moe van het bang zijn voor wat er zou gebeuren als ze dat wel zouden doen.

'Wat is er?' drong David aan. Haar hele lichaam leek ineen te krimpen, weg van hem. Dat waren de handen die Paul in de steek hadden gelaten. En hoeveel therapie ze ook zou nemen, het zou het feit niet kunnen veranderen dat ze er niet tegen kon om door die handen te worden aangeraakt.

'Ik ga naar beneden. Ze zitten vast op ons te wachten,' zei Stephanie.

'Stephanie?'

'Alsjeblieft, laten we gewoon proberen om deze kerst door te komen, goed?'

Stephanie liep de slaapkamer uit naar de overloop, haar ogen wazig van ongewilde tranen. Ze keek over de trapleuning naar beneden naar de hal.

'Ik kan pa nergens vinden. Hij is verdwenen,' zei Elliot, toen hij door de voordeur naar binnen kwam.

'Nou, nou, nou,' hoorde ze Isabelle zeggen. Toen zag Stephanie hoe ze met een ondeugende grijns op Elliot afliep.

'Rustig maar, lieverd. Hij zal zo wel komen.' Ze trok hem naar zich toe aan de revers van zijn jas en stuurde hem in de richting van de enorme bos maretakken die aan de lamp in de hal hing. Het was Stephanie nog niet opgevallen dat die daar hing.

'Izzy, wat doe je nu?' zei Elliot, maar in zijn stem klonk een glimlach door.

'Zo makkelijk kom je er niet onderuit, hoor,' zei Isabelle en legde haar armen om zijn hals. Ik wil een echte kerstgroet van jou, meneer.'

Stephanie keek weg toen Isabelle naar Elliot toeboog om hem te kussen. Met bonkend hart liep ze stilletjes de badkamer in. Dat was alles wat ze had gewild toen zij ging trouwen: om nog steeds verliefd te zijn op David, net als Elliot en Isabel waren.

Ze draaide de kraan open en waste haar gezicht. Ze keek hoe het waterkolkje door het afvoergat verdween. Ze had er nooit bij stilgestaan dat de liefde simpelweg kon wegvloeien door de barsten in een huwelijk, maar dat was precies wat er was gebeurd. En het feit dat David gewoon verder wilde gaan alsof er niets veranderd was – vooral met kerst – maakte dat ze hem nog veel meer wilde straffen.

Ze keek naar zichzelf in de badkamerspiegel. Vergeleken met Isabelle zag ze er oud en afgemat uit, vond ze. Ze haalde haar portefeuille uit de zak van haar vest, omdat ze dacht haar lipstick tussen het kleingeld te kunnen vinden. Toen ze hem opendeed, zag ze de foto in het doorzichtige vakje. Het was een miniatuurafdruk van de foto die thuis op de schoorsteenmantel stond. Ze had hem altijd bij zich.

Het was een traditioneel portret van haar en David met hun drie kinderen, dat ze twee jaar geleden in een fotostudio hadden laten maken. En daar zat Paul, hun tweede zoon, op Stephanies schoot, glimlachend zonder voortanden, een onschuldige, gelukkige uitdrukking op zijn gezicht, zijn haar zacht en donker, zoals dat van haar. Haar Paul, dacht ze. Haar arme, arme Paul.

Ze wendde zich van de foto af, het beeld in haar geheugen geëtst. Het was bijna te pijnlijk om ernaar te kijken, want op geen enkel gezicht was nog iets te herkennen van al die bedorven Kerstmissen die nog komen zouden.

Hoofdstuk 3

Michael pakte het breekijzer dat hij onder zijn bed had verstopt naast de oude *Playboy*-tijdschriften, die hij van zijn vader had gejat en nu verborgen hield voor zijn moeder. Hij nam zijn grijze Gortex jas van zijn bed en trok hem aan, ritste het breekijzer eronder en propte zijn zwarte wollen bivakmuts in zijn zak.

Rock-, sport- en filmsterren staarden hem aan vanaf de wanden die hij zelf rood had geschilderd: Brando, Rooney, Morrison, Lennon, Crowe, System of Down, Muse, De Niro, Kasabian en Jack Johnson. Op het dartbord zaten foto's geprikt van Michael en zijn schoolkameraden en een foto van een surfer die onder een golf door gleed.

Michael was nog nooit in Amerika geweest en hij had ook nog nooit gesurft. Maar op een dag zou hij dat allebei doen, dat wist hij zeker. Hij zou het tot het eind volhouden op school en dan zou hij gaan reizen. Daarna zou hij terugkomen en naar Londen verhuizen om iets cools te gaan doen om de kost te verdienen, zoals een bar runnen, of werken voor een radiozender, of als chef-kok. Hij zou vroeg met pensioen gaan en lekker achterover gaan liggen, ergens in Thailand, of India, of zelf in Californ-I-A.

Hij rende de trap met het vieze groene tapijt af, de keuken door, die rook naar marmite en Mr. Muscle. Zijn stiefvader Roddy, die een trui aanhad in de kleur van een nat theezakje, keek op van zijn tv-show naar Michael en staarde toen weer verveeld naar het beeldscherm en peuterde verder tussen zijn tanden met zijn afgebroken lucifer als tandenstoker.

'Wat ook van belang is bij de overweging om te verhuizen,' zei de presentator van de tv-show, 'zijn de plaatselijke voorzieningen. Waar ga je winkelen? En waar stuur je de kinderen naar school, als je die hebt?'

Michael trok zijn modderige laarzen aan bij de deur, hij kreeg rook in zijn ogen van de half uitgedrukte sigaret in de visvormige asbak op de keukentafel.

Het geloei van een föhn kwam door het bruine kralengordijn dat de keuken afscheidde van de woonkamer. Michael kon zijn moeder door de kralen heen zien, als een gevangene achter de tralies. Ze zat gehurkt bij de verwarming en probeerde haar maïsgele haar tot een bol kapsel te vormen.

Michaels moeder had Roddy voor het eerst ontmoet op een verjaardag van een vriendin op St. John's. Dat was een jaar geleden, net nadat de scheiding van de vader van Michael was afgerond. Roddy was alleen maar op bezoek geweest bij een neef. Maar binnen drie maanden had hij zijn baan als taxichauffeur in Truro opgezegd en was bij Michaels moeder komen wonen.

Michael vond het best, tenminste meestal wel, want hij wilde dat zijn moeder gelukkig was. Maar zes weken geleden hadden zijn moeder en Roddy plotseling aangekondigd dat ze hadden besloten om *The Windcheater* te verkopen. Zodra iemand het gekocht had, zouden ze allemaal naar het vasteland verhuizen, zo hadden ze hem verteld. Ze waren van plan om er een theesalon te gaan runnen. In Truro. In de geboorteplaats van Roddy. Telkens als Michael eraan dacht, kreeg hij de behoefte om op de grond te spugen.

Het leek wel of hij een sauna uitkwam toen hij naar buiten stapte. Michael zoog opgelucht de koude lucht naar binnen. De deur sloeg achter hem dicht. Roddy schreeuwde een of andere klacht, maar de woorden waren zo onverstaanbaar dat Michael niet de moeite nam om te antwoorden.

Michael, zijn moeder en Roddy woonden in de achterste helft van het gebouw, waar Michael nu stond. De voorste helft was de kroeg die ze runden. Het heette *The Windcheater* en was de enige kroeg op Brayner Island. Michael kon zich geen ander thuis herinneren.

Hij haastte zich door het smalle steegje dat langs de kroeg liep, langs de kapotte bloempotten en gebroken leistenen die stonden opgestapeld tegen de beschimmelde muur.

De wind floot over de verlaten weg aan de voorkant van het huis en zwiepte een sissende zwarte plastic tas voort over het asfalt dat vol zat met gaten. De donkere natte diepte van Green Bay

Harbour lag recht vooruit en de onbemande vuurtoren stak de lucht in als een grote dikke wijsvinger.

Rechts ging de weg naar het zuiden, het dorp door en van daar af zigzaggend langs de oostkant van het eiland en verbond het dorp met een paar huizen en gehuchtjes die daar verspreid lagen. Er waren niet veel auto's op het eiland, omdat ze speciaal moesten worden overgebracht van het vasteland en dan aan land moesten worden gehesen. De straten waren nu bijna leeg.

Michael sloeg linksaf en volgde de weg naar het noorden. In deze richting was er ook niemand te bekennen. Hij zette zijn bivakmuts op, omhoog gerold, zodat het net een gewone wollen muts leek. Hij was veertien, maar hij had ook voor zeventien kunnen doorgaan. Hij had een lichte huid en blonde haren, hij was lang en dun. Hij had iets breekbaars, en hij had iets kwetsbaars in zijn bruine ogen. Maar hij was sterker dan hij oogde.

Hij had een week geleden voor het eerst *The Deerhunter* gekeken en had hem niet meer uit zijn gedachten kunnen krijgen. Vergeleken met de personages uit de film vond hij zichzelf een man van niks. Dit jaar ging zijn leven alleen maar over examens en roosters, over denken, niet over doen. De film had hem gefrustreerd achtergelaten. Hij had genoeg van het kind zijn.

Michael was niet erg goed in tekenen. Geschiedenis, Engels en muziek waren meer zijn ding, maar hij had Green Harbour Bay zo kunnen schetsen, met zijn ogen dicht, tot op de laatste steen. Dat gold eigenlijk ook voor de rest van Brayner Island. Het was maar vijf kilometer lang en twee kilometer breed. Hier was hij opgegroeid sinds hij drie was.

De naam van Green Bay Harbour kwam van het smaragdgroene zeewier dat tussen de rotsen groeide. In de zomer straalde het onder water een buitenaards soort glans uit. Als kind had hij het slijmerige spul rondgeslingerd met zijn vroegere beste vriend, Greg. Ze speelden afwisselend Superman en Lex Luther en deden alsof het zeewier Kryptoniet was, of ze schreven er scheldwoorden mee op de stoep voor het postkantoor om mevrouw Carling op te jagen, die de winkel runde en vond dat schelden, net zoals spugen en door de straat hollen, een doodzonde was.

Michael miste Greg. Hij was het enige kind geweest op het eiland van Michaels leeftijd en hij was drie jaar geleden verhuisd naar Manchester, waar zijn ouders na de dood van Gregs oma een groot huis hadden geërfd. Michaels moeder had de moeder van Greg beloofd dat ze hen zouden komen opzoeken, maar ze hadden het nog nooit gedaan.

Michael liep langs het schoolgebouw dat in 1971 was gesloten, lang voordat hij geboren was. De school waar Michael heen ging was op St. John's. Hij moest elke dag een taxiboot nemen op en neer, betaald door de overheid. Zijn kameraden op St. John's vonden dat supercool, maar voor Michael was de zee net behang, gewoon iets dat er altijd was. De reis op en neer naar St. John's vrat elke dag een uur vrije tijd op.

Hij liep verder naar het noorden, het dorp uit, over de lege weg door wild terrein vol kreupelhout. Na ongeveer anderhalve kilometer knoopte hij zijn jas los, haalde het breekijzer eruit en zwaaide het heen en weer op de maat van zijn voetstappen.

Toen zag hij hen – Taylor en Simon – twee smalle poppetjes verderop, afgetekend tegen de lucht op de helling van Solace Hill. Simon was het negenjarige neefje van Taylor. Hij was er gisteren niet bij toen Michael en Taylor hadden afgesproken om elkaar te treffen, en het verbaasde Michael dat hij er nu wel bij was. Taylor riep iets, maar Michael kon alleen het woord 'fuck' verstaan. Ze was waarschijnlijk link op hem dat hij te laat was. Hij begon te rennen.

'Sorry,' zei hij toen hij haar bereikte. Hij haatte het dat je niet kon sms'en hier op Brayner, omdat de ontvangst zo onbetrouwbaar was. De meeste eilanden vielen in een zwart gat wat betreft communicatie, zodat de inwoners afhankelijk waren van mobilofoons voor hun dagelijkse telefoontjes. Taylor maakte er altijd grapjes over dat sociaal zijn hier net als vroeger was.

'Dat mag je wel zeggen, onbetrouwbare sukkel. Weet je dan niet dat het onbeschoft is om een dame te laten wachten?'

'Ben jij dat dan tegenwoordig?' vroeg hij. 'Een dame?'

'Dat ben ik al altijd geweest, Michael,' zei ze.

Ze had gelijk en hij wist het. De manier waarop ze sprak, de manier waarop ze zich kleedde, Jezus, zelfs de manier waarop ze liep, ze was het chicste meisje dat hij ooit had ontmoet.

'Ik moest mijn moeder helpen met aardappelen schillen,' zei hij. 'De diepvriesfriet was op.'

Michael durfde niet in Taylors ogen te kijken terwijl hij sprak. Hij was bang, zoals altijd, voor wat er kon gebeuren als hij te lang in haar ogen staarde. Hij zou misschien gaan blozen en dan zou hij eruitzien als een idioot. Hij keek alleen naar haar als zij naar iets anders aan het kijken was, en op zo'n moment knipperde hij nooit met zijn ogen, alsof hij een camera was, alsof hij haar beeld in zijn hersens wilde branden.

Simon schreeuwde 'hallo!' Michael draaide zich om en zag hem voorbij racen, zijn weg ploegend door de dichte hei. Hij maakte het geluid van een machinegeweer en speelde dat hij soldaat was. Zijn donkere krulhaar wapperde in de wind. Hij deed alsof hij op een mijn trapte en maakte een grote sprong opzij. 'Wat vind je?' vroeg hij aan Michael. Hij stond op en rende naar hem toe.

'Een negen voor stijl,' zei Michael. 'Maar een tien voor inzet.'

'Ha!' zei Simon verrukt, hij hield zijn handpalm omhoog en Michael gaf hem een *high five*.

'Hoe gaat het met je?' vroeg Michael. Hij had Simon sinds de zomer niet meer gezien.

Simon verplaatste zijn gewicht steeds van de ene voet op de andere. 'Oké. Ja, wel goed. Ik kon een wedstrijd meespelen in het voetbalelftal op school en we versloegen Rainsford High met 1-0. Maar ik was niet degene die gescoord had. Dat was Garry Egan en hij is supersnel. Maar met wiskunde en natuurkunde ging het niet zo goed. En van mijn moeder moet ik nog steeds naar de dokter over wat er met Paul gebeurd is. En het is niet eerlijk, want Nat hoeft niet te gaan, omdat ze volgens haar nog te jong is... dat is toch onzin? Nat zegt dat ze de hele tijd nachtmerries heeft, en soms word ik wakker omdat ze aan het huilen is... En nou moet ik van pap en mam met een privé-leraar 's avonds thuis wiskunde doen, maar ik hoef geen pianoles meer te doen, want ik heb juf Perkins gebeld, mijn pianolerares, een dikke, lelijke heks en ze zei dat ik haar verdriet had gedaan, maar dat was alleen omdat ze niet naar mij wilde luisteren, wat ik ook zei, en ze bleef mijn handen maar op de toetsen drukken en mijn vingers deden pijn – '

Toen Simon ademhaalde, onderbrak Michael hem. 'Je hebt het

blijkbaar druk gehad.' Hij wist dat als je Simon niet onderbrak, hij wel eeuwig door kon vertellen.

'Moet je kijken!' schreeuwde Simon. Hij keerde zich om en verdween met een grote hink-stap-sprong tussen de hei.

Taylor en Michael keken hem na.

'Weet je nog die tijd dat jij en ik en Simon en Paul aan het kamperen waren in de tuin van opa, en wij ze overtuigd hadden dat er overal zombies om ons heen waren?' vroeg Taylor.

'Ja.'

'Dat was zo grappig,' zei ze. 'We hebben ze uren voor de gek gehouden.'

Dat was drie jaar geleden, toen Michael en Taylor allebei elf waren. Dat was de laatste keer dat ze samen in een bed hadden geslapen, en dus ook de laatste keer, dacht hij, dat ze nog echt kinderen waren geweest.

Taylor was nu 1 meter 72, ongeveer tien centimeter kleiner dan Michael. Vorig jaar was haar haar blond. Als ze het los had gehad, hing het tot haar middel. Nu was het tot net boven de kraag geknipt, donkerder, met strepen zwart en roze erdoorheen. ('Alleen tot ik weer naar school ga,' had ze gezegd, 'want dan moet ik dat er natuurlijk uithalen van die eikels.') Ze had een groen gewatteerd legerjasje aan, een aftandse spijkerrok, een gestreepte legging en stoere zwarte laarzen. Ze was ook afgevallen, sinds de zomer – of 'vermagerd', zoals zij had gezegd. Ze zag er hard uit, *streetwise*, als een personage van een videospelletje dat ontworpen is om te vechten.

Haar hele figuur was veranderd, en nog meer sinds de zomervakantie, de laatste keer dat ze op het eiland was geweest. Ze was langer geworden, meer uitgerekt, hoeken waren rondingen geworden. Ze zag er niet meer uit als een kind, niet in zijn ogen. En hij voelde zich ook geen kind meer, zeker niet als hij haar aankeek.

Michael was meer dan verliefd op haar. In zijn gedachten wilde hij het al met haar doen sinds zijn eerste natte droom, iets meer dan een jaar geleden. En zelfs die was over haar geweest. Hij had zich voorgesteld hoe ze in zijn slaapkamer waren, samen onder het dekbed, kussend en elkaars lichamen ontdekkend met hun handen. Daarna zou het wat wilder worden, zo had hij zich voor-gesteld, en ze zouden alle standjes uitproberen die hij in tijdschriften had gezien en op het internet: missionaris, hondjes, 69, zij boven, of lepeltjes naast elkaar.

In de werkelijkheid was er nooit iets gebeurd. Ze hadden nog niet eens gezoend. Zijn grootste angst was dat dat nooit zou gebeuren. Hij had haar nog niet verteld dat hij binnenkort van het eiland weg zou gaan. Als hij bij haar was, kreeg hij het gevoel dat het voor altijd zou zijn. En hij wilde dat gevoel niet stukmaken. Nog niet.

'Waarom kijk je zo intens?' vroeg ze.

Hij dacht na over wat hij zou antwoorden en liet zijn blik naar haar toe glijden. Hij zag hoe ze de metaalachtige groene G-STAR-honkbalpet ver over haar hoofd trok.

'Die pet is cool,' zei hij tegen haar. Ze zou hem waarschijnlijk niet gedragen hebben als dat niet zo was.

De uitdrukking op haar gezicht werd wat zachter. 'Dank je,' zei ze. 'Maar hij is nep. Ik heb hem voor weinig geld op de Portobello-markt gekocht.'

'Nog cooler,' zei hij.

Taylor woonde in Londen en Michael was soms bang dat ze hem een beetje achterlijk vond, of niet bij de tijd, omdat hij op dit kleine eilandje was opgegroeid, in het 'gat van nergens', of het 'randje van de wereld' – dat hing ervan af of je het standpunt van Roddy of van zijn moeder aanhing.

Michael compenseerde zijn isolement door op de hoogte te blijven via het internet en via tijdschriften en tv-programma's. Hij wist wat mode was en wat uit was, welke bands cool waren en welke passé. In de eerste tien minuten dat ze elkaar gezien hadden, meteen toen ze gisteren was aangekomen, had hij haar er alles over verteld, zodat ze niet zou denken dat hij haar niet meer bij kon houden, zodat ze zou weten dat hij nog steeds cool genoeg was om mee rond te hangen.

Een pluk haar hing over haar pet, voor haar ogen, wapperend in de wind. Hij wou dat hij het zelfvertrouwen had om het weg te strijken met zijn hand. Maar zijn handen bleven naast hem hangen.

'Je hebt het breekijzer, dus,' zei ze toen ze naar zijn handen keek.

'Goed. Kom op, dan gaan we.'

Hij ging naast haar in de pas lopen en ze liepen snel en in stilte verder. Een stukje voor hen uit deed Simon een vliegtuig na, alsof hij voor hen op verkenning uit was, de grond afzoekend die zij moesten passeren. Met uitgestrekte armen begon hij denkbeeldige MiG's neer te schieten, en voerde een luchtgevecht over de steile helling van de heuvel.

Het breekijzer in de hand van Michael voelde koud aan. Het begon harder te waaien en hij rilde toen hij eraan dacht waarom ze hier waren.

'Denk je echt dat het een goed idee is,' vroeg hij, 'om Simon mee te nemen...'

'Waarom niet?'

'Nou, kijk hem dan toch,' zei Michael en wees naar Simon, die met een luid gegrom door de dichte hei scheurde. 'Hij is net een cycloon.'

'Wat dacht je dan? Hij is net aangekomen,' zei ze. 'En ik heb besloten dat het tijd wordt dat hij wat leuke dingen beleeft, zonder zijn moeder in de buurt. Ze zou hem het liefst de hele dag opsluiten, als ze de kans zou krijgen. Ik heb haar moeten zweren dat ik hem niet uit het oog zou verliezen.'

Taylor was enig kind en ze behandelde Simon altijd als haar eigen kleine broertje. Ze zei dat dat kwam omdat ze het leuk vond, maar Michael wist dat het ook kwam omdat ze graag iemand had om de baas over te spelen. Taylor was goed in de baas spelen. Zij was degene die alle spelletjes bedacht die ze de afgelopen jaren gespeeld hadden. Zij was het die altijd de regels bepaalde. Net als vandaag. Waar ze vandaag heen gingen, was ook haar idee.

'Het zou er weleens gevaarlijk kunnen zijn,' waarschuwde Michael.

'Dat is toch juist de bedoeling?' zei ze.

Daarbinnen... de oude tinmijn van Wilson. Daar gingen ze nu naartoe. Daar was het breekijzer voor. Ze zouden de mijn binnendringen en op verkenning uitgaan.

Ze bleven het smalle oude pad volgen dat generaties schapen in de heuvel hadden gesleten. Taylor wachtte niet op Simon toen ze de bocht omgingen en hij uit het zicht verdween.

'Maar als hij nou rotzooi uit gaat halen?' ging Michael verder.

'Of flipt. Hij zou zichzelf kunnen bezeren. Of iemand van ons...'
Dat had Simon al vaker gedaan, helemaal doordraaien als iets niet liep zoals hij wilde.

'Dan laten we hem bij de ingang staan,' zei Taylor. 'Dan kan hij hulp gaan halen als er iets misgaat.'

'Ik denk niet dat hij alleen gelaten wil worden.'

Taylor wierp Michael een scherpe blik toe. 'Hij doet wat hem gezegd wordt, oké? En je moet niet over hem praten alsof hij gek is. Want dat is hij niet. Hij krijgt niet eens pillen en ik ken genoeg kinderen die veel gekker zijn dan hij. Hij heeft gewoon een klotejaar achter de rug en zijn moeder maakt het nog erger. En ik wil gewoon dat hij er even uit is.'

Michael zou niemand anders van zijn leeftijd zo tegen hem laten praten, maar met Taylor was dat anders. Hij liet het langs zich heen gaan. Hij gaf geen weerwoord. Ze zei altijd precies wat ze dacht, zelfs tegen vólwassenen, en daar bewonderde hij haar om. Ze was altijd loyaal naar de mensen die ze aardig vond, en ze beschermde de mensen die ze kende, en daar bewonderde hij haar ook om.

'Ik heb niets gezegd,' zei hij.

'Ik heb niets gehoord,' antwoordde ze en uit het hoekje van zijn oog zag hij dat ze glimlachte.

Hij glimlachte ook en de rest van zijn boosheid vloeide uit hem weg. Strijd was een sport voor haar. Ze had altijd het laatste woord, hoe dan ook.

Michael had haar acht jaar geleden voor het eerst ontmoet toen hij was uitgenodigd om in het huis van haar opa te komen spelen. Haar familie, de Thornes, kwamen al jaren naar het eiland voor vakantie, al lang voordat de vader en moeder van Michael *The Windcheater* hadden gekocht.

Michael vond het geweldig als Taylor er was. De schoolvakanties waren zo saai als zij er niet was, vooral sinds Greg ervandoor was gegaan. Natuurlijk, soms ging Michael naar St. John's, om rond te hangen en te overnachten bij zijn schoolkameraden, bij Dougie en Gaz, maar dan bleven er nog genoeg eenzame dagen over. Niet dat hij een hekel had aan het eiland. Hij vond het mooi. Hij hield ervan. Het was zijn thuis. Maar hij vond het gewoon nog mooier als hij het met haar kon delen.

Ze stopte toen ze in de buurt kwamen van de top van Solace Hill. Ze snoof de lucht op, als een dier dat aan het jagen was, dacht hij, dat rondsnuffelde op zoek naar prooi. Ze zette haar pet af en wreef met haar hand door haar haren.

In alle richtingen strekte het eiland zich voor hen uit. De kust was onregelmatig en overal waren baaitjes, zodat het er, net als op de kaart, uitzag als een puzzelstukje of een stuk kaas dat door de ratten was aangevreten.

Behalve zij drieën was er geen levende ziel te bekennen. Zo was het altijd in de winter. 's Zomers was het wat anders. Van juni tot oktober waren hier schoolgroepen van het Europese vasteland voor aardrijkskunde-excursies. Ze doolden over het eiland, vulden vragenlijsten in, aten chips en broodjes gezond, rookten cool sigaretten op geheime stekkies. Soms sloegen ze onderdelen over achter de rug van hun leraren om. Je kon hen van hieruit zien, als stipjes tussen de brem in hun bontgekleurde winddichte jassen, wapperend in de wind als gevallen, achtergelaten vliegers.

'God, wat is het hier mooi,' zei ze. 'Als je eenmaal van het huis weg bent en er niemand meer is die je vertelt wat je moet doen. Hier heb ik al maanden naar uitgezien. School is zo verdomd saai, ik word er ziek van.'

Taylor ging naar kostschool, zeven dagen per week, tien weken per trimester. Ze zei dat het net een gevangenis was. Ze zei dat er miljoenen regeltjes waren. Ze haatte het van haar ouders dat ze haar daarheen hadden gestuurd.

Ze glimlachte naar hem, en deed de radslag, één, twee keer, verder langs de rand van het paadje. Ze wreef haar modderige handen tegen elkaar en daarna veegde ze ze achteloos af aan haar rok.

'Knap hè?' zei ze.

'Verbazingwekkend.'

'Simon!' riep ze hard. 'Verdomme, waar zit – '

Twintig meter verderop zagen ze hem boven komen, als een

duiker die uit de groene zee tevoorschijn kwam om lucht te halen.

Simon kwam terug sprinten en Michael keek naar Taylor. Samen liepen ze verder, langs de knoestige zwarte stronk van een zilverberk die door de bliksem was geraakt. Ze waren al twee kilometer van het dorp vandaan. Ze zouden zo bij de mijn zijn.

Hoofdstuk 4

Ben stond met stevige benen op de boot die door de golven keer op keer tegen de stenen muur van de kade in de haven van Fleet Town werd gestuwd. Hij klikte het ingebouwde beugelslot dicht en bond het stalen biervat stevig vast aan de achterkant van de stuurhut met twee fluorescerend gele touwen.

In een van de bootschuurtjes verderop speelde een nummer op de radio van *Gorillaz*, 'Feel Good Inc.,' en werd in flarden door de koude lucht meegevoerd naar Ben. Hij kende het liedje goed. Het stond op een cd die hij aan het begin van de zomer had gekocht, toen hij er nog steeds aan moest wennen dat hij weer vrijgezel was. Hij had het gekocht om zichzelf op te vrolijken, maar nu was het alleen maar een herinnering aan hoe wanhopig en depressief hij was geweest.

Hij veegde met de rug van zijn hand langs zijn gloeiende voorhoofd, de vertrouwde geur van dieselolie drong zijn neusgaten binnen. Dat was de geur waarmee hij was opgegroeid. Zijn vader had er altijd naar geroken, scherp als aftershave, en zijn opa ook. Ooit was er een moment geweest dat hij dacht dat hij die geur voor de laatste keer van zich af had geschrobd. Maar dat bleek niet terecht.

Het zandblonde haar van Ben zat nog steeds in de war van de douche van vanmorgen. Op de rug van zijn zwarte trui hingen losse wollen draadjes waarmee hij ergens was blijven haken. Zijn ooit smetteloze Nike-gymschoenen en CK-spijkerbroek waren bespat met verf en besmeurd met olie. Alleen zijn handen waren goedverzorgd en zijn nagels netjes geknipt.

Hij staarde naar de koperen armband die hij om zijn rechterpols droeg. Het was goed tegen reuma, hadden ze ooit tegen hem gezegd, meer dan tien jaar geleden nu, toen hij nog een tiener was. Sindsdien had hij hem gedragen als een soort talisman – hoewel hij de laatste tijd wel erg veel pech had gehad – en het liet een vieze groene kleur achter op zijn huid eronder. Aan zijn linkerpols zat een duur TAG Heuer-horloge. Over de wijzerplaat liep een scheurtje in de vorm van een bliksemschicht. Tien minuten geleden had hij het per ongeluk tegen een deurklink geslagen, maar zelfs dat had zijn goede humeur niet kunnen bederven.

'Bedankt, Mick,' riep hij naar de gezette oudere man met een bierbuik die op de havenkant stond en juist zijn afgedragen zwarte leren jasje dicht ritste over zijn Ry Cooder-sweater. Mick spuugde op de grond en stak een sigaret op. Een druppeltje zweet liep over zijn wang en bleef als een parel aan zijn kaak hangen. Op zijn gezicht waren nog de putjes te zien van de acne die hij als tiener had gehad en zijn steeds dunner wordende zwarte haar was in een staartje gebonden en vertoonde hier en daar al wat grijs. Mick was veertig, bijna tien jaar ouder dan Ben, en zijn vader was de eigenaar van de winkel van Fleet Town. Langgeleden, toen Ben nog een mager jongetje was, had Mick hem leren zwemmen door hem in het diepe te gooien van het plaatselijke zwembad en te roepen dat hij heel hard moest trappen.

De boot waar Ben op stond was van zijn vader, George Stone. Het was een rode rubberboot van vier meter lang en kon acht mensen vervoeren.

Ben en Mick gebruikten hem soms om te waterskiën in de zomer, meestal tegen de schemering, als de zon de zee in een zilveren plaat veranderde. Ze stuurden om beurten en dan scheurden ze over de glinsterende golven en lieten een steeds breder wordende V van kolkend schuim achter zich. Ben was erg sportief en kon wel een uur lang monoskiën als een echte professional, maar Mick had de gratie van een nijlpaard op schaatsen en telkens als hij moe werd, knalde hij op het water als een walvis die uit de hemel kwam vallen.

Maar vandaag was de boot er voor het werk, niet om mee te spelen, en de twee hadden net de voorraden ingeladen die Ben nu alleen naar Brayner Island zou brengen.

Ben zoog de koude lucht tot diep in zijn longen en glimlachte. Zijn rug en zijn armen deden pijn van de inspanning, maar daaronder lag een gevoel van tevredenheid. Dit was de laatste trip die de boot voor kerst nog zou doen en Ben was blij dat hij aan het stuur zou staan. Het was goed om hier te zijn, met een doel. Zo kreeg hij het gevoel dat hij zichzelf en zijn toekomst weer in handen had.

'Sigaret?' vroeg Mick en hield Ben een roodwit pakje Marlboro voor de neus.

'Ik ben gestopt.'

'Wanneer?'

'Vanmorgen.'

Vanwege een droom, dacht Ben, een droom die hij vannacht had gehad. In die droom had hij in een vochtige leunstoel gezeten in een duister hol – zo'n soort hol dat een dier in de grond graaft om in te overwinteren – met een sigaret in zijn hand en een volle asbak op de leuning van de stoel. Er stond een tv voor hem waarop een zwart-wit film werd getoond van hem die precies hetzelfde aan het doen was, alsof de tv een spiegel was die liet zien hoe zijn hele leven tot stilstand was gekomen.

'Waarom wacht je niet tot nieuwjaar?'

'Omdat ik dan een kater heb en alle troost nodig heb die ik kan krijgen.'

Ben was zwetend uit zijn droom wakker geworden. Was dat echt alles wat er van zijn leven was overgebleven? Depressie en verval? Hij had meteen het pakje sigaretten gepakt dat naast zijn bed lag, het tussen zijn handen opgefrommeld en in de vuilnisemmer gegooid.

Mick staarde naar het brandende puntje van zijn sigaret alsof hij overwoog om haar weg te gooien en er ook mee te stoppen. In plaats daarvan nam hij een flinke trek en glimlachte.

'Knap van je,' zei hij alleen maar.

Ben was eigenlijk pas vorig jaar weer begonnen met roken. Daarvoor had hij al tien jaar geen sigaret meer aangeraakt. Had hij geen behoefte aan gehad. Hij had veel zelfdiscipline en doorzettingsvermogen gehad. Hij had een veilig leven opgebouwd en geen steunpilaren nodig. Maar toen was het allemaal misgegaan. Hij had een aantal emotionele klappen te verduren gekregen van Marie, zijn ex, die hem aan het wankelen hadden gebracht. Hij had zijn toevlucht tot de sigaretten genomen. En drank. En drankzuchtige vrienden. De afgelopen zes maanden waren een aaneenrijging geweest van late avonden en katerige ochtenden. Vier weken geleden was het zelfs zo erg geworden dat hij 's avonds maar niet meer uitging, om enigszins op adem te komen. En vandaag dus zijn droom, een bevestiging van wat hij eigenlijk al wist.

En wat zijn droom hem wilde zeggen was dat het tijd werd om weer *betrokken* te raken, om niet terug te gaan naar zijn slechte oude vrienden en zijn slechte oude manier van leven, maar moest beginnen de gebroken stukjes van zijn leven op te pakken en weer aan elkaar te plakken. Het was tijd voor hem om weer zichzelf te worden voordat het helemaal verkeerd liep. Dat was wat het stoppen met roken voor hem betekende: een stap voorwaarts, een stap van het duister naar het licht.

Zijn vader had vanochtend zitten klagen over zijn rug en dus had Ben tegen hem gezegd dat hij vandaag vrij moest nemen. Om acht uur was Ben de deur al uit geweest en stond hij klaar op de kade met een lijst van dingen die vandaag moesten gebeuren. Hij had al met een paar Canadese toeristen een tochtje om Skeen Island gemaakt en een familie naar Brayner gebracht voor hun kerstvakantie.

'Geen tochtjes meer?' vroeg Mick.

'Dat is de bedoeling.'

Tenzij de vader van het gezin dat hij zojuist op Brayner had afgezet – Elliot nog iets – echt meende wat hij zei, dat hij de komende paar dagen misschien een paar keer terug wilde komen naar Fleet Town.

Maar Ben betwijfelde het. De mensen bleven meestal thuis met kerst. Tv, lekker eten, rode wijn en slaap... iedereen wilde altijd hetzelfde. En met die vent ging dat vast ook zo. Maar Ben niet. Dit jaar niet. Hij ging zijn laptap opstarten, die hij de afgelopen weken niet eens had aangehad. Hij zou op het internet gaan om zijn e-mails te checken en nieuwe plannen te maken voor het komende jaar. Geen stagnatie meer. Het was tijd dat hij er weer wat van ging maken.

'Heb je het weerbericht gehoord?' vroeg Mick. Hij keek naar de lucht, die er wit en rokerig uitzag, als adem op glas.

Ben pakte zijn jas, een marineblauwe jekker die hij van zijn vader had geleend en over het roer hing. Nu het fysieke werk van de boot inladen was gedaan, was de wind snijdend koud geworden.

'Ik raad het al,' grapte hij. 'Ze verwachten een hittegolf.'

Mick grijnsde. 'Nee, sneeuw. Vanavond nog. En heel wat centimeters.'

'Denken ze dat het zal blijven liggen?'

'Ze zeggen van wel. Storm ook. Heb ik vanmorgen op internet gezien. Als de temperatuur lang genoeg laag blijft, verwachten ze zelfs dat de kans bestaat dat we morgen of overmorgen zee-ijs zullen hebben.'

Sneeuw hier op de eilanden... Ben had het al eens eerder gezien, maar niet vaak. En zee-ijs... nou, de enige keer dat hij dat gezien had was op de oude sepiafoto's die in de Atlantic Arms in Rupert Street hingen, die waren gemaakt tijdens The Big Freeze van 1962, en in 1976, toen Ben er wel al was, maar nog te jong om het zich te kunnen herinneren. De opa van Ben had hem echter over het ijs verteld, hoe het zich uitspreidde als een vreemd plaveisel voor de kust, zodat alleen de grotere schepen nog de haven uit konden. Volgens de opa van Ben had het er betoverend uitgezien, alsof een fee een toverspreuk over de zee had uitgesproken.

'Dus hoe sneller ik dit spul naar Brayner breng, hoe beter, hè?' zei Ben.

Mick lachte. 'Precies. En doe Sally en Roddy van The Windcheater de groeten van mij als je dat bier bezorgt. Zeg maar dat ik in het nieuwe jaar een paar biertjes bij ze kom drinken.'

The Windcheater liep goed in de zomer, met al die toeristen die door de grotere veerboten heen en weer werden gescheept. Maar 's winters gingen er geen veerboten omdat het niet loonde voor die paar klanten. Dan was het de beurt aan de kleinere bootjes, zoals die van Bens vader, om een paar centen te verdienen met de restjes die de grotere boten hadden achtergelaten, als spreeuwen bij een vijver met weldoorvoede eenden.

'Goed, ik ben klaar,' zei Mick en schoot zijn peuk in het onrustige havenwater. 'De ouwe sluit vandaag vroeg zijn winkel, dus ik smeer 'm naar de kroeg.'

Ben klom uit de boot, liep naar Mick toe en schudde zijn hand. 'Bedankt voor je hulp,' zei hij.

Mick deed zijn mond open om te antwoorden, maar ze vielen allebei stil, want dat was het moment waarop ze haar over de kade in hun richting zagen lopen. De vrouw had zich stevig ingepakt in een glanzende jas. Ze was midden twintig, misschien iets ouder, schatte Ben, een paar jaar jonger dan hij. Ze had bruin krullend haar dat boven op haar hoofd was vastgezet met een schildpadkleverige haarspeld. Hij zou haar niet als mooi hebben omschreven – tenminste, niet in conventionele zin. Ze had niet zo'n gezicht dat je op de voorkant van een glossy tijdschrift zou verwachten. Daar was het te ongewoon voor. Maar haar gelaatstrekken waren scherp, zag hij toen ze dichterbij kwam, en intelligent, en daardoor opvallend.

Er was nog een andere reden waarom de mannen zo naar haar staarden. De vrouw paste hier helemaal niet, tussen het bladderend schilderwerk van de verweerde bootschuurtjes met hun smerige ramen vol spinnenwebben en verroeste dakgoten. Toen ze langs hen liep en met haar brandschone, grote, zwartleren laarzen over een olieplas heen stapte, keek ze niet eens naar hen op. In plaats daarvan concentreerde ze zich op haar mobieltje. Ze zag er gefrustreerd uit, maar dat maakte haar niet minder aantrekkelijk in Bens ogen. Hij vroeg zich af hoe ze eruit zou zien als ze glimlachte. Ze liet haar mobieltje in haar zak glijden en trok de capuchon van haar jas over haar hoofd.

'Nou, die komt hier niet uit de buurt, dat is wel duidelijk,' zei Mick toen ze eenmaal buiten gehoorafstand was. 'Trouwens,' voegde hij eraan toe, 'zo'n paar benen zou ik nooit vergeten.'

Ben staarde haar na. Zijn vriend had gelijk. Ze was geen meisje dat je zomaar vergat. Ben voelde zich plotseling zeer gepikeerd dat hij haar wel had opgemerkt, maar zij hem niet. Dat verbaasde hem want sinds Marie had hij niet veel aandacht gehad voor vrouwen, en ook niet of ze hem zagen of niet.

'Ze zal wel een toerist zijn,' zei hij.

'Vandaag hier, morgen weer verdwenen,' zei Mick, alsof het daarmee klaar was. Met die gedachte waren ze immers opgegroeid. Vrouwelijke toeristen versierde je alleen voor een kortstondige affaire of een nachtje plezier en deze vrouw zag er niet uit alsof ze daarin geïnteresseerd was. Mick sloeg Ben met zijn grote berenhand op zijn rug. 'Ik ben in de *Mermaid's Rest*,' zei hij. 'Kom er een drinken als je terug bent.'

'Goed,' zei Ben, 'ik zie je daar wel.'

Maar Ben had zijn aandacht er niet bij. Zijn ogen waren nog steeds op de vrouw gefixeerd. Ze had het einde van de kade bereikt en tuurde naar het stadje, voorbij Town Beach, het reddingsstation en Torthmellon Beach. Vervolgens tuurde ze over zee naar Hench Island, waar het kolkende grijze water zich met de lucht vermengde als één grijze massa.

Ben stond nog steeds bij zijn boot te kijken toen de vrouw terug kwam lopen. Hij had gedacht dat ze op iemand had staan wachten, maar er was niemand naar haar toe gekomen. Ze had zeker tien minuten alleen staan wachten, daar op die punt. Had iemand haar in de steek gelaten? Was ze erheen gegaan om alleen te zijn, of om van iemand anders af te komen?

Ze kwam in de buurt en Ben zocht naarstig naar iets om te zeggen. Plotseling vond hij dat hij per se iets moest zeggen. Hij voelde het als iets dwangmatigs. Net als zijn gewoonlijke aandrang om een sigaret aan te nemen als hem er een werd aangeboden. Het was gewoon iets wat hij *moest* doen. Waarom *niet* met haar praten? Waarom niet kijken of hij het nog in zich had om iemand over te halen om een praatje met hem te maken? Zijn vriendinnen drongen er al zo lang op aan dat hij dat eens moest doen, sinds Marie en hij uit elkaar waren. *Je krijgt alleen terug wat je erin stopt*, had een van hen gezegd. Hij was in een goede bui en hij vond dat deze vreemdeling er interessant uitzag, dus dit was een prima moment om erachter te komen of zijn vriendinnen gelijk hadden.

'Je zou een cape aan moeten doen,' zei hij tegen de vrouw en maakte een stap in haar richting.

'Wat?' Ze stopte en deed haar capuchon naar beneden, zodat hij haar gezicht weer kon zien.

'Je weet wel, zo'n cape, met een capuchon net als je jas, maar dan lang en zwart. Dan lijk je er precies op.'

'Waarop?'

'*The French Lieutenant's Woman...*'

Ze keek niet-begrijpend.

'Wat je daarnet deed,' legde hij uit. 'Over de zee turen, peinzend... wachtend tot je geliefde weer thuiskomt...'

Eindelijk snapte ze het. En zie: daar was de glimlach. Het veranderde haar gezicht compleet, als een rimpeling die over een heldere vijver ging, en het tot leven bracht.

'Je bedoelt die film,' zei ze. Haar accent was Australisch, realiseerde hij zich.

'Met Meryl Streep...'

'Gebaseerd op dat boek...'

'Van John Fowles.'

'Dat is nogal een obscure film om naar te verwijzen tegenover een wildvreemd iemand, of niet?' zei ze.

'Je snapte het toch?'

'Ja, dat wel.'

Plotseling wou hij dat hij zich geschoren had, maar dat had hij al een week niet gedaan. Hij vroeg zich af hoe hij eruitzag in haar ogen. Als een wildeman waarschijnlijk, iemand die uit de bergen was gekomen om tussen het afval naar iets te eten te zoeken. Hij veegde zijn haar uit zijn gezicht.

'Stond je ook *echt* op iemand te wachten?' vroeg hij.

'Ik was aan het kijken of ik Brayner Island kon zien.'

'Dat lijkt me geen makkelijke opgave...' zei hij en wees in de tegenovergestelde richting waarin zij had staan kijken, ... 'het ligt namelijk aan die kant.'

De vrouw bloosde, gegeneerd door haar vergissing. Haar wimpers waren lang, haar ogen kristalachtig groen als zeewater in een getijdepoeltje op een zomerdag. Ze trok een opgevouwen stuk papier uit haar jaszak en hield het in haar hand. 'Ik ben nooit erg goed geweest in kaartlezen,' zei ze en draaide in de richting die hij haar gewezen had. 'Brayner schijnt erg mooi te zijn,' zei ze.

'Dat is het zeker. Maar het is te ver om te zien... vandaag tenminste... met dit zicht...'

'Dat is jammer.'

Toen schoot hem iets te binnen. 'Ik kan het je laten zien,' zei hij, 'als je wilt.' Hij wees naar de boot. 'Ik moet daar nu wat spullen afleveren.'

Hij schrok net zozeer als zij over wat hij net gezegd had. Maar hij had er geen spijt van, integendeel, het moedigde hem verder aan. Hij kon nauwelijks geloven wat hij aan het doen was, iemand versieren, zo nuchter als hij was, op klaarlichte dag. Het was al zo lang geleden dat het zenuwachtige gevoel dat hij nu kreeg, hem een kick gaf. Het voelde als een spelletje om te proberen haar aandacht zo lang mogelijk vast te houden.

'Je kunt wel meevaren,' zei hij. 'Het duurt niet langer dan een uur.'

Ze bekeek hem eens goed, alsof ze hem nu voor het eerst zag.

'Maar ik ken je niet eens,' zei ze.

Hij wist niet of dat betekende dat ze gevleid was of geamuseerd.

'Dat zit wel goed,' zei hij. 'Ik ben de veerman. Iedereen kent me hier.'

'Bennie!'

Een vrouw in een spijkerbroek, rode regenjas en een blauwe wollen muts haastte zich naar hen toe over de kade. Het was de moeder van Ben.

'Zie je wel,' zei Ben. 'Heb je nog meer bewijzen nodig?'

'Je bent je broodjes vergeten, schatje,' zei Bens moeder tegen hem en gaf hem een rechthoekig pakje van zilverpapier. 'Marmite. Zijn lievelingsbroodjes,' voegde ze eraan toe ter informatie voor de jongere vrouw.

'Dank je,' zei Ben. Hij voelde dat hij begon te blozen.

Zijn moeder reikte hem ook nog een oranje thermosfles aan. 'Warme chocolademelk,' zei ze. 'Lekker zoet. Waarom heb je je sjaal niet om?' vroeg ze. 'Die ik je met je verjaardag gegeven heb.'

Ben glimlachte. 'Ik weet niet, mam. Misschien was ik gewoon niet in de stemming voor een groen met paarse paisley. Volgens mij ben ik dat al niet meer sinds ik mijn laatste Prince-CD heb gekocht in 1989.'

Hij zag een zweem van een glimlach over de lippen van de jongere vrouw trekken.

'Nou, als je mij maar niet de schuld geeft als je straks sterft van de kou,' zei zijn moeder afkeurend. Ze bekeek de andere vrouw van top tot teen met een blik van waardering. 'Zou je ons niet eens aan elkaar voorstellen?' vroeg ze aan Ben.

'Mam, dit is...' Ben haalde zijn schouders op. '... Meryl Streep. Meryl, mijn moeder.'

Bens moeder snapte er niets van en de jongere vouw rolde met haar ogen.

'Kellie, eigenlijk,' zei ze. Ze wendde zich naar Ben: 'En jij bent Bennie, niet waar?'

'De meeste mensen noemen me gewoon Ben,' zei hij en hij voelde dat hij weer rood werd.

'O,' zei zijn moeder, 'dus jullie hebben elkaar pas ontmoet.'

'Ja,' zei Kellie, 'en ik moet er eens vandoor. Terug naar mijn hotel. Ik logeer in *The Excelsior*.'

'Ik zei net tegen haar,' onderbrak Ben, 'tegen Kellie, mam, dat ik haar met me mee zou kunnen nemen naar Brayner. Ze is er nog nooit geweest.'

'O, daar moet je echt eens naartoe, liefje,' zei Bens moeder. Ze was een amateur-historicus en haar enthousiasme voor de eilanden kende geen grenzen. 'Ben je hier met vrienden?' vroeg ze aan Kellie. 'Misschien kan Ben hen ook meenemen?'

Ben keek haar verwachtingsvol aan. Was ze hier met iemand anders? Nou, dankzij zijn moeder zou hij daar nu achter komen.

Kellie ging op haar andere voet staan. 'Nee,' zei ze, 'ik ben hier alleen.'

'Het duurt maar een paar uur,' zei Ben.

Het was een raar gevoel om te proberen deze vrouw die hij nog maar net ontmoet had tot een besluit te dwingen, vooral voor de neus van zijn moeder. Maar hij was zo geïntrigeerd. Wat deed iemand als Kellie nou hier alleen op kerstavond? En wat had hij te verliezen als hij haar vroeg om met hem mee te gaan? Het ergste wat er kon gebeuren, was dat ze hem afwees en dan zou ze weer uit zijn leven verdwenen zijn, precies zoals vijf minuten geleden.

Kellie keek weer naar het stadje, naar het busstation en de taxistandplaatsen die haar naar de heliport konden brengen, en de hotels en cafés waar ze de uren kon verdrijven bij het warme haardvuur. De ramen en daken van de gebouwen aan de haven zagen er dof en donker uit als modder.

Ze twijfelde. Ben kon het zien. Hij hield het pakketje van zilverpapier dat hij van zijn moeder had gekregen in de lucht.

'Lunch hoort er ook bij,' zei hij.

'Dat is erg aardig,' zei ze tegen hem. 'Maar nee, ik denk dat ik zo terugga.'

Ze keken elkaar even aan en plotseling voelde Ben zich vreselijk stom, alsof hij was afgewezen, alsof hij haar uit had gevraagd en zij nee had gezegd. Eigenlijk was dat ook precies wat er gebeurd was, dacht hij.

'Misschien een andere keer,' zei hij.

'Misschien. Dáág. En vrolijk Kerstmis allebei,' voegde Kellie er aan toe.

Ben en zijn moeder keken haar na toen ze terugliep naar het stadje.

'Mooi meisje,' zei Bens moeder.

'Ja.'

'Maar ze heeft ook iets verdrietigs,' voegde ze eraan toe. Ze kneep in zijn hand. 'Het zou misschien voor jullie allebei goed zijn geweest om samen iets te doen.'

Terug op de boot startte Ben de motor en liet hem pruttelen terwijl hij zijn zwemvest aandeed. Hij probeerde het meisje, Kellie, uit zijn hoofd te zetten, maar hij kreeg steeds het beeld voor ogen hoe ze naast hem stond en over de baai tuurde. Opnieuw vroeg hij zich af wat ze hier alleen deed. St. John's was iets heel anders dan Blackpool of Brighton. Je kon niet eventjes in de trein stappen om hier een dagje heen te komen. Je moest het goed plannen, trein, taxi om je naar de kust te brengen, en dan een veerboot, een helikopter of een vliegtuigje om je van het Engelse vasteland hierheen te vliegen.

'Ik ben van gedachten veranderd,' zei een stem boven hem.

Hij keek op en zag Kellie, die met een onbeholpen glimlach op hem neer keek, alsof ze niet helemaal zeker was of ze wel meende wat ze net had gezegd.

Hij gaf haar geen kans om van gedachten te veranderen. Hij kon niet geloven dat ze terug was gekomen.

'Geweldig,' zei hij en reikte haar zijn arm om haar de boot in te helpen.

'Ik moet je wel waarschuwen dat ik geen geld bij me heb.'

'Dat zul je ook niet nodig hebben,' zei hij.

'Maar ik zou je moeten betalen. Omdat je me meeneemt.'

'Het was mijn eigen idee.'

'Ja, maar toch. Ik wil het graag. Als we terug zijn.'

'Noem het maar een vroegtijdig kerstcadeautje,' zei hij. 'Wij eilandbewoners staan bekend om onze gastvrijheid,' voegde hij eraan toe. 'Wist je dat niet?'

Hij gaf haar een zwemvest, ze had het al aan voordat hij haar kon zeggen hoe het moest.

'Jij weet al het een en ander van boten zeker?' zei hij.

Ze zat op de achterste stoel, naast het biervat. 'Genoeg om jou niet in de weg te zitten.'

Hij wilde niet dat er een stilte tussen hen viel. Hij zei het eerste wat in zijn gedachten opkwam: 'Favoriete scheepvaartfilm.'

'Wat? Wil je soms controleren of ik dat van *The French Lieutenant's Woman* gewoon gegokt had?' Ze glimlachte.

'Misschien. Of misschien vind ik het gewoon leuk om over films te praten.' En dat was ook zo. Bijna net zo leuk als hij het vond om ernaar te kijken. Want de laatste tijd had het leven er zoveel eenvoudiger uitgezien, zoveel meer geordend als het door andere mensen werd uitgebeeld.

'Even denken,' dacht ze hardop en tuurde naar de horizon, alsof de antwoorden die ze zocht er zo meteen overheen zouden rollen als de aftiteling aan het eind van een film. 'Meest recentelijk: *Pirates of the Caribbean Master and Commander*. Meest charmant: Tom Hanks en Darryl Hannah in *Splash*. Meest waardeloze: *Voyage to the Bottom of the Sea*. Maar de beste aller tijden moet ofwel *Das Boot* zijn – als series meetellen – of *Crimson Pirate*.' Haar ogen keken uitdagend en er twinkelde iets triomfantelijks in.

'Indrukwekkend,' zei hij. De laatste film die zij noemde, een melodramatische avonturenfilm met Burt Lancaster, was ook een van zijn grootste favorieten. Hij opende een kastje aan bakboord en haalde er een paar petten uit. 'En nu een makkelijker vraag,' zei hij. 'Honkbalpet of wollen muts?'

'Het gaat zo wel. Zoals je al hebt opgemerkt, heeft deze jas een capuchon.'

Hij hield de petten in de lucht. 'Nee echt,' zei hij. 'Pak er een. Het is vreselijk koud daarbuiten. Straks ben je dankbaar voor het extra laagje, echt.'

'Honkbalpet dan,' zei ze uiteindelijk.

'Staat je goed,' zei hij tegen haar toen ze hem ophad.

'Dank je.' Ze klonk niet overtuigd. Ze duwde haar handen in haar jaszakken. 'Wat is dit eigenlijk voor service, die je doet?' vroeg ze. 'Een veerdienst?'

Hij startte de motor en gooide de trossen los. Het bootje dreef weg van de havenkant.

'Het is meer een taxiservice,' zei hij. 'We brengen mensen naar Brayner en de andere kleine eilanden, dagjesmensen, en halen ze later weer op. Zeehonden kijken kan ook. En we brengen voorraden naar mensen die fulltime op het eiland wonen.'

'Wij?'

'Mijn familie. Of mijn vader, in ieder geval.'

Ben duwde de gashendel een klein stukje naar beneden en langzaam ronkten ze in de richting van het open water de baai uit. Er joeg een koude wind om hun oren toen ze de beschutting van de oude kade achter zich lieten.

Kellie ging naast hem staan aan het roer, en Ben stuurde de boot richting noordwesten, voorbij de kaap aan de linkerkant van de baai.

Ben ging wat sneller varen en de motor begon hard te grommen. De pvc-bodem van de boot bonkte tegen de golven. Ben keek Kellie aan, maar zij staarde onverstoord voor zich uit, totaal gefocust, alsof ze eigenhandig Brayner Island te voorschijn wilde toveren.

Ze gingen om de kaap heen en binnen vijf minuten kwam daar, in de verte, ingeklemd tussen twee eilanden die dichterbij lagen, Brayner in zicht. Een onherbergzame bult die zich optrok aan de horizon, een berg die uit de zee groeide.

'Hou je vast,' zei Ben en duwde de gashendel naar volle snelheid.

Hij voelde zich plotseling ontwapend, zoals zij hier naast hem stond op de boot, en nu de afstand tussen hen en het vasteland groeide. Hij voelde de spanning in zijn borst. Dit voelde niet meer als het spelletje dat hij gespeeld had om met haar aan de praat te raken. Dit voelde plotseling, racend naar Brayner Island over de schommelende golven, heel erg echt.

Hoofdstuk 5

Michael, Simon en Taylor liepen om een bosje meidoornstruiken heen en daar doemde het machinegebouw van de Wilson-schacht voor hen op. Op de klippen gebouwd, keek het uit over de Atlantische brekers die aan kwamen stormen over Hell Bay. Het was gemaakt van grijze stenen en meer dan vijfentwintig meter hoog.

Michael kende deze plek goed, maar vandaag zag het er anders uit, onvoorspelbaar en volgestouwd met mogelijkheden. Het was alsof een stenen standbeeld plotseling tot leven was gekomen.

Ze liepen de met gras begroeide weg op die langs de westzijde van het eiland liep en hier bij de mijn eindigde. Simon racete weer voor hen uit, huilend als een wolf en jankend naar de lucht die langzaam donkerder werd.

Op een vlak, halvemaanvormig stuk land rechts van het machinegebouw lagen de overblijfselen van de verlaten mijnwerkershuisjes. Door de jaren heen waren de bakstenen geplunderd door de inwoners van Green Bay Harbour. Wat overbleef was een spookdorp. Hier had al honderd jaar niemand meer gewoond. Het land was onherbergzaam, blootgesteld aan de elementen, en afgeschuurd door de ijskoude Atlantische stormwind die eromheen joeg als de walkuren van Hell Bay. Op de grond glinsterden gebroken leistenen. De lucht stonk naar pekel. Michael voelde hoe het vocht zich als een klauw aan zijn huid vastklampte, hij rilde.

Michael kende de geschiedenis van deze plek goed. Hij had op school een project gedaan over de tinmijn van Wilson. Er werd hier al duizenden jaren tin gewonnen. De Romeinen, en zelfs Fenicische handelaren, hadden hier in de grond gegraven als konijnen, en een netwerk van tunnels uitgegraven, en er grote hoeveelheden tin, wolfraam, nikkel, arsenicum en lood uitgeschraapt.

In 1849 was er een bedrijf uit Londen gekomen, de Wilson Mining Corporation, die dacht er een moderne commerciële onderneming van te kunnen maken. Ze hadden het advies gekregen –

het verkeerde advies, zo zou later blijken – dat de mijn tot minstens 350 meter diepte uitgegraven kon worden en dat ze zelfs een tunnel onder de zee konden graven.

En dus bouwden ze een toren en werd de schacht steeds dieper. Het was de bedoeling dat de mijn zo groot zou worden als die op het vasteland, zoals Geevor. Als de Wilson Mining Corporation zijn zin had gekregen, net als op het vasteland, zou er een mijnwerkersgemeenschap ontstaan zijn op de plek waar nu die paar vervallen huisjes stonden. Honderden mannen en kinderen, soms niet ouder dan acht jaar, zouden zes dagen per week, tien uur per dag in de schacht en de tunnels gewerkt hebben.

Maar het was er nooit van gekomen. Hoe dieper ze gingen met hun verkennende schacht, hoe minder er werd gevonden. Al gauw bereikten ze de enig mogelijke conclusie – dat ze waren belazerd, bedrogen, er ingeluisd, en dat het land en wat eronder zat niets waard was.

De Wilson Mining Corporation werd opgedoekt in 1854. De mijn werd gesloten en de ingangen werden verzegeld, het machinegebouw en het dorp in aanbouw verlaten. In 1919 had iemand een poging gewaagd om het machinegebouw te verbouwen tot woonhuis, maar dat was ook mislukt. Nu was het een ruïne, zonder dak en de grote deuropening en de ramen waren dichtgemetseld.

'Denk je dat het waar is wat ze erover vertellen?' vroeg Simon. Hij had op hen staan wachten bij de afrastering van verroest schrikdraad rondom het machinegebouw.

'Over de geesten?' raadde Michael.

'Van de Romeinen...'

Volgens de plaatselijke folklore waren de geesten van de mijnwerkers uit de oudheid die hier waren gestorven, achtergebleven. Men zei dat als je Hell Bay 's nachts bezocht, je nog steeds hun verre, gedempte geschreeuw kon horen, en het gebonk en gekras van hun gereedschappen, waarmee ze probeerden om zichzelf uit hun stenen graf in de rotsen te bevrijden.

'En de piraten... en hun goud...' zei Simon.

Dat was weer een ander mythe over de mijn. Prins Rupert had een vloot piratenschepen gerund vanuit de eilanden ten tijde van

Koningin Elizabeth i, waarmee ze Spaanse handelsschepen aanvielen, met de onofficiële toestemming en ondersteuning van de maagdelijke koningin. Hij had zijn buit in de grotten van de eilanden verstopt, zei men, voordat hij die meenam naar het vasteland. Maar er waren een aantal spullen verloren gegaan, die lagen te wachten om ontdekt te worden.

'Dat is allemaal onzin,' zei Taylor, en gaf een goedgemikte trap tegen het hek van rot hout dat in de afrastering was gezet. 'Geesten bestaan niet. En verborgen schatten ook niet.'

'Waarom zijn we hier dan?' vroeg Simon.

'Gewoon. Omdat er al jarenlang niemand meer binnen is geweest. Omdat ze het hebben afgesloten, dat is reden genoeg om in te breken.'

Ondanks zijn toenemende ongerustheid was Michael blij dat ze dit deden, samen. Soms, als hij hier alleen op het eiland rondhing, kreeg hij het gevoel dat niets echt was, omdat er niemand was om er getuige van te zijn. Daar zorgde Taylor voor: ze bracht het eiland tot leven.

Plukjes afgerukte wol aan de omheining wapperden in de wind. Tayler trapte nog een keer tegen het hek. Het verweerde bordje dat aan het hek hing, viel eraf en kwam terecht in een brakke plas. Het enige wat je nog kon lezen van wat er ooit op het bordje had gestaan, was een zigzaggende bliksemschicht. Ze wisten allemaal dat dat gevaar betekende. Taylor stampte op het bordje en brak het doormidden.

Ze schopte een derde keer tegen het hek en dit keer begaven de roestige scharnieren het. Het viel achterover en kwam met een natte klets in de modder terecht. Taylor stapte eroverheen en zette haar handen in haar zij.

'Ik vraag me af van wie dit eigenlijk is,' zei ze.

'Overheid waarschijnlijk,' zei Michael.

Dat dacht zijn moeder tenminste. Michael had zelf ook rondgevraagd en had van meneer en mevrouw Whelan, die buiten het dorp een winkeltje met plantaardige geneesmiddelen hadden, gehoord dat het Britse leger het een tijdje in handen had tijdens de Tweede Wereldoorlog. Ze hadden hier bevoorradingen heen verscheept en opgeslagen in de tunnels. Maar zij waren uiteindelijk ook weggegaan, en hadden de plek afgesloten achter zich gelaten. Michael tuurde door de ingang, huiverig voor wat erachter lag. Dat waarschuwingsbordje hing er niet voor niks. Vanuit de schacht liep een netwerk van tunnels als de wortels van een boom. De mensen zeiden dat er zinkputten in zaten zo groot dat iemand er helemaal in kon verdwijnen. Sinds Michaels geboorte waren er een paar honden van toeristen, en verschillende robuuste jakobsschapen die vrij konden grazen over het eiland, vermist. Hun kadavers waren nooit teruggevonden.

'En als er nou weer eens iemand langskomt?' vroeg hij aan Taylor. Hij boog voorover en raapte de twee delen van het bordje op. Hij zette ze overeind tegen een paal en stutte het met twee stenen zodat het er zou blijven staan. 'Misschien weten ze niet hoe riskant het is.'

'Wat ben je toch verdomd kleinburgerlijk soms,' zei Taylor tegen hem.

Simon pakte een steen en gooide hem hard tegen een leisteen die tegen de overblijfselen van een oud werkkeetje stond, aan de andere kant van de omheining. De krak die volgde, echode als een zweep door het dorp. Een konijn dat was opgeschrikt van het kabaal, ging ervandoor, met zijn flitsende witte staartje, en verdween in een holletje.

De laatste keer dat Taylor en Michael hier waren, aan het eind van de zomer, waren ze over dit hek geklommen en door het spookdorpje gewandeld. Ze waren op de warme bakstenen van een ingestorte muur gaan zitten en dronken blikjes cola in de zon. Toen hadden ze besloten om te proberen een weg naar beneden naar het strand te zoeken. Ze waren niet op zoek geweest naar gevaar. Ze wilden alleen wat rondhangen. Hij herinnerde zich dat hij het gevoel had gehad dat hij het liefst de hele dag met haar zou wandelen. Hij had haar willen zeggen niet terug te gaan naar Londen, maar hij had niet geweten hoe.

'Ik vind het hier hartstikke eng,' zei Simon. Hij keek naar de resten van de huisjes die in een ongelijke rij lagen uitgestrekt, alsof het de overblijfselen waren van een kasteel dat door een aanval was verwoest. 'Ik heb dit soort plaatsen wel eens in films en stripverhalen gezien en dan zijn er altijd monsters en vampiers en figuren die zich verstopt hebben tussen de gebouwen... En ze liggen daar te wachten tot je langskomt, en dan springen ze te voorschijn en dan grijpen ze je om je hersens eruit te zuigen of je bloed te drinken... en niemand kan je lichaam terugvinden, want dat eten ze ook op, of ze veranderen je in een zombie, en dan word je een van hen, en dan ga je ook bij andere mensen hun hersens uitzuigen... en dat wil ik niet en ik wil naar huis.'

'Niet voordat we gedaan hebben waarvoor we hierheen gekomen zijn,' zei Taylor tegen hem. 'Niet voordat we binnen zijn geweest en rondgekeken hebben.'

'Michael, jij weet toch ook van die zombies en zo? En we willen toch niet dat ze ons te pakken krijgen?' vroeg Simon.

Michael wist dat Simon altijd tegen hem op had gekeken, en hem behandelde als een volwassene, en dat vond Michael wel leuk, vooral tegenover Taylor. Maar Taylor gaf hem geen kans om Simon een antwoord te geven.

Ze legde haar handen op de schouder van haar kleine neefje en gaf hem een stevige kneep. 'Kom op, Sim. Als we nu teruggaan, zitten we ons straks alleen maar te vervelen bij de grote mensen. Dit is veel leuker. Dat beloof ik. En je weet dat ik altijd gelijk heb.'

Simon duwde zijn handen diep in zijn zakken en maakte een brrrr-geluid met zijn lippen. Hij knikte met zijn hoofd.

Michael wist ook dat het geen zin had om te proberen Taylor op andere gedachten te brengen. Van de zomer had Taylor tegen haar vader gezegd dat ze een ingang hadden gevonden naar de mijn. Maar Elliot was helemaal niet blij verrast geweest, zoals Taylor had gehoopt, en hij had hen verboden ooit nog bij die plek in de buurt te komen. En juist omdat Elliot had gezegd dat ze er *niet* heen mocht, was het vrijwel zeker dat Taylor er *wel* heen zou gaan. Michael wist dat als hij zich nu om zou keren, Taylor alleen zou gaan.

Ze volgden het pad naar het machinegebouw, en stopten. Als de huisjes de resten van oude kasteelmuren zouden zijn, dan was dit de donjon. Het was gebouwd om onderdak te geven aan een met stoom aangedreven pomp, die het boren van de tunnel onder de zee veilig had moeten aanstuwen. Massief en hoekig strekte de toren zich boven hen uit, Michael werd bijna duizelig toen hij naar boven staarde en zag hoe de wolken voorbij joegen.

'Ik dacht dat we de mijn in zouden gaan,' zei Simon en trapte tegen het vochtige, maar stevige metselwerk waarmee de hoofdingang van het machinegebouw afgesloten was geweest. 'Maar hoe? Wat moeten we nu doen? Naar boven proberen te klimmen? Kunnen we naar boven klimmen en dan, als we dat doen, kunnen we dan aan de binnenkant naar beneden klimmen, om er zo in te komen? Want het is een heel eind en we hebben geen touw, of wel? En ook al zouden we er een hebben, dan moet het wel ontzettend lang zijn en dan moeten we hem als een lasso omhoog gooien om hem over de muur heen te krijgen. Misschien kunnen we er een steen aan binden, want dan – '

'Maak je niet druk,' zei Taylor. Ze streek hem over zijn haar. 'We hebben geen touw, maar dat geeft niet. De voordeur is niet de enige manier om binnen te komen. Kom op,' zei ze, 'dan laten we het je zien. Maar onthoud goed,' waarschuwde ze hem. 'Dit is ons geheim. Je mag nooit aan iemand vertellen dat we hier geweest zijn.'

Op die ene dag, vorige zomer, toen Michael en Taylor aan het zoeken waren naar een manier om beneden naar het strand te komen, hadden ze het voor het eerst ontdekt. Het pad dat aan de achterkant van de mijn naar beneden liep. Maar het was niet de weg naar het strand, zoals ze hadden gehoopt. Het pad kwam uit op een vluchttunnel, zo'n zevenhonderd meter van de hoofdschacht vandaan.

Nu haastten ze zich langs de zijkant van het machinegebouw en liepen een modderig schapenpaadje op aan de achterkant, dat tussen het struikgewas verdween. Dit was de route die ze vorige zomer ontdekt hadden.

Michael en Simon volgden Taylor als soldaten door de camouflage van bramenstruiken en bomen. 'Ik heb het ijskoud,' klaagde Simon. 'Ik bedoel, ijs- en ijskoud. Alsof ik bijna doodvries en – '

'We brengen je zo thuis,' beloofde Michael. Hij keek op naar de hemel die veel donkerder leek dan een paar minuten geleden.

Ze liepen verder. Het leek wel of de struiken op hen afkwamen. Hij vond het hier maar niks. Ze waren te ver bij andere mensen vandaan. Ze waren te alleen. Het werd koeler, en er hing een muffe, weeë lucht. Overal vandaan kwam het geluid van stromend water, dat van de planten afdrupte en in kleine beekjes tussen de keien door sijpelde, en ook dieper, onder de grond, stroomde het door onzichtbare kanaaltjes naar de zee toe. Naarmate ze verder liepen, kreeg Michael steeds meer het gevoel dat het hele eiland één grote spons was. Het pad slingerde naar beneden, weg van de mijn. De grond werd zacht, een rottend matras van dennennaalden en beukenbladeren met de kleur van blauwe plekken. Maar toch, het was makkelijker te volgen dan de eerste keer dat Michael en Taylor hier waren, nu bijna al het zomergroen was afgestorven, en voordat ze het wisten stond Taylor stil voor een oude eikenboom die hun weg versperde.

Michael kon de zee horen – het botsen van de golven – maar hij kon haar niet meer zien. Ze waren in een steile vallei, een plooi in de heuvelrug. De rotsachtige bodem liep aan beide kanten steil omhoog. Ongeveer vijftig meter boven hen, een beetje naar rechts, was de Wilson-mijnschacht en het machinegebouw, maar je kon die niet zien vanwege de bomen en de plooien in de heuvel.

'Ik geloof dat het daar is,' zei Taylor. Ze baande zich een weg door de bramenstruiken aan de linkerkant van het pad, waar de heuvel steil omhoogging, terug naar de mijn. 'Fuck,' riep ze naar hen terug. 'Kijk uit voor de doorns.'

Met zijn handen in de mouwen van zijn jas trok hij een gordijn aan bramentakken opzij en liet Simon erdoor lopen.

En daar was hij dan: de ingang van de vluchttunnel die uit de mijn leidde.

Het zag eruit alsof een reus zijn vuist door de heuvel had geslagen. De ingang van de tunnel was min of meer ovaal en drie meter hoog, precies zoals Michael het zich herinnerde. Er stond een roestig metalen traliehek voor, waarvan de draden elkaar kruisten als op een tennisracket.

Ook nu ze voor de tweede keer rondkeken, leek het op een grot. Toen Michael dichterbij kwam en het halfduister in tuurde, zag hij opnieuw hoe het in het zwarte niets verdween, als een keel.

'Maak open,' zei Taylor.

Hij wilde liever meteen weggaan, maar hij wilde ook graag doen wat zij wilde.

68

Het metalen traliehek zat vastgeschroefd in de rots aan de linkerkant met meerdere metalen scharnieren. Rechts zat het vast aan een ander scharnier in het midden, afgesloten met een hangslot. Michael probeerde het breekijzer onder het scharnier te stoten, zodat hij het los kon wurmen.

'Nog een keer,' zei ze tegen hem, toen hij hem er niet tussen kon krijgen.

Ze stond zo dichtbij dat hij haar conditioner kon ruiken. Zoet als de bloemen in de zomer. Zijn lul begon zich onwillekeurig te bewegen in zijn broek, hij concentreerde zich weer op het slot. Hij probeerde opnieuw, maar weer schoot het uiteinde van het breekijzer los en gleed over het scharnier. Een derde poging had hetzelfde resultaat, maar deze keer schoot het breekijzer over het scharnier en sloeg hard tegen het hangslot, dat zo verroest was en oud dat het doormidden brak en op de stenen grond neerkletterde.

'Fantastisch!' riep Taylor uit.

Ze krabde aan haar knie waar ze met haar panty was blijven haken aan de bramen. Er scheen een streepje bleke huid doorheen als een litteken. Ze legde haar arm om zijn schouder en gaf hem een kneep.

'Zullen we?'

Hij had daar eeuwig kunnen blijven staan met haar, maar hij herkende de uitdaging in haar ogen, waarvan hij wist dat die zo in minachting kon omslaan.

'Vertel me nou niet dat je niet meer durft,' zei ze.

'Doe ik ook niet.' Hij was bang, maar dat ging hij haar niet vertellen. Het liefst had hij deze ingang nooit gevonden. Altijd als hij zich Taylor en hem samen voorstelde, zag hij hen op het strand, lachend, naast elkaar liggend in de zon – nooit hier binnen, in de kou en de duisternis.

'Weet je het zeker?'

Hij wist dat het nu te laat was om terug te gaan. 'Ja,' zei hij.

'O, fuck,' zei ze.

'Wat?'

'De zaklampen.'

'Wat is daar mee?'

'We hebben er geen bij ons.'

Hij moest zich inhouden om niet heel luid en opgelucht adem te halen. 'Je bedoelt dat je ze vergeten bent.'

'Nee. Ja. Ik had ze in mijn schoudertas zitten, maar toen vroeg pap of ik hem kon helpen om de kerstboom te verplaatsen. Volgens mij heb ik de tas in de hal laten staan.'

'Dan zit er niets anders op dan terug te gaan,' zei Michael.

'Niks ervan,' zei ze. 'We gaan zo ver naar binnen als we kunnen. Alleen om te kijken of het meer is dan een grot.'

In zijn hoofd zocht Michael naarstig naar een antwoord waarmee hij zonder gezichtsverlies onder de situatie uit kon komen. Nu hij hier voor dit gapende zwarte gat stond, herinnerde hij zich weer waar hij de eerste keer zo bang voor was geweest. Dit was een vluchttunnel. Hij was gebouwd om naar buiten te kunnen komen als de grote tunnels binnen in de mijn instortten. Hij was bedoeld om mensen in veiligheid te brengen, niet in gevaar. Hij wilde daar niet naar binnen, en al helemaal niet zonder zaklamp.

Maar Taylor was niet van plan om op zijn antwoord te wachten. Ze liet haar vingers door de tralies glijden en trok aan de deur. Met een sidderende beweging schoof die open, schurend over de vloer. Er ontstond een opening van nog geen dertig centimeter breed, en Simon glipte erdoorheen.

'Wacht,' zei Michael.

Maar het was te laat. Simon was al binnen.

Michael en Tayler rukten de deur verder open. Ze gingen Simon achterna, het schemerdonker in. Het was alsof ze in een andere wereld terechtkwamen. Michael moest denken aan de bioscoop, aan dat moment waarop de lichten uitgaan en het spektakel losbarst op het scherm, dat moment van stille, gespannen afwachting voor wat er ging komen.

'Boe,' riep Simon.

Zijn stem die normaal gesproken heel hoog was, bulderde als een kanon. Langzaam verdween de echo weer. Het effect maakte hem aan het giechelen. Michael tuurde in het duister. De tunnel was zo breed dat ze alledrie naast elkaar konden staan. Water druppelde *ploploploplop* van het plafond. Een druppel viel bij Michael in de nek en sijpelde langs zijn rug naar beneden. Vóór hen verdween het licht geleidelijk in het inktdonker. Michael voelde de angst door zich heen trekken, net als toen hij vijf of zes was en wakker was geworden van een nachtmerrie, alleen in een donkere slaapkamer. Maar er stond geen lamp op het nachtkastje, en er was geen volwassene in de buurt om naar te roepen.

Taylor stapte naar voren. 'Ik ben zo kwaad op mezelf vanwege die zaklampen,' zei Taylor.

'We moeten voorzichtig zijn,' zei Michael. 'Er kunnen gaten in de grond zitten.'

Taylor nam nog twee stappen, stopte en tastte met haar tenen over de donkere grond als een paard met zijn hoef.

Als hij alleen was geweest, zou Michael hard zijn weggerend. Hij had te veel griezelfilms gezien om niet in paniek te raken. Hij dacht aan *The Ring, The Grudge, My little Eye* – al die misselijkmakende momenten waarin slachtoffers werden beslopen...

Hij luisterde naar het geluid van hun ademhaling. Krampachtig probeerden zijn ogen iets te ontwaren in het duister, maar alles wat hij zag was het marginale licht dat van achteren kwam. Er zou hier nu een of ander iets een paar meter voor zijn neus kunnen staan, zonder dat hij het wist, totdat... Het ademen dat hij hoorde zou ook iemand... iets anders kunnen zijn, en hij zou het pas beseffen als het te laat was.

Hij wilde eruit. Nu.

'Ik denk dat we beter kunnen gaan,' zei hij.

'Je hebt gelijk,' gaf Taylor toe. 'Ik kan verdomme geen moer zien.'

'Taylor!' giechelde Simon achter hen. 'Niet zo vloeken.'

'Ga verdomme een eind fietsen,' zei ze tegen hem en hij gilde van het lachen. 'Ik kan verdomme doen wat ik wil.'

'Verdomme!' riep Simon. 'Verdomme! Verdomme! Verdomme! Verdomme!'

Michael pakte Simon bij zijn schouders en stuurde hem terug naar het licht. Hij hoorde de voetstappen van Taylor achter zich. Ze kwam achter hen aan, godzijdank. Ze konden naar huis gaan. Nu kon hij met Taylor naar huis lopen en zou zij nog steeds denken dat hij even moedig en onverschrokken was als zij.

Ze kwamen bij de uitgang en stapten naar buiten en knipperden met hun ogen tegen het licht. Simon ging ervandoor en rende het pad op in de richting van de mijn. Taylor keek hem na. Michael kromp ineen bij het volgende dat ze zei.

'Morgen komen we weer terug. Met de zaklampen. En dan zien we wel hoe ver we kunnen komen.'

Ze lachte en plots voelde hij iets – daar, in zijn nek, nog zo'n speldenprikje, maar deze keer was het iets anders dan het akelige gevoel dat hij in de tunnel had gehad. Dit leek meer op een statische schok. Toen nog één en nog één.

Michael keek omhoog. Er landde een sneeuwvlokje op zijn lippen. Hij zag er nog één en nog één. Toen zag hij ze allemaal, met honderden, duizenden vielen ze uit de lucht tussen de bomen. Simon lachte en Taylor begon rondjes te draaien met haar armen uit elkaar, en met haar handen probeerde ze de sneeuwvlokjes op te vangen.

Hij glimlachte naar haar. Hij kon het niet helpen.

'Wat een wonder, hè?' riep ze.

En dat was het. Een wonder dat het sneeuwde en een wonder dat hij hier bij haar was. Hij keek hoe ze rondjes draaide en wist dat zij het mooiste was wat hij ooit had gezien.

Ze stopte en staarde omhoog naar de wervelende witte hemel. Ze deed haar mond open.

'Ik heb er één,' riep ze. Ze lachte en stak haar tong uit naar hem. 'En nog één. En nog één. O, wat is het hier mooi,' zei ze tegen hem. 'Het is alleen van ons. Niemand kan ons hier zeggen wat we moeten doen. Morgen kom je weer met me mee, hè Michael? Beloof me dat je meekomt.'

'Maar morgen is het eerste kerstdag. Denk je niet dat we beter gewoon – '

'Beloof het me,' zei ze.

Hij moest weer denken aan *The Deer Hunter* en zag de scène voor zich waarin het wilde hert midden in het telescoopvizier van het geweer te zien was. Alle boeken die Michael had gelezen en alle films die hij had gezien, zaten vol met dat soort levensbepalende momenten. Zou de jager de trekker overhalen of niet? Waar zou jij voor kiezen? Wat voor soort man zou jij zijn?

'Goed,' zei hij. 'Je kunt op me rekenen.'

Hoofdstuk 6

De tocht vanaf Fleet Town was een hobbelig maar opwindend ritje geweest. Door de herrie van de motor hadden ze niet veel tegen elkaar kunnen zeggen. Maar nu ging de boot wat langzamer en Ben wendde zich naar Kellie.

'Ongelooflijk, hè?' vroeg hij.

Inderdaad. Het was beginnen te sneeuwen. Zachte vlokjes vielen uit de lichtgrijze deken in de lucht boven hen. Het had iets kalmerends, alsof er een soft focus-lens over het uitzicht was geschoven.

'We kunnen deze voorraden het beste zo snel mogelijk afleveren en jou dan terugbrengen naar St. John's. Maar er is nog een ding dat ik je wilde laten zien.' Ben keek omhoog naar de sneeuw.

'Zullen we het erop wagen?'

'Is het de moeite waard?'

'Zeker weten.'

Kellie glimlachte. 'Oké. Jij bent de baas,' zei ze en duwde haar vochtige haar uit haar gezicht en tuurde naar Brayner Island.

Het was raar om te weten dat Elliot daar ergens rondliep. Ze vroeg zich af of hij aan haar zat te denken en wat hij zou zeggen als hij haar nu kon zien. Zou hij boos zijn, vroeg ze zich af, of alleen maar lachen, zoals hij altijd deed, om het feit dat ze haar nieuwsgierigheid weer niet in bedwang had kunnen houden? Geen sauna en massage in het hotel dus vandaag.

Maar wat Elliot ook zou denken, ze was blij dat ze had besloten om mee te gaan en niet in het hotel langzaam gek zat te worden. En trouwens, een beetje gezelschap was goed voor haar en Ben scheen een fatsoenlijke man. Zou ze zich schuldig moeten voelen, vroeg ze zich af, omdat ze alleen was met een andere man? Ze keek zijdelings naar hem. Hij was langer dan ze in eerste instantie had gedacht, en hij had een stoppelbaard. Elliot was veel meer haar type. Nee, het was prima, concludeerde ze. Ben leek volkomen veilig.

73

'Nou, wat kan ik u vertellen over Brayner, dames en heren?' zei hij, een reisleider imiterend. 'Er zijn honderdenéén inwoners op het eiland, één van hen is Timothy Lee, de plaatselijke kunstenaar, die eerder beroemd is om zijn scheten dan om zijn werk. Dan is er Jim Peters, die zich graag als vrouw verkleedt, maar ach, wie niet eigenlijk?' Kellie lachte. 'Op Brayner is ook de *Savages* bloemkwekerij te vinden, die kwaliteitsbloemen exporteert naar Covent Garden, alhoewel Richard, de oudste broer, ook een nevenbranche heeft in *erg* exotische planten, zullen we maar zeggen...'

Boven op de kaap zochten schapen beschutting bij elkaar in een hoekje van de wei. Het was zo mooi en woest en afgelegen. Zeemeeuwen cirkelden voor de boot uit, die door het donkere water sneed.

'En daarboven dan? Wat is dat?' vroeg Kellie en wees naar de dreigende toren op het randje van rotsen hoog boven hen. Het had iets van een gevangenis, zo zonder ramen. In de diepte eronder spatten golven uiteen op de rotsen, bruisend wit schuim vloog de lucht in.

'Het hoort bij de oude tinmijn. Ze wilden een tunnel door de rotsen boren tot onder de zee. Maar het is er nooit van gekomen. Het is al jaren verlaten.'

Alleen al bij de gedachte om zo ver onder de grond te zitten, moest ze huiveren.

Ben stuurde de boot langzaam om de rotsen heen, die een beschutting vormden voor de noordkust van het eiland. De kust vormde een golvende lijn door de vele kleine baaitjes met wit zand, zo ver als het oog reikte. Toen ze dichter bij de kust kwamen, zag Kellie dat de rotsen bedekt waren met een kolonie zeehonden.

'Wauw!' schreeuwde ze. De boot ging wat langzamer varen. 'Fantastisch zijn ze.'

Ben voer nog dichterbij en ze pakte haar camera uit haar jaszak. Boven het zoute zeewater had de lucht een metalen, koude smaak. Maar dat kon Kellie niet schelen. Ze was al zo lang niet op zo'n afgelegen plek geweest. Ze waren nu niet meer dan drie meter van de zeehonden verwijderd. Een paar van hen gleden over de rotsen het water in. Hier werden ze beschut door de rotsen en de sneeuw leek nog zachter.

'Kijk die eens,' lachte ze. Ze wees naar een enorme zeehond die op hen neerkeek door de snorharen op zijn neus. 'Ik geloof dat hij het niet zo leuk vindt dat ik foto's maak.'

'Hoe weet je dat het een hij is?' vroeg Ben.

'Vanwege zijn bierbuik, natuurlijk.'

'En die daar,' zei Ben en wees naar een zeehond die boven op het randje van een rots zat en in de golven naar zijn eigen spiegelbeeld leek te staren, 'dat is dan zeker een zij, want die zit make-up op te doen...'

'Nee, dat is een puber,' zei Kellie, 'die zijn puistjes uitknijpt.'

Ze kwamen nog dichterbij, Ben stond naast Kellie. Het was leuk dat hij ook zo verrast was door deze beesten, hoewel hij ze vast heel vaak zag.

Plotseling schoot Kellie naar voren. De boot had iets geraakt. Ze greep zich vast aan het zwarte handvat aan de zijkant en trok zichzelf overeind.

'Shit,' zei Ben. Hij klauterde van het roer naar de buitenboordmotor aan de achterkant van de boot. De motor knarste en piepte. Er kwam zwarte rook uit.

'Wat is er gebeurd?' vroeg ze. Het was moeilijk om haar evenwicht te bewaren in de boot.

Toen hield de motor ermee op. Ben tilde de buitenboordmotor omhoog, zodat de propeller uit het water kwam. Hij boog zich eroverheen om te kijken of er iets kapot was. 'Ik was niet aan het opletten. Ik ben waarschijnlijk ergens tegenaan gevaren,' zei hij. 'Een stuk staaldraad of zoiets.'

'Kun je zien wat ermee is?' vroeg ze.

'Ja.'

'En?'

Hij inspecteerde de propellerbladen en zei niets. Kellie begroef haar handen in haar zakken en rilde. Het was hier ijskoud. Gelukkig had ze haar dikke jas. Het was een gevoerde wollen jas van Spiewak, die ze vorig jaar in een modewinkel in Notting Hill had gekocht. De verkoopster had gezegd dat hij was geïmporteerd uit New York en ontworpen was om bij temperaturen van min dertig te kunnen dragen. Kellie had hem speciaal gekocht voor een weekendreisje naar Reykjavik dat Elliot had gepland. Maar hij had het op het laatste moment afgezegd, omdat Isabelle plotseling een van haar businesstripjes had geannuleerd. Dus de koudste plek waar de jas tot nu toe was geweest, was de diepvriesafdeling in de plaatselijke Marks & Spencer. Tot nu toe.

'Hmm,' zei Ben.

'Wat betekent dat?'

'Nou, ik geloof dat we dit, in termen van de scheepvaarttechniek, helemaalnadeklote noemen.'

Kellie glimlachte. 'Helemaalnadeklote?'

'Helemaal. Alhoewel,' zei hij. Hij keek haar aan over zijn schouder. 'Het zou ook wel eens totaalnadeklote kunnen zijn.'

'Totaal? Is dat beter of slechter?'

'Moeilijk te zeggen. En eigenlijk,' zei hij nadenkend terwijl hij de gereedschapskist onder een van de stoelen vandaan haalde, 'zou ik het ook helemaal mis kunnen hebben en is hij alleen maar gedeeltelijknadeklote.'

'En in dat geval hoeven we ons geen zorgen te maken,' dacht ze hardop met hem mee.

'Zie je wel,' zei hij. 'Ik wist toch dat je meer verstand had van boten.'

Kellie realiseerde zich al snel dat Ben geen grapjes stond te maken, ook al bleef hij er erg kalm onder. Ze keek bezorgd toe hoe hij de propeller probeerde te repareren, en gaf hem af en toe een stuk gereedschap aan uit de gereedschapskist. Maar de motor kregen ze niet meer aan de praat. Het getij begon hen mee te zuigen, ze waren langzaam aan het afdrijven.

Uiteindelijk draaide hij zich om en keek haar aan. Hij verontschuldigde zich met een grijns.

'Het is nog erger dan ik dacht,' zei hij. 'Het is helemaaltotaalnadeklote. Of totaalhelemaal. Die haal ik altijd door elkaar.'

'Bedoel je dat je hem niet meer kunt maken?' vroeg Kellie. Ondanks zijn pogingen om haar op te vrolijken, maakte ze zich nu echt ongerust. Ze sloeg haar armen om zich heen.

'Waarschijnlijk wel, maar niet hier. We zullen aan land moeten gaan.' Het was haar nog niet eerder opgevallen hoe groen zijn ogen waren.

Ben draaide het contactsleuteltje nog één keer om, maar de

motor wilde niet starten. Kellie rilde. Ze stak haar hand uit toen er grotere sneeuwvlokken begonnen te vallen. De wind werd ook steeds krachtiger.

'O,' zei ze. 'Het wordt steeds erger.'

'Ook nog storm? Geweldig!' zei Ben. Hij staarde naar de hemel. 'Krijgen we nu ook nog een sprinkhanenplaag?' vroeg hij. 'Of misschien een plaatselijke tyfoon, speciaal voor ons, om ons wakker te houden? Ik ben wel een fantastische reisleider, hè?'

Kellie lachte. 'Het gaat. Waar kan ik mee helpen?'

'Pak een roeispaan. We moeten aan land roeien. Laten we naar dat baaitje gaan daar.'

Kellie was flink aan het zweten tegen de tijd dat ze de kust bereikt hadden. Ze was gewend aan de roeimachine van het moderne fitnesscentrum in de kelder van hun kantoorgebouw, maar in het echt was het veel zwaarder, zeker met dit weer. Het was moeilijk om Ben bij te houden en er ging steeds iets verkeerd. Wat ook niet hielp was dat hij haar, telkens als ze iets fout deed, aan het lachen maakte. De hele situatie was zo bizar. Het was zo surrealistisch om met een boot door de sneeuw te varen.

De boot kwam met een knarsend geluid tot stilstand op de zanderige kust. De sneeuw was intussen blijven liggen.

'Ik stap hier uit, Captain Scott,' zei Ben. 'En misschien kan het even duren voor ik weer terugkom.'

Hij sprong in het ondiepe water.

'Wacht op me,' zei ze. Ze leunde voorover en hij tilde haar uit de boot.

Nu zag ze dat de baai groter was dan hij eruit had gezien vanaf het water. Kellie kon zich voorstellen dat dit een fantastisch strandje was in de zomer, maar niet op een gure winterdag. Ben had gelijk, het leek wel of ze ontdekkingsreizigers waren op de noordpool. Achter op het strand kwam een oude hellingbaan uit op een houten vissershutje. Hoog boven in de rotsen keek het grote zwarte oog van een grot op hen neer.

Ben tilde het biervat uit de boot. Hij knipoogde naar haar. 'Even een biertje pakken,' zei hij. Hij rende het strand op en rolde het vat voor zich uit.

Even later was hij weer terug. Ze zeulde aan het plastic handvat aan de linker voorkant van de boot, en Ben ging naar de andere kant. Ze sleepten de rubberboot het strand op naar de vissershut. Kellie was uitgeput toen ze er waren.

'Goed gedaan,' zei Ben en gaf haar een klap op de rug. 'Er gaat niets boven een middagje lekker je spieren trainen.'

'Misschien zou je eens aan een andere baan moeten denken,' stelde ze voor. 'Personal trainer in plaats van reisleider. Als je in Londen gaat wonen, kan je er steenrijk mee worden.'

'Misschien doe ik dat wel,' zei hij en sleepte de boot de laatste paar meter in zijn eentje, tot vlak voor de deur. 'Hier zijn we veilig,' zei hij. 'Zo hoog komt de vloed niet.' Hij probeerde de sneeuw van zich af te slaan, maar de vlokjes zwermden om hem heen alsof het bijen waren. 'Maar we hebben natuurlijk wel grotere zorgen aan ons hoofd dan de vloed,' voegde hij eraan toe.

Hij boog zich over de boot heen en haalde er een plastic zeil uit.

'Sorry voor deze toestand,' zei hij. 'Normaal gesproken laat ik het ontvoeren van jonge maagden naar een ijskoude schuilplaats en dat soort praktijken over aan andere kerels...'

'Zoals Frankenstein...'

'Hé,' zei hij, alsof hij beledigd was, 'alleen omdat ik me niet geschoren heb...'

'Ik bedoel de film...'

'Met Robert de Niro...'

'Naar het boek...' zei ze.

'Van Mary Shelley...'

Ze staarde hem aan en herinnerde zich dat ze zo'n zelfde soort gesprek over Meryl Streep hadden gehad in Fleet Town. Het was zo makkelijk om met hem te praten. Voor een vent die in het meest afgelegen hoekje van Engeland op een bootje werkte, wist hij wel erg veel over boeken en films. Waarom was het zo makkelijk om met hem te kletsen en grapjes te maken? Elliot had haar culturele verwijzingen nooit door. Hij was veel meer geïnteresseerd in chique restaurants en goede wijn.

'We moeten hiermee ophouden,' zei ze, maar ze meende het maar half.

Hij glimlachte. 'Je hebt gelijk. We kunnen ons beter beperken tot het bespreken van de feiten.'

Ze zwaaide met haar hand door de sneeuwvlokjes die uit de hemel dwarrelden. 'We kunnen het over het weer hebben, bijvoorbeeld,' grapte ze.

'Precies.' Hij stond even stil. 'Verdomd koud. IJskoud.'

'Dat is een feit. En ik had het niet beter kunnen uitdrukken.'

'Maar even serieus. Je kunt beter in de hut gaan zitten, anders bevries je.'

Maar Kellie bleef buiten om hem te helpen. Ze vond dat ze dit samen moesten oplossen. Vlak voordat ze het laatste stukje van de boot hadden afgedekt, pakte Ben de thermosfles eruit die zijn moeder hem had gegeven.

'Ik dacht dat het hier altijd zonnig was?' zei ze toen Ben naar haar toeliep bij de deur van de vissershut.

Hij zei: 'Zo te zien zijn de regels veranderd,' en hij maakte de deur open. Ze stapten naar binnen.

Het was een eenvoudig houten keetje, zonder ramen. Een paar oude netten hingen opgerold aan het plafond. De vloer was de rots waarop het hutje was gebouwd. Het zag eruit alsof er al in geen jaren meer iemand was geweest, maar gelukkig was er wel een bankje. Kellie ging zitten, wreef haar handen tegen elkaar en duwde ze tussen haar knieën. Ze had het ijskoud. Ze keek naar haar voeten, haar nieuwe leren laarzen waren smerig van het zoute water. Ze strekte haar voeten uit en wiebelde met haar tenen.

'Zo ging een paar Russell and Bromley-laarzen van tweehonderd pond naar de klote,' zei hij. 'Je bent zeker vergeten de verkoopster te vragen om ze in te spuiten, of niet?'

Ze lachte, verbaasd dat hij de naam wist, en al helemaal dat hij wist van leer bespuiten. 'Hoe weet je dat nou weer?'

'Ik heb eens een vrouw gekend die dol was op dat soort dingen.' Er klonk iets geringschattends door in zijn stem, maar ze wist niet zeker of het daarbij om de vrouw ging of om de prijs van de laarzen. 'En bovendien zit het label nog op de zool,' voegde hij eraan toe.

Ze glimlachte en voelde dat ze begon te blozen. Ze was al jaren niemand meer tegengekomen die haar zo kon plagen.

'Dus. Wat nu?' vroeg ze.

'Wachten. Tot de sneeuwbui voorbij is. Ze zeiden dat het later op de avond pas zou blijven liggen,' zei Ben, en hij trok de deur achter zich dicht.

'Wíst je dan dat het zou gaan sneeuwen?'

'Natuurlijk. Maar ik had gedacht dat we tegen die tijd wel weer terug zouden zijn.'

Kellie leunde achterover, plotseling wist ze niet meer zeker wat ze met de situatie aan moest. Het was veel verder uit de hand gelopen dan ze gerealiseerd had. Haar beslissing om met Ben mee te gaan was heel spontaan geweest, maar ze was ervan uitgegaan dat ze naar het eiland zou gaan kijken vanaf de boot en dan weer terug zou gaan naar het hotel voordat ze Elliot tegen kon komen. Maar nu ze op het eiland vastzaten vanwege de sneeuw, was de toestand wat ernstiger geworden.

'En dan? Als de sneeuw voorbij is. Aangenomen dát het voorbij gaat. Hoe komen we dan terug naar St. John's?'

'Ik ga de boot repareren. En als dat niet lukt dan zijn er wel andere mensen hier op Brayner die kunnen helpen. Het komt allemaal goed.'

Hier op Brayner. Andere mensen. De zin galmde als een alarmbel door haar hoofd. Hier op Brayner was precies de plek waar ze niet hoorde te zijn. En de kans bestond dat die 'andere mensen' precies degenen waren die ze niet zou moeten tegenkomen.

'Maak je je daar niet druk over?' vroeg ze, op een strengere toon dan ze bedoeld had. 'Ik bedoel, dit is toch behoorlijk ernstig, of niet?'

'Hé! Het heeft toch geen zin om je erover op te winden.' Hij glimlachte naar haar en dat ontspande haar een beetje. Kellie vroeg zich af of hij altijd zo kalm en zelfverzekerd was in een crisis. Hij ging op zijn hurken zitten en schroefde de dop van de thermosfles open en schonk een kop hete chocolademelk in.

Hij reikte het haar aan. 'Hier zul je het wat warmer van krijgen,' zei hij.

'Dank je.'

Ze nam een slokje. Ze had een vreemd gevoel. Ze kon zich niet herinneren wanneer ze voor het laatst op zo'n manier alleen was geweest met een andere man dan Elliot.

'Zeg eens,' vroeg Ben. 'Waarom was je eigenlijk van gedachten veranderd?'

Kellie rilde en nam nog een slokje van de zoete warme chocolade. 'Waarover?'

'Om met me mee te komen naar Brayner. Het waren toch niet de broodjes marmite die de doorslag gaven, of wel?' Ben begon het zilverpapieren pakketje open te maken.

'Zeker niet, ik vind het maar vies spul.'

'Natuurlijk. Je komt uit Australië en als je hetzelfde bent als alle andere Australiërs die ik daar ben tegengekomen, dan hou je waarschijnlijk meer van Vegemite. Merkentrouw, hè? Je zou deze Britse poep met geen vinger aanraken.'

'Ben je in Australië geweest?' vroeg ze en lachte om het vreselijke Australische accent dat hij na zat te doen.

'Ja. Ik ben er op mijn huwelijksreis geweest. Een duikvakantie. Cairns.'

Hij was dus getrouwd. Tot haar verbazing voelde Kellie een kortstondige zweem van teleurstelling door zich heen trekken. Ze keek naar Ben en probeerde zich hem voor te stellen in een duikerspak en hoe elegant hij zich waarschijnlijk bewoog onder water. Maar ze kon zich niet voorstellen hoe zijn vrouw eruit zou zien. Zou zij het zijn, vroeg ze zich af, die zo dol was op schoenen? Toen hij haar de berg uitgepakte broodjes aanbood, viel het haar op dat hij geen trouwring droeg. Daar was hij blijkbaar het type niet naar.

'Nee, echt niet, dank je.'

Ben glimlachte. 'Kun jij duiken?'

'Natuurlijk. Vroeger was ik er gek op. Ik ben opgegroeid in de buurt van Manly Beach in Sydney. Ik ben een typische kreeft. Ik hou van het water. Ik heb ook heel veel gezwommen. Ik zat in het jeugdteam van Sydney.' Ze wilde hem nog meer vertellen, herinneringen aan haar zongevulde leven thuis ophalen, maar ze was te nieuwsgierig naar zijn vrouw. 'Gaan jij en je vrouw nog steeds duiken?'

'Mijn vrouw en ik doen eigenlijk helemaal niks meer.'

'O?'

'We zijn gescheiden.'

'Dat is jammer.'

'Ja, nou ja, dat soort dingen gebeuren.'

Kellie vroeg niet meer verder. Ze wilde haar neus niet in andermans zaken steken, maar ze vroeg zich toch af hoe het voor Ben zou zijn om op zo'n eiland als St. John's te wonen. Zou zijn vrouw nog steeds in de buurt wonen, zagen ze elkaar nog wel eens, en hoe vond hij het om gescheiden te zijn terwijl hij zijn hele leven nog voor zich had. Zoals ze hem nu zag, kon ze zich nauwelijks voorstellen dat hij iets verkeerd had gedaan. Op de een of andere manier leek hij te eerlijk en te recht door zee.

Maar wat waren dit voor gedachten? Ze kon hem niet beoordelen op een situatie waar ze helemaal niets van wist. Ze zou hem helemaal niet moeten beoordelen. Binnenkort zou ze immers zelf officieel met een gescheiden man zijn. Plotseling kreeg ze een vaag idee over wat de scheiding van Elliot met zich mee kon brengen. Zouden mensen er automatisch van uitgaan dat zij en Elliot een grote last met zich meedroegen, dat hun relatie ingewikkelder was en daarom minder kans had om te slagen?

Elliot. Ze haalde haar mobieltje uit haar jaszak en gaf de chocolademelk terug aan Ben, zodat hij het kopje kon gebruiken. Kon ze hem maar op zijn mobieltje bereiken, dan zou hij hen misschien kunnen komen redden.

'Ik zal eens kijken of ik iemand kan bellen – ' begon ze.

'Vergeet het maar. Je krijgt hier nooit genoeg ontvangst,' zei Ben. Zelfs in goede weersomstandigheden heeft Brayner een ontzettend slecht bereik. En trouwens, wie zou je willen bellen?

Ze had niet de moed om hem te vertellen dat ze Elliot wilde bellen. 'En de helikopterbrigade dan?'

'Geloof me, die hebben nu wel iets beters te doen dan zich om ons te bekommeren.' Ben knikte in de richting van de zee. 'We zitten niet daar. Dat is het grote verschil. En ik denk ook niet dat de helikopters met dit weer kunnen vliegen, vooral als het steeds harder gaat waaien.'

Kellies wangen gloeiden toen ze haar mobieltje terugstopte in haar jaszak. Als er geen bereik was, dan zou dat de verklaring kunnen zijn waarom ze nog niets van Elliot had gehoord. Het leek er niet op dat dat er nog van zou komen. Maar zelfs al had ze genoeg ontvangst gehad, ze zou wel gek geweest zijn om hem te proberen te bellen. Elliot zou woedend zijn als hij erachter kwam dat ze hier was. En terecht. Ze was stom geweest. Ze had nooit mee moeten gaan.

'Kom je er nog wel eens?' vroeg Ben die niet doorhad hoe haar gedachten op hol waren geslagen. 'In Australië?'

Ze moest zich concentreren. Ze moest Elliot uit haar gedachten bannen en erop vertrouwen dat Ben haar veilig thuis zou brengen, zonder dat Elliot een vermoeden had dat zij hier was geweest.

'Nee. Ik woon nu in Londen. En jij? Ben jij op St. John's geboren?'

'Geboren en getogen, net als mijn ouders en grootouders. We hebben zelfs een poosje op Brayner gewoond toen ik klein was. Mijn vader runde de werf, maar toen heeft hij de boottaxi overgenomen op St. John's. Ik geloof dat mijn moeder Brayner nog steeds mist.'

Kellie dacht aan de vriendelijke vrouw die ze op de kade had ontmoet en hoe ze zich tot haar aangetrokken had gevoeld. Met Ben was dat ook zo. Ze had zich onmiddellijk met hem verbonden gevoeld. Hadden andere mensen dat ook wel eens, vroeg ze zich af? Was het normaal om zo vrolijk met een volkomen vreemde te babbelen, alsof ze oude bekenden waren?

'Ik vond haar aardig. Jouw moeder.'

'Ja? Echt waar?'

'Ik wou dat mijn moeder me elke dag broodjes op het werk bracht.'

Ben keek wat verlegen. 'Dat doet ze niet, hoor... niet elke dag – '

'Ik plaag je alleen maar.'

'Oké,' zei hij glimlachend. 'En jij dan? Wat doe jij?'

'Ik ben advocaat.'

'Dat is gaaf.'

'Meestal wel. Maar ik weet niet... als ik hier ben...'

Ze was even stil. Wat maakt het uit, dacht ze. Ze kon hem best iets over zichzelf vertellen. Ze had niets te verliezen. Ben had tenslotte niets met haar leven te maken en over een paar uur, als ze de boot eenmaal terug hadden gebracht naar St. John's, zou ze hem waarschijnlijk nooit meer tegenkomen.

'Ik heb de afgelopen maanden bijna non-stop gewerkt,' gaf ze toe. 'Om eerlijk te zijn, ben ik de afgelopen maanden zelfs nauwelijks *buiten* geweest. Als je er dan eindelijk even uit bent, uit Londen, uit de drukte... besef je... nou ja, soms zou ik willen dat mijn leven wat eenvoudiger was.'

'Hoe bedoel je?'

'Ik weet niet. Jij hebt volgens mij een mooi leven. Ik bedoel, mensen zoals jij...' Ze wilde niet neerbuigend overkomen, maar ze had zoveel bewondering voor de ongecompliceerde manier van leven van Ben, ook al had hij hen nu in moeilijkheden gebracht. 'Je kunt allemaal van die simpele dingen doen, zoals zeehonden kijken, gewoon voor de lol. Ik wou dat ik meer – '

'In contact kon zijn met de natuur?' vroeg hij en ze wist dat ze dus toch neerbuigend had geklonken. Zijn stem klonk geërgerd. 'Zo'n leven had als een boerenpummel, zoals ik?'

'Ik wilde je niet beledigen,' zei ze en ze meende het ook. Ze was eigenlijk behoorlijk geschokt dat ze zo eerlijk was geweest. Ze zou nooit toegeven aan Elliot dat haar carrière niet het allerbelangrijkste in haar leven was. Misschien kwam het omdat ze Ben met zijn moeder gezien had, hun hechte familieband. Opeens had ze heimwee gekregen en twijfelde ze aan haar eigen toekomst. Wat voor moeder zou ze zijn, vroeg ze zich af. En toen kwam opnieuw die ene gedachte op, zou ze ooit wel moeder worden?

Hij grijnsde en trok zijn wenkbrauwen naar haar op.

'O,' zei ze, 'je zit me te plagen.'

'Wat je daarnet zei over zeehonden kijken... je kunt toch een seizoenskaart kopen voor de London Zoo?'

'Dank je. Ik zal eraan denken.'

'Maar,' zei hij toen, 'wat doet een meisje zoals jij hier nou in haar eentje met kerst?'

'Vooral veel nadenken.'

'Aha.' Ze vroeg zich af of hij zou aandringen om meer te willen weten, maar in plaats daarvan scheen hij te beseffen dat dit niet helemaal het juiste moment was. 'Nog wat warme chocola?' vroeg hij.

Ze keek toe hoe hij de chocolademelk voor haar in het kopje

schonk. Wat zou hij van haar denken als hij de werkelijke reden zou weten waarom ze naar de eilanden gekomen was met kerst? Waarom was ze te laf geweest om hem over Elliot te vertellen toen ze de kans had?

Ben stond op. 'Ik denk dat ik ga proberen een vuurtje voor ons te maken. En dan ga ik nog eens naar de motor kijken,' zei hij.

Kellie knikte, maar ze keek niet naar hem toen hij de hut verliet.

Hoofdstuk 7

Michael lag languit op een stoel in de erker van de woonkamer van de Thornes toen hij de voordeur dicht hoorde slaan. Buiten danste de sneeuw in dikke, snelle vlokken en alle lood omrande ruiten in de ramen van de woonkamer zagen er nu uit als een tv waar de antenne uit getrokken was.

Michael keek op van het scherm van de Nintendo DS en luisterde naar de voetstappen in de hal. Even vroeg hij zich af of het zijn moeder was om hem op te halen en naar huis te brengen, maar die gedachte liet hij al snel varen.

Zijn moeder had een hekel aan de kou. De kroeg was het hele jaar door zo heet als een slangenhuis en met dit weer zou ze met geen stok de deur uit te krijgen zijn. En ze wist dat Michael veilig was. Taylors opa had haar al gebeld met de mobilofoon om te laten weten dat hij hier was.

Taylor lag een meter bij hem vandaan, als een kat uitgestrekt op het rode oosterse tapijt voor het knappende, flakkerende haardvuur. Ze was stil, luisterde naar haar iPod en bladerde verveeld door een oud nummer van *Heat*.

Ze had haar jas en trui uitgedaan zodra ze terug waren gekomen van de mijn. Ze droeg een strak wit topje met een V-hals en ze had een ketting om haar hals van grijs koraal. Hij kon haar bh door het dunne materiaal van het topje heen zien, de vorm van haar borsten was duidelijk zichtbaar.

Michael vond haar tieten eigenlijk perfect. Niet te klein, maar ook niet te groot. Niet te rond en niet te spits. Op zijn school werden de tieten van sommige meisjes uitgebreid besproken en bewonderd. Soms heimelijk en soms openlijk. Als Taylor op de school van Michael had gezeten, zou zij vast een van die meisjes zijn geweest. De jongens zouden haar na hebben gewezen als ze het sportveld rondrende, of elkaar onopvallend in de ribben hebben gepord als ze buiten had rondgehangen tijdens de pauze. Of ze zouden haar gewoon hebben aangestaard als ze bij hen in de rij op pizza en frietjes had staan wachten in de kantine.

Michael keek snel weg toen ze zich op haar zij rolde want hij wilde niet dat ze hem erop betrapte dat hij naar haar zat te gluren.

Simon zat aan het antieke cilinderbureau in de hoek van de kamer en trommelde met zijn vingers op het groene leren tafelblad. Hij observeerde een motvlinder die vastzat in een spinnenweb boven zijn hoofd en spastische stuiptrekkingen maakte.

Het huis van Thorne was net een tweede thuis voor Michael en normaal gesproken voelde hij zich hier helemaal op zijn gemak. Maar hij was hier nog nooit met kerst geweest, en het voelde allemaal erg nep, alsof het in scène was gezet.

Dat kwam gedeeltelijk omdat het zo netjes was opgeruimd. De oude meneer Thorne had het graag wat rommelig. Meestal hingen er regenjassen en laarzen te drogen bij het vuur, lagen er half afgemaakte kruiswoordpuzzels en andere raadsels verspreid over de tafel naast de vieze koffiemokken, en achter op de deur waren tekeningen vastgemaakt met punaises.

Maar de moeder van Taylor was hier zojuist met de stoffer doorheen gegaan als iemand uit zo'n tv-programma waarin huizen opgeknapt worden, programma's waar Michaels moeder en Roddy zo graag naar keken tijdens hun avondeten. Ze had de boel schoongeveegd en ze had zelfs de elleboog van Michael opgetild om er een verkreukelde tekening van Nat onder vandaan te trekken terwijl hij zijn spelletje speelde.

Als je nu een foto van de kamer zou maken, dacht Michael, zou je hem als kerstkaart kunnen gebruiken, zo perfect was het. Maar het had ook iets doods, iets opgezets. Je kreeg het gevoel alsof je zelf ook in een foto zat opgesloten.

De klok tikte aan de muur en de tv stond uit. Af en toe sloeg de wind tegen de ramen. Het zag er wild en gevaarlijk uit buiten, en ook zo opwindend dat Michael nauwelijks stil kon zitten.

Michael vond het hier veel leuker in de zomer. Dan waren de ramen open en waaide er een briesje naar binnen met de geur van kamperfoelie en jasmijn, en kon je buiten de vogels horen fluiten en de golven horen breken op de rotsen beneden.

Hij hoorde kleren ritselen. De vader van Taylor kwam binnen. Hij trok zijn natte knalrode regenjas uit en legde die op de pas geveegde plavuizen voor het haardvuur. Hij had zijn blauwe spijkerbroek in zijn dikke wollen sokken gestopt en zijn saaie blauwe vest tot bovenaan dicht geritst. Hij pakte een pook en roerde door het smeulende vuur. Vonken spatten in het rond en het vuur siste.

'Het is ijskoud daarbuiten,' zei hij. 'En de wind is zo sterk dat je er gewoon tegenin kunt leunen zonder om te vallen. Echt intens.'

'Wie had je net proberen te bellen?' vroeg Isabelle toen ze binnenkwam.

'Wanneer?' vroeg Elliot.

Isabelle keek rond alsof ze iets zocht, maar raapte niets op. 'Zojuist,' zei ze en knikte naar het raam. 'Daarbuiten tegen de muur. Op je mobiel. Ik kon je zien vanuit de keuken.'

Michael volgde de blik van Elliot naar de donkere muur van de uitgebouwde garage, onder een rij dennen die je nog net kon zien door de kolkende sneeuw.

Elliot zette de pook terug in de houder. 'O daar,' zei hij. 'Naar kantoor. Om te kijken of er berichten voor me waren.'

'En was er iets voor je?'

'Ik weet het niet. Ik had geen ontvangst.'

Michael snapte niet waarom Elliot het überhaupt geprobeerd had. Mobiele telefoons deden het bijna nooit op het eiland. Daarom had iedereen een mobilofoon in huis, ook de vader van Elliot.

'Het zou me verbazen als er iemand was om de telefoon op te nemen, als je er door zou komen,' zei Isabelle. 'Trouwens, ik dacht dat wij de afspraak hadden om geen mobieltjes te gebruiken na werktijd. Ik heb de mijne meteen uitgezet toen ik van mijn werk wegging. Het is nu tijd voor je familie, weet je nog?'

Elliot glimlachte. 'Je moet echt even naar buiten gaan, schatje,' zei hij. 'Alleen om te kijken. Ik geloof niet dat ik ooit zulk extreem weer heb meegemaakt in dit land.' Hij draaide zich om naar Michael, Taylor en Simon. 'En jullie dan?' vroeg hij. 'Moeten jullie je neus niet even buiten de deur steken? Probeer het eens. Het is fantastisch.'

Taylor hield haar blik gefixeerd op het iPod-schermpje.

'We mogen niet van mama,' zei Simon. '*Ik* mag niet. Ze zegt dat het gevaarlijk is en veel te koud. Dat is niet eerlijk en we kunnen er best tegen en we willen allemaal naar buiten toe, maar we mogen niet.'

'Tante Stephanie is een kreng,' zei Taylor. Ze hield haar oordopjes in haar hand.

'Taylor,' waarschuwde Elliot.

'Het is gewoon zo.'

'Ik wil niet hebben dat je zo over haar praat. Niet in de buurt van Simon. En ook niet in de buurt van mij.'

'Ik ga met haar praten,' zei Taylor. 'Ik ben het zat om hier te zitten en me te vervelen.'

Taylor stampte Elliot voorbij, en Michael en Simon liepen achter haar aan.

In de keuken stond David bij de ketel te wachten tot het water kookte. Stephanie zat aan tafel met Nat. Ze waren bezig sterretjes te snijden uit een plak marsepein.

'Papa zegt dat we naar buiten mogen,' zei Taylor. 'Wij allemaal.'

Elliot verscheen in de deuropening achter haar. 'Zeg, wacht eens even, ik heb niet gezegd dat – '

'Dat heb je wel. Je bent net buiten geweest en je zei dat wij het ook moesten proberen.' Taylor ging naast Stephanie op de tafel zitten en deed haar armen over elkaar. 'Waarom laat je Simon niet naar buiten?'

Stephanie keek haar scherp aan. 'Dat heb ik je al gezegd. Omdat het te gevaarlijk is. Het is ijskoud daarbuiten en het begint steeds harder te waaien. En je weet hoe dicht we bij de rotsen zitten.'

'Maar Simon kan zich warm aankleden. En er staat een muur om de tuin heen. We worden er heus niet afgeblazen.'

'Laat toch zitten,' zei Elliot.

'Dat wil ik niet.'

'Dit staat niet ter discussie, Taylor,' zei Stephanie. 'Simon blijft hier totdat het ophoudt met sneeuwen. En daarmee uit.'

'Maar tegen die tijd is het donker,' zei Simon. 'En dan is het nog gevaarlijker en kunnen we de sneeuw niet zien, dus dan is het helemaal niet leuk, want dan is het net alsof we buiten gaan spelen met een blinddoek om, en dan kunnen we geen sneeuwballen

gooien, want we zouden de hele tijd missen.'
'En daarmee uit, zei ik,' zei Stephanie tegen hem.
'Maak het dan weer aan,' zei Taylor.

Michael zag hoe het gezicht van Stephanie zich spande en rimpelde, maar deze keer ging ze niet op haar in. Hij zag ook de glinstering in de ogen van Taylor. Ze genoot duidelijk van elke seconde.

David kuchte. 'Morgen ligt het er ook nog,' zei hij. 'Morgenvroeg ga ik met je naar buiten, Simon. Dat beloof ik.'

'Maar hoe weet je dan dat het niet gaat smelten? Hoe *weet* je dat?'

'Zo is het genoeg, Simon,' zei Stephanie.

'Het is niet eerlijk, papa. Zeg dan. Zeg dan tegen haar dat ik *wel* naar buiten mag en dat – '

'Kom op, Sim,' zei David. 'Er zijn genoeg dingen die je binnen kunt doen.'

'Zoals wat? Nat heeft de Sony stukgemaakt en de ontvangst van de tv is waardeloos en ik heb alle D V D's al honderd miljoen keer gezien.'

'Gebruik je fantasie,' zei Stephanie. 'Je hebt het hele huis tot je beschikking en over een uurtje gaan we lunchen.'

'Ik speel wel met je,' zei Nat, maar het was al te laat; Simon rende de keuken uit.

David staarde naar Stephanie en Stephanie staarde naar de lege deuropening. Ze gaf Nat een glanzend metalen snijvormpje aan in de vorm van een kerstboom.

'Hier,' zei ze, 'laten we deze eens proberen.'

'Ongelooflijk,' zei Taylor tegen Michael.

'Gaan jullie nu maar,' zei Elliot. 'Ga achter hem aan en verzin iets anders om te doen.'

Dit werd Michael allemaal een beetje te serieus. Midden in andermans familieruzie terecht te komen was wel het laatste dat hij wilde.

'Je vader heeft gelijk,' zei hij. 'We zouden kunnen gaan pingpongen.'

Taylor wierp Michael een verwijtende blik toe. Toen stampte ze de keuken uit. Michael staarde haar na, met stomheid geslagen, onzeker over wat hij verkeerd had gezegd.

'Ik doe ook mee,' zei David.

Taylor stond op Michael te wachten in de hal. Ze bleef dralen en liet David vooruitlopen.

'Waar sloeg dat allemaal op?' siste ze zodra David de hoek om verdwenen was.

'Wat allemaal?'

'Zo te staan slijmen met mijn vader. Hem gelijk geven over dat wij iets met Simon...'

'Maar ik dacht dat je medelijden had met Simon.'

'Nou en? Ik neem mijn eigen beslissingen, oké? En ik laat me niet dwingen door hem of tante Stephanie of wie dan ook. Dus bemoei je er niet mee volgende keer.'

Ze wachtte niet op een antwoord, en dat kwam Michael goed uit, want hij had er geen. Verbluft staarde hij haar na. Hij had alleen willen helpen.

Simon kwam terug rennen om hem te halen. 'Kan ik aan jouw kant spelen?' vroeg hij. 'Papa kan er niks van en als ik met hem speel, verlies ik. En ik wil winnen. Net als toen met voetballen in school tegen Rainsford High.'

Het volgende halfuur zei Michael bijna geen woord. Ze speelden dubbel op de pingpongtafel in de garage. Taylor keek nauwelijks naar hem. Hij wilde zich verontschuldigen en haar laten weten dat het niet zijn bedoeling was geweest om haar te kwetsen. Tien minuten voor de lunch bedacht hij een manier om het weer goed te maken met haar. Hij wierp haar een betekenisvolle blik toe en liep de kamer uit met de opmerking dat hij naar de wc moest.

Taylor kwam naar hem toe in de hal bij de voordeur.

'Wat is er?' vroeg ze.

'Ik dacht dat je er misschien hier wel een van wilde.'

Hij trok een pakje sigaretten uit de zak van zijn spijkerbroek.

'Ik wist niet dat jij rookte.'

'O, ja dus.'

Ze had hem vorige vakantie verteld dat ze op kostschool had leren roken. Hij had het sindsdien ook geleerd. De eerste keer dat hij het probeerde, had hij meteen moeten kotsen, maar daar was hij algauw overheen. Nu rookte hij als een ervaren prof, soms wel vijf per dag.

Die ochtend had hij sigaretten meegenomen, een pakje dat hij van zijn moeder had gepikt, in de hoop dat hij en Taylor er samen een konden roken. Maar Simon was met hen meegekomen naar de mijn en Michael had zijn voorraadje geheimgehouden, omdat hij niet zeker wist of Simon zou klikken als hij er een op zou steken.

'Hoeveel heb je er?' vroeg Taylor.

Michael opende het pakte en telde. 'Nog achttien. Wat denk je?' vroeg hij. 'Buiten?'

'Nee. Mijn kamer. Boven.'

'Maar zal je opa – '

Michael mocht Taylors opa erg graag en hij wilde niet dat hij boos zou worden. Sinds de oude meneer Thorne hier fulltime was komen wonen, ging Michael geregeld bij hem op bezoek als Taylor weg was. Hij deed boodschappen voor hem op St. John's als hij naar school ging, en bracht alles voor hem mee wat hij nodig had. Soms dronken ze samen thee en kletsten ze wat. Michael vroeg altijd naar Taylor en hoe het met haar ging. Thorne vond het altijd leuk om over haar te vertellen. Door over haar te praten leek het of ze dichterbij was.

'Hij komt nooit op mijn kamer,' zei Taylor, 'hij gaat alleen naar zijn eigen atelier. En zelfs al zou hij ons betrappen, volgens mij kan het hem niet zoveel schelen.'

De kamer van Taylor nam eenderde van de zolder in beslag. De rest was voor het atelier van haar opa. De twee ruimtes werden gescheiden door een dikke stenen muur met een schoorsteenmantel.

De houten planken in de kamer van Taylor waren kaal en niet gelakt. Over de lange zijde van de kamer stond een rij kasten die tot de dakrand reikte. Er stond een houten bed tegen de muur met het dekbed open, een lang streepjeshemd lag op het kussen. Had ze dat aan in bed, vroeg Michael zich af. In de hoek stond een wastafel en op het nachtkastje lag een boek, *The Bell Jar*, naast een half opgegeten Snickers.

Het kleine raam had uitzicht op de achtertuin. De sneeuw was zo dik dat het net leek of het mistig was. Michael was hier al eens geweest, maar deze keer voelde het anders. Misschien omdat ze ruzie hadden gehad. Misschien was hij daarom nu zo zenuwachtig.

Op de vensterbank stonden twee blikjes bier, één ervan was nog dicht en het andere had een randje as om de opening. Daarnaast stond een spuitbusje deodorant, een groene Clipper-aansteker en een opgefrommeld pakje Marlboro's.

Taylor trok het blikje bier open en nam een slok. Ze staken ieder een sigaret van Michael aan en hij keek naar haar toen ze naar voren leunde om het raam open te doen. Haar topje gleed naar boven en liet even een streepje bleke, gave huid zien. Zijn maag kriebelde.

De wind suisde naar binnen, zo koud dat het bijna massief aanvoelde. Het deed Michael denken aan de bevroren maaltijden die hij weleens in de kroeg uit de vrieskist moest vissen. Nadat zijn vader twee jaar geleden was vertrokken, had Michael moeten leren helpen in de keuken van de kroeg. Tijdens het hoogseizoen, met veerboten die af en aan voeren, maakte hij soms wel dertig maaltijden per dag klaar.

'Sorry, trouwens,' zei Taylor en duwde het blikje bier in Michaels hand, 'dat ik zo tegen je tekeerging daarstraks.'

'Da's wel goed. Ik was het al vergeten.'

'Soms word ik zo kwaad.'

'Dat doet toch iedereen?'

'Ik bedoel echt kwaad. Dat is niet goed en toch gebeurt het. Mijn vader en moeder... en mijn leraren... soms word ik gewoon ontzettend kwaad op mensen.'

'Dat is bij mij ook zo,' zei hij.

'Echt?'

'Ja.' Hij had ook weleens een slechte bui. Dat had iedereen. Maar hij probeerde het niet te laten merken. Hij had genoeg ruzies gezien tussen zijn vader en moeder, voordat zijn vader was weggegaan. Zo wilde hij niet worden.

'Volwassenen, weet je wel,' zei Taylor. 'Die kunnen zo verdomd egoïstisch zijn. De manier waarop ze gewoon verwachten dat je doet wat zij zeggen. En alles slikken, wat het ook is. Alsof alles wat jij denkt gewoon niet de moeite waard is om rekening mee te houden.'

'Net als bij mijn moeder en Roddy,' zei hij. 'Al hun beslissingen... ze vragen mij nooit iets. Mij vertellen ze alleen maar wat er gaat gebeuren.'

Michael doelde op hun beslissing om het eiland te verlaten en in Truro te gaan wonen. Hij wilde niet gaan. Hij wilde zijn vrienden van Fleet Town niet achterlaten. En hij wilde niet van school veranderen. Maar hij wilde vooral niet gaan omdat hij wist dat dat zou betekenen dat hij Taylor misschien nooit meer zou zien.

'Zoals wat?' vroeg ze. 'Waar kun je nou echt kwaad om worden?'

Michael zag dat ze een sneetje op de rug van haar hand had. Er zaten korstjes op waar ze aan gepeuterd had. Het was dun en recht, alsof het met een mes was gemaakt.

'Gewoon alles.' Michael draaide er niet graag omheen. Hij wilde haar de waarheid vertellen: dat hij weg zou zijn als ze de volgende keer naar het eiland kwam. Maar hij deed het niet. Hij kon het niet. Want als hij het haar zou vertellen, zou hij daarmee om een reactie vragen. Als hij het haar zou vertellen zou dat hetzelfde zijn als vragen hoe erg ze dat zou vinden. En hij zou er niet tegen kunnen als ze het niet erg zou vinden, en de afwijzing niet aankunnen als ze het gewoon voor waar aan zou nemen. Want het betekende zoveel meer voor hem. 'Het is alsof mijn mening helemaal niet telt,' zei hij dus maar.

'Net als met mij en de school,' zei Taylor. 'Dat ze me daarheen sturen. Ze zeiden dat ik weer naar huis mocht komen als ik het niet leuk zou vinden. Maar dat was complete onzin. Ze hebben me zo onder druk gezet met hun werksituatie, en dat het zo'n geweldige school was, en hoe goed het voor mij zou zijn, dat ik gewoon niet kon...'

'Misschien dachten ze echt dat het goed voor je zou zijn.'

'Ach, rot op. Weet je wiens idee het was om me weg te sturen?'

'Je vader?'

'Nee. Alleen mijn moeder. En weet je waarom ze me daar weg wilde hebben? Zodat zij meer tijd alleen met mijn vader kon hebben.'

'Maar hoe weet je – '

'Omdat ik haar heb gehoord. Ik heb het haar verdomme tegen een vriendin horen zeggen aan de telefoon. Ze zei dat zij en pap niet genoeg tijd voor elkaar hadden en dat ze zich zorgen maakte dat ze uit elkaar groeiden. En dat hij altijd laat op zijn werk bleef, en dat als ik ten minste gedurende het trimester weg was, ze in elk geval de weekenden samen hadden.'

'Wat een kreng.'

'Nee. Je snapt het niet. Dat dacht ik ook in het begin. En ik haatte haar er echt om. Maar toen heb ik er eens goed over nagedacht en toen besefte ik dat het eigenlijk andersom was. Híj is de klootzak. Niet zij. Hij is degene die hun huwelijk naar de knoppen helpt door tot 's avonds laat te werken en haar niet genoeg aandacht te geven. Het komt door hém dat ze mij weg heeft gestuurd.'

Taylor blies rook door het raam. 'Daarom ben ik soms gemeen tegen ze. Tegen haar, maar vooral tegen hem. Daarom maak ik ze graag kwaad... Gewoon om ze te laten weten dat ze niet zo makkelijk van me af zijn. Zodat ze weten dat ze me wel kunnen wegsturen, maar dat ik nog niet verdwenen ben...'

Michael wist niet wat hij moest zeggen. En hij vermoedde dat ze sowieso niet wilde dat hij iets zou zeggen. Ze wilde alleen dat hij naar haar luisterde. Hij nam het laatste trekje van zijn sigaret en nog een slok bier. Hij drukte de sigaret uit en gaf het bier terug aan Taylor, die het verder opdronk. Hij vond het te koud bij het raam en omdat hij zich een beetje licht in zijn hoofd voelde, ging hij op de rand van het bed zitten.

De zwart-witte Adidas-tas van Taylor stond open geritst naast zijn voeten. Haar kleren lagen verspreid over de vloer, haar spijkerbroek en trui, onderbroek en bh. Er zaten een paar jongens bij Michael in de klas die met meisjes hadden geneukt. Ze zeiden dat het helemaal geweldig was. Michael vroeg zich af hoe Taylor eruit zou zien met alleen een bh en slipje aan. Hij vroeg zich af of hij dat ooit in het echt te zien zou krijgen.

En als hij het zou vragen? Hij wist het niet. *En als hij haar zou zeggen wat hij voor haar voelde? Dat hij haar wilde hebben. Dat hij bij haar wilde zijn en met haar naar bed wilde gaan. Hoe zou het zijn als hij haar zou voorstellen om hun kleren uit te doen en onder de dekens te kruipen?* Maar er was nog een vraag, en die stak overal een stokje voor. *Wat als hij haar echt zou vragen en zij zou nee zeggen?*

Ze liep naar de bh toe en raapte hem op.

'Sorry,' zei ze en keek hem strak aan met het ding in haar hand, 'ik zou eigenlijk wat netter moeten zijn, hè?'

Hij keek naar zijn sokken, verlegen omdat hij betrapt was. 'In mijn kamer is het ook zo'n puinhoop,' zei hij.

Ze stopte de bh in een la in haar nachtkastje. Terug bij het raam stak ze nog een sigaret op. Ze staarde eerst naar het gloeiende puntje en daarna naar Michael.

'Wat voor geheimen heb je nog meer?' vroeg ze.

'Ik weet het niet.'

'Heb je ooit wiet gerookt?'

Michael moest denken aan de kinderen uit zijn klas op school die opschepten dat ze e slikten in het weekend en hun vriendinnetjes naaiden in de badkamer op andermans feestjes. Michael geloofde er meestal niets van, net zoals hij dacht dat Taylor hem niet zou geloven als hij nu tegen haar zou liegen.

'Ik niet.'

'Niet wiet,' lachte ze. 'Klinkt als zo'n leus van de overheid. Zeg niet tegen wiet. Ik heb het ook nog niet geprobeerd,' gaf ze toe. 'Maar ik zou het wel doen. Ik zal het doen, zodra ik de kans krijg. Naar mijn mening moet je alles ten minste één keer proberen, vind je ook niet?'

'Tuurlijk.'

'En drank dan?' vroeg ze. 'Ben je wel eens echt dronken geweest?'

'Ik woon in een kroeg.'

'Ja, maar hoe vaak ben je zat geweest? Ik bedoel, totaal... zodat je bijna niet meer rechtop kon staan?'

'Vaak.' Hij loog. Hij was eigenlijk maar een paar keer dronken geweest, en pas één keer echt ladderzat. Dat was toen zijn vader voorgoed weg was gegaan. Michael had een fles Cinzano uit de kelder van de kroeg gepakt, was op de rotsen van Hell Bay gaan zitten en had de fles helemaal leeggedronken. Hij had de lege fles de zee in geslingerd en toen had hij zichzelf suf gehuild en was zo ziek als een hond geweest.

'Ik ben dronken geweest van de wodka,' zei ze. 'Misha, een meisje van mijn school, had een hele literfles meegesmokkeld van thuis, en zij en ik en nog een ander meisje, Louise, hebben hem opgedronken met limonade. Ik kon op het laatst niet eens meer recht vooruitkijken.

'Hebben ze jullie betrapt?'

'We zijn buiten in het park gebleven totdat we ons beter voelden en zijn toen pas naar onze slaapzaal teruggegaan. We zeiden dat we verdwaald waren en ze geloofden ons. Ze zijn zo ontzettend dom. Als je maar doet alsof je het meent, geloven ze alles van je.'

'Heb je er nog steeds een hekel aan? Aan school, bedoel ik?'

'Heeft iedereen dat niet?'

'En je ouders dan? Mis je ze nog steeds?'

'Niet echt. Niet meer. Ze waren duidelijk van mening dat ik volwassen genoeg was om het aan te kunnen. Dus dat heb ik gedaan – ik ben volwassen geworden. Of in elk geval onafhankelijk geworden, van hen. Trouwens,' zei ze nadenkend, 'het is niet allemaal klote. Weg zijn van thuis heeft ook grote voordelen.'

'Zoals?'

'Zoals roken. En je bezuipen. Dat zou ik thuis nooit kunnen doen. Niet met mijn moeder in de buurt. Je hebt zelf gezien hoe ze steeds zit te zeuren over de sigaren van mijn vader. En dan zijn er ook nog de jongens natuurlijk...'

'Wat voor jongens?' Hij dacht dat ze op een kostschool voor meisjes zat.

'Ach, ik weet niet. Van allerlei. We hebben wel eens een dansfeest met de plaatselijke jongensschool.'

Hij wilde niets horen over andere jongens. Hij probeerde van onderwerp te veranderen.

'Ik hou niet zo van dansen,' zei hij.

'Heb je wel eens een meisje gekust?'

Hij begon haar bijna te vertellen over een meisje, Elaine, dat hij gekust had op het Septemberfeest in Fleet Town, een paar maanden geleden. Een meisje uit Sunderland, een jaar ouder dan hij, met stippeltjes acne op haar voorhoofd, en dat zat was van de

97

shandy. Hij was op haar af gegaan en had haar om een zoen gevraagd, en ze was met hem meegegaan naar de zonovergoten parkeerplaats achter het v v v-kantoor op Porthcressa Beach. Hij had onder haar *Radio 1 t*-shirt gefriemeld, maar haar bh niet los kunnen krijgen.

Maar dat vertelde hij Taylor niet. Hij wilde niet dat ze dacht dat hij om een ander meisje gaf.

In plaats daarvan antwoordde hij: 'Nee.'

En als beloning voor zijn leugen, kwam haar vernietigende opmerking.

'Ik heb wel jongens gekust.' Ze keek hem nauwlettend aan om te kijken hoe hij zou reageren. 'En meer dan dat. Met die ene jongen heb ik zelfs – '

Hun gesprek verstomde toen ze de trap hoorden kraken. Taylor mikte haar sigarettenpeuk uit het raam en trok het raam dicht. Ze greep de deodorant en spoot het door de kamer. Tegen de tijd dat de slaapkamerdeur openging, zaten ze allebei op de vloer aandachtig de iPod van Taylor te bekijken.

'De lunch is klaar, jongens,' zei Elliot toen hij zijn hoofd om de deur stak. 'Waar ruikt het hier naar?' vroeg hij toen.

Taylor en Michael haalden allebei hun schouders op.

'Ik sterf van de honger,' zei Michael, 'laten we gaan eten.'

Maar in werkelijkheid dacht hij dat hij waarschijnlijk geen hap naar binnen zou kunnen krijgen. De deur sloeg dicht en Taylor stopte gauw een kauwgum in haar mond. Druk kauwend, fluisterde ze in Michaels oor:

'Dat was op het nippertje...'

De geur van munt zou de rest van de dag bij hem blijven hangen.

Hoofdstuk 8

In de keuken wist Stephanie weer waarom ze zo'n hekel had aan Kerstmis: het was altijd een enorme anticlimax. Ze liet het vuile water weglopen uit de gootsteen en klopte het metalen zeefje leeg in de vuilnisbak. Wat een idioot was ze ook om te hopen dat het ooit anders kon zijn behalve vreselijk irritant. Het was gewoon niet natuurlijk om drie dagen lang zo opeengepakt te zitten. Ze was hier pas een paar uur en had nu al de behoefte om weg te rennen.

Eindelijk was ze klaar met de afwas (Isabelle had iedereen nadrukkelijk geïnstrueerd om de vaatwasser niet te vol te laden), Stephanie liep naar de koelkast en inspecteerde de inhoud. Ze draaide een potje cranberrygelei open en deinsde terug van de dikke laag schimmel die erin zat. Typisch Isabelle dat ze de koelkast was vergeten schoon te maken. Precies zoals ze verwacht had, was de rol van haar schoonzus als huishoudgodin alleen maar voor de show. Het was duidelijk dat het vuile werk aan Stephanie werd overgelaten.

Tijdens de brunch bijvoorbeeld, was er besloten dat Stephanie morgen de kalkoen zou vullen voor de lunch. Isabelle had zelfs een recept uitgeprint dat Stephanie moest gebruiken. Stephanie vond deze taak niet eens zo vervelend, het was alleen dat Isabelle het wederom had weten te vermijden om haar nagels vies te maken. Maar Isabelle zou wel degene zijn die natuurlijk alle complimenten zou krijgen als ze de kalkoen opdiende op haar perfect gedekte tafel.

Hou op, zei Stephanie tegen zichzelf. Het doet er niet toe. Ze moest ophouden dit soort gevoelens jegens haar familie te koesteren. Maar de geforceerde kameraadschappelijkheid en het opgewekte samenzijn dat Isabelle had proberen in te brengen sinds ze hier waren begon Stephanie mateloos te irriteren. Geforceerd plezier was nooit echt plezier. Plezier moest spontaan zijn, niet ge-

99

pland. Daar ging het toch om?

Daar kwam nog bij dat haar ruzie met Taylor haar nog steeds pijn deed. Was dat kind achterlijk? Er woedde een ware sneeuwstorm. En zij wilde naar buiten. Wat wilde ze eigenlijk? Dat Simon onderkoeld zou raken? Stephanie had vroeger zo goed op kunnen schieten met haar nichtje, maar nu? Nu was Taylor alleen maar arrogant en onbeleefd. Ze was zoveel harder geworden sinds Isabelle haar naar kostschool had gestuurd. En er was nog iets. Het was niet alleen haar belachelijke, gekunstelde punkimago (dat provocerend bedoeld was, maar David en Elliot alleen maar aan het lachen maakte, achter haar rug om). Taylor had iets gemeens. Bijna gevaarlijks zelfs. Alsof Taylor alle vormen van gezag zoveel mogelijk wilde uitdagen. Alleen om te zien wat er zou gebeuren. Elliot zou haar handen vol hebben aan haar, dat was zeker.

Wat nog erger was dan haar ruzie met Taylor, was dat ze van Elliot en Isabelle vrijwel geen steun had gekregen. Niemand had gezegd dat Stephanie gelijk had en dat de weersomstandigheden levensgevaarlijk waren. In plaats daarvan hadden ze haar een spelbreker genoemd. Alle anderen waren gehypnotiseerd door de sneeuw, alsof het een magische kracht had, die deze tot nu toe vreselijke kerst tot iets moois zou kunnen maken. En alsof ze het Stephanie nog eens extra onder de neus wilde wrijven dat ze niet met Taylor kon opschieten, deed Isabelle haar uiterste best om aardig te zijn tegen Simon en Nat.

'Ik had nooit verwacht dat we een witte kerst zouden krijgen,' zei Isabelle toen ze terugliep van het raam naar de grote houten tafel waar de kinderen zaten. 'Vorig jaar, toen we gingen skiën in Colorado, was het echt fantastisch.'

'Het komt allemaal door *global warming*,' zei Simon. 'Het weer. Dat hebben we op school gehad.'

'Echt waar?' vroeg Isabelle alsof dat het interessantste was dat ze ooit had gehoord.

'Het heeft te maken met de Noord-Atlantische stromingen.'

Stephanie keek naar Simon die bezig was een grote hoeveelheid chocola uit de adventkalender aan de hond te voeren. 'Niet te veel, schatje, anders wordt hij misselijk.'

'Luister niet naar je moeder, Sim, geef hem zoveel als je wilt,' zei Elliot die net binnen was gekomen vanuit de hal. 'Arme ouwe Rufus. Pap geeft hem van dat afschuwelijke droge voer. Waar is de plakband, verdorie?' vroeg hij. Hij maakte alle keukenkastjes open en dicht en zat Stephanie in de weg. Geërgerd herinnerde Stephanie zich weer hoe Elliot altijd van iets heel kleins de belangrijkste zaak van de wereld kon maken. Ze wist wat hij zocht: de lompe oeroude plakbandmachine die hun ouders al eeuwenlang hadden. In deze tijd van plastic plakbandhouders hadden Stephanie (en blijkbaar ook Elliot) een zwak behouden voor het ding dat zo zwaar was dat het ooit eens een muis had gedood toen Elliot het van het mahoniehouten dressoir had gestoten.

'En wisten jullie dat er een groot stuk ijs op het punt staat af te breken en dat heel Californië weg zal vagen?' ging Simon verder.

'O nee, Simon, je moet me niet bang maken,' zei Isabelle. 'Ik heb daar familie wonen. O, en trouwens, El, heb ik je die brief laten zien die bij de kaart zat van Bob en Mary Jo uit San Diego?'

'Eh, ja,' zei Elliot en keek even naar Stephanie. 'Mary Jo heeft dit jaar nieuwe borsten gekregen,' fluisterde hij. 'En Bob heeft een nieuwe grote auto.'

Stephanie glimlachte. Ze kon nog steeds niet geloven dat haar broer dat soort mensen kende. En er zelfs mee omging.

'Hebben zij even geluk,' zei Stephanie. 'Weet je dat dit huis levensgevaarlijk is. Je had moeten zien wat ik in de koelkast vond. Denk je dat pap het allemaal aankan?'

'Ja hoor. Je moet je niet zo'n zorgen maken,' zei Elliot.

'Wat denk je dat je vanavond van de kerstman krijgt, Natascha?' vroeg Isabelle en draaide zich naar haar toe als een kindertelevisiepresentatrice met wijdopen ogen.

Nat, die aan de andere kant van de tafel zat te tekenen, was duidelijk doodsbang voor Isabelle. Met vragende ogen keek ze op naar Stephanie.

'Toe maar, schatje. Vertel maar aan tante Isabelle.'

'Een fiets.'

'Een fiets?' Isabelle glimlachte alwetend naar Stephanie. 'Wat voor soort fiets?'

'Zeg, luister eens, hier hebben we het al over gehad,' begon Stephanie terwijl ze de koelkast dichtmaakte. 'Misschien lukt het de kerstman niet om een fiets naar het eiland te krijgen, omdat – '

'Een roze. Een Barbiefiets,' ging Nat verder.

'Nou, de kerstman heeft hele mooie fietsen,' zei Elliot. 'Weet je nog die fiets die hij voor Taylor had meegebracht, toen in Londen?'

'O ja,' zei Isabelle, en glimlachte lieflijk naar Elliot. 'Hij was prachtig. Bedekt met linten en glitterballonnen. Misschien krijg je er wel zo een, Nat.'

'Nou, verheug je er maar niet te veel op, schatje,' zei Stephanie en aaide Nat over haar hoofd. 'Denk eens aan al die andere leuke dingen die hij misschien voor je meebrengt.' Ze ging naast Elliot staan bij de deur. 'Je wordt bedankt,' zei ze tegen hem, tussen haar tanden.

'Heb ik iets verkeerds gezegd?'

'Misschien kun je Nat even het verschil uitleggen tussen de kerstman die naar Chelsea komt met een bestelbusje van Harrods en die het water over moet steken naar een afgelegen eiland met handbagage. Er zijn geen stomme Barbiefietsen.'

'O. Sorry,' zei Elliot, maar het klonk niet erg oprecht, vond Stephanie. Hij keek over haar schouder naar iets achter haar. 'O-oh.'

'Wat?'

'Dat is het kerstblok zeker.'

Stephanie draaide zich om en zag dat Rufus midden op de vloer zijn behoefte had gedaan.

'Leuk, hoor,' zei Stephanie, maar moest toch wel om zijn grapje lachen. 'Misschien moet je er een hulsttakje instoppen,' stelde ze voor.

'En wat besjes.'

'O nee! O nee! Rufus!' gilde Isabelle. Ze sprong op van haar stoel en de hond kwam overeind uit zijn gehurkte positie. 'Wat afschuwelijk! O, ik word misselijk. Kinderen, niet aankomen. Niet aankomen.'

'Jij hebt gezegd dat hij best chocola mocht eten...' zei Stephanie tegen Elliot en keek hem met opgetrokken wenkbrauwen aan.

Elliot deinsde terug. 'Nee, Steph, nee,' zei hij. 'Dat kan ik niet. Dat moet jij doen.'

'Niks ervan,' zei ze. 'Het is jouw hond.'

'Niet waar. Hij is *familie* van mijn hond. Dat betekent nog niet – '

'Je kent de regels. Je moet je eigen rotzooi opruimen.' Ze keek hem aan met een spottende glimlach. 'Tot straks,' zei ze.

'Ik geef je twintig pond,' riep hij haar na, 'vijftig?'

Maar Stephanie maakte dat ze wegkwam, een glimlach op haar gezicht. Het zou goed zijn voor haar broer om eens wat stront op te ruimen in zijn luxeleventje.

*

Op weg naar haar vader kwam Stephanie David tegen die bezig was een weekendtas vol cadeautjes uit te laden op de eettafel en elk geschenk omdraaide alsof hij helemaal verbaasd was. Het goedkope gladde papier dat Stephanie eergisteravond had gekocht bij het tankstation zag er beschamend armzalig uit in vergelijking met het smaakvolle, met goud versierde, crèmekleurige papier dat Isabelle voor haar cadeautjes had gebruikt.

'Dat zou ík toch doen,' zei Stephanie. Ze wilde controleren of alle cadeautjes heelhuids waren aangekomen.

David keek in een plastic zak vol kleine cadeautjes. 'Wat is dit eigenlijk allemaal?' vroeg hij.

Stephanie griste de tas weg en verstopte het in de weekendtas. 'Die zijn voor de kousen van de kinderen.'

'Nou zeg, hoe kon ik dat weten?'

Nee, dacht ze. Je hebt geen flauw idee.

Stephanie was vastbesloten om geen ruzie met hem te maken. 'Nat wil een fiets van de kerstman,' liet ze hem weten. 'Hoe komen we daar nu onderuit?'

'Het kan haar vast niets schelen. Je weet toch hoe kinderen zijn op kerstdag. Er liggen overal zoveel cadeautjes dat ze niet eens meer weten welke van hen zijn, laat staan dat ze zich druk maken over wat ze niet hebben gekregen.'

'Het kan haar wél wat schelen,' zei Stephanie. Ze was boos op zichzelf dat ze zich nergens goed genoeg voor voelde. Ze hadden al ruziegemaakt over de cadeautjes voordat ze thuis waren vertrokken, toen David plotseling had aangekondigd dat hij inkopen had gedaan voor de kinderen. Stephanie had al cadeautjes gekocht voor de kinderen, maar David had tegen haar gezegd dat ze niet zo bazig moest zijn. Dat hij best extra cadeautjes kon kopen, als hij dat wilde. En nu beweerde hij dat het de kinderen toch niets uit zou maken wat ze kregen.

Het was even stil toen ze de tas dicht ritste.

'Heb je dan een cadeautje voor Isabelle en Elliot?' vroeg David.

'Natuurlijk.'

'Wat is het?'

Waarom wilde hij dat nu per se weten, dacht ze geërgerd. In de aanloop naar kerst had ze zo'n enorme hoeveelheid informatie in haar hoofd opgeslagen dat hij niet moest verwachten dat zij zomaar kon opnoemen wat er allemaal in zat.

Ze zuchtte gefrustreerd.

'Die is het,' zei ze en wees naar een doosje aan de rand van de tafel. David ging ernaartoe, maar op de een of andere manier viel het uit zijn handen zodra hij het had opgepakt. De doos viel op de haard.

'David! Godverdomme!'

'Rustig maar,' zei David en raapte de doos op. 'Het is niet zo erg.'

'Eh... toch wel, David,' zei Stephanie, ze griste het uit zijn handen en schudde de doos. Vanbinnen klonk het onmiskenbare geluid van gebroken glas.

Ze zag dat hij rood werd, maar hij verontschuldigde zich niet.

'Wat zat daar in godsnaam in?' vroeg hij.

'Kristallen brandyglaasjes.'

'Kristal? Nou, dan was dit ook wel te verwachten,' zei hij, alsof het haar schuld was dat ze stuk waren gegaan. 'Ze waren waarschijnlijk al stuk na de boottocht. Lang voordat ik ze liet vallen.'

Wat typisch dat hij meteen probeerde om zich onder de verantwoordelijkheid uit te wurmen, dacht Stephanie.

'Nogal een stom cadeautje, als je het mij vraagt,' zei hij.

Ze wilde tegen hem zeggen dat het helemaal geen stom cadeautje was. Ze wilde tegen hem zeggen dat ze de glazen had gekocht omdat het juist een heel *leuk* cadeautje zou zijn, omdat Elliot verzot was op brandy en Isabelle precies die stijl van kristal verzamelde en heel blij zou zijn geweest met het geschenk. Maar toen Stephanie David zag, liet ze haar commentaar achterwege. In plaats daarvan gooide ze de doos op tafel en greep met haar hand in haar haar. Ze moest zich bedwingen, ook al voelde ze haar borst samentrekken van de spanning. Ze moest voorkomen dat dit uitliep op een regelrechte ruzie. Want als dat gebeurde, wist ze niet waar ze zouden eindigen.

David zette zijn handen in zijn zij. 'Nou? Wat doen we nu?' vroeg hij. 'Was dat alles wat je voor hen gekocht hebt?'

'Hoe bedoel je met *was dat alles*? Ze waren hartstikke duur.'

'Maar twee glaasjes... dat is toch geen groot cadeau? Het stelt niet veel voor.'

Stephanie staarde hem aan. Moest hun waarde nu worden gemeten door de hoeveelheid ruimte die hun cadeau onder de boom in zou nemen? Wat zou dan wel groot genoeg zijn volgens hem? Een setje golfclubs? Reistassen met monogram?

'We geven ze gewoon het cadeautje dat ik gekocht had voor de kinderen om aan hen te geven,' zei Stephanie.

'Wat heb je gekocht?'

'Ik weet niet. Potpourri of zoiets. Het zit tussen die stapel.' Ze wees naar de stapel onder de kerstboom en scheurde het naamkaartje van de doos gebroken glas.

'*Potpourri?*' Zijn stem klonk vol afgrijzen. Hij liep naar de boom.

'Het zit in een mooie stijlvolle glazen kom. Het past goed in hun zitkamer.'

David doorzocht de stapel cadeautjes en pakte het op. 'We kunnen toch niet alleen dit geven,' zei hij. 'Dat is veel te mager.'

Stephanie staarde naar hem. Ze hadden het niet aan Isabelle en Elliot hoeven geven als hij de glazen niet stuk had gemaakt. Dit was allemaal zijn schuld.

'En trouwens,' ging hij verder, 'zelf moest je altijd om dat soort

dingen lachen en vond je het maar onzin. Ik bedoel, kom op zeg...
potpourri? Dat is helemaal geen leuk cadeautje. Niet voor je eigen
familie.'

Stephanie klakte met haar tong en vroeg zich af waar ze moest
beginnen. Had *hij* ooit geprobeerd om cadeautjes te kopen voor
de hele familie, met een beperkt budget? Alle winkels afzeulen na
een dag hard werken, zwetend tussen de slechtgehumeurde men-
senmassa's, en dan bedenken wat toepasselijk is om te geven voor
de kinderen? Had *hij* die aanval van migraine gehad, veroorzaakt
door wrok en besluiteloosheid? En toen hij in de ellenlange rij had
gestaan en betaald had voor dat kloteding met het geld dat hij had
weggelegd voor een bezoekje aan de kapper, had *hij* toen de kom
potpourri door de ijskoude motregen naar de auto gesleurd, waar
de mierzoete geur alle andere boodschappen doordrongen had?
Nee, nee, ze dacht toch van niet.

En nu ze toch bezig was, was het *David* geweest die om twaalf
uur 's avonds nog had geprobeerd om het prijsstickertje eraf te
krijgen en vervolgens opgebleven was om het stomme ding in te
pakken?

Eh... Nee.

En had *hij* de lieve kaartjes geschreven en ondertekend voor
zijn kinderen alsof het geschenk een leuk en luchtig teken van hun
genegenheid was?

Nee, dat hij verdomme ook niet gedaan. Dus hoe *durfde* hij
haar ervan te beschuldigen dat ze een afschuwelijk cadeautje had
gekocht?

'Jammer dat je er zo over denkt, David,' zei ze met afgemeten
stem. 'Maar ik geloof dat er gezien de omstandigheden weinig anders op zit.'

David zuchtte diep, wat meer op geknor leek. 'Ga je dat de hele
tijd doen met kerst?' vroeg hij.

'Wat?'

'Die toon aanslaan? Me tegenspreken in alles wat ik zeg?'

'Jij bent begonnen.'

'Nee. Ik vroeg alleen maar of je een cadeautje had voor Isabelle
en Elliot.'

Stephanie keek hem woedend aan. 'Ja. En dat had ik ook. Een

heel mooi cadeautje zelfs.'

'Goed, je doet maar,' zei David en gooide zijn handen in de lucht. 'Je klaagt altijd dat ik niet help, maar ik denk dat we het beter gewoon aan jou kunnen overlaten. Ik ga met de kinderen spelen.'

*

Boven klopte Stephanie op de deur van het atelier van haar vader en liep naar binnen. Gerald zat op een lage houten kruk voor een ezel naast een groot vierkant raam met dubbele beglazing, van waaruit je de achtertuin kon zien. Ondanks de sneeuwstorm buiten was het stil. Ze herinnerde zich dat ze hier altijd speelden toen haar ouders dit huis pas gekocht hadden. In die tijd was het er erg stoffig en stond het vol met dozen, en de ramen waren dichtgetimmerd. Nu scheen er fel licht op de muur met foto's waar overal hetzelfde op stond – de kaap en de oude tinmijn boven Hell Bay.

'Aha. Dus hier verstop jij je,' zei ze en baande zich een weg naar hem toe door de stapels doeken en torens boeken die nog een plek moesten krijgen in de boekenkasten langs de muur.

Een paar stoelen met paars fluweel, die vroeger in de hal hadden gestaan van het huis in Exeter waar ze was opgegroeid, stonden gevaarlijk op elkaar gestapeld. Een versierde mahoniehouten tafel, die ze ook herkende, was bedekt met krantenpapier, potten verf en oude theemokken. Ze was blij om te zien, aan de troep en het stof, dat Isabelle hier nog niet was geweest met haar zwabber.

'Ik ben blij dat we allemaal veilig binnen zijn,' zei haar vader zonder om te kijken. Ze zag hoe zijn tenen door een gat in zijn sokken prikten en zich warmden aan de ventilatorkachel. 'Moet je zien daarbuiten. Zoiets heb ik nog nooit meegemaakt.'

Hij had gelijk. Vanaf hier kon ze alleen de witte omgeving zien. Sneeuwvlokjes sloegen tegen het raam en stapelden zich op in de hoekjes.

'Is iedereen al een beetje gesetteld beneden?' vroeg hij.

'Ja hoor. Rufus heeft zich misdragen, maar Elliot is het zaakje aan het opruimen.'

Stephanie stond achter haar vader en masseerde zacht zijn

107

schouders door zijn groene wollen trui. Het was prettig om van iedereen weg te zijn. Om eindelijk een moment rust te hebben. Ze keek naar de dwarrelende sneeuwvlokjes, snel en wild als ruis op tv. Ze had ergens gelezen dat sneeuwvlokjes er allemaal verschillend uitzagen onder de microscoop. De structuur van elk sneeuwvlokje was uniek. Als ze smolten, waren ze voorgoed verdwenen.

'Het is niet erg goed, vind je wel?' zei haar vader na een poosje en wierp een kritische blik op het schilderij door de bril op het puntje van zijn neus. Toen keek hij naar de foto's en wees met zijn kwast naar het vergezicht. 'Ik had dit op tijd klaar willen hebben om aan Elliot en Isabelle te geven voor kerst. Maar ik krijg de verhoudingen van die stomme kaap niet voor elkaar.'

'Het is heel wat beter dan de vorige,' zei ze en keek naar de bibberende lijnen waterverf van het schilderij. Ze kende deze locatie goed. Haar vader scheen er nooit genoeg van te krijgen en schilderde hem steeds opnieuw. Het was de plek waar hij en haar moeder veel hadden gewandeld en gepicknickt.

Gerald strekte de kwast uit en bracht een klein groen spikkeltje aan op het papier.

'Hé, ik heb die pillen voor je meegebracht,' zei Stephanie. Ze stapte naar voren en zette een klein flesje dat ze uit de kliniek had meegebracht neer op de ezel. Ze maakte zich al een poosje zorgen over de reuma van haar vader.

'Dank je. Ik hoop dat je niet buiten het boekje hoefde te gaan?'

'Een beetje maar. Doe ik alleen voor jou. Is het erger geworden?'

'Het valt wel mee. Ongemakkelijk met dit weer, maar het gaat wel.'

'Weet je, ik maak me soms een beetje zorgen over jou hier helemaal alleen, pap. Het is raar om hier met kerst te zijn.' Stephanie keek naar buiten en huiverde. 'Het lijkt afgelegener dan ooit.'

Haar vader zuchtte. Hij reikte zijn hand over zijn schouder en legde hem op de hare. Zijn huid was opvallend gaaf voor iemand van zeventig jaar, maar zijn knokkels waren gezwollen en ze kon zien waar de reuma zijn gewrichten knoestig dreigde te maken als een rottende boom. 'Niet doen, hoor. Je hoeft je geen zorgen te maken, het gaat prima met mij.'

Stephanie wist dat het waar was. Het ging echt prima met hem. Meer dan prima. Hij leek een innerlijke kracht en een rust te hebben die ze nog nooit voor zichzelf had kunnen vinden. Geheel ontspannen deed hij gewoon wat hij wilde en wanneer hij het wilde, zelfs met een huis vol familie. Ze besefte dat dit de eerste keer was sinds maanden dat ze de kans kreeg om met hem alleen te praten.

'Ik had gedacht, nadat mam gestorven was, dat je dichter bij ons zou komen wonen,' zei ze. Ze was nog steeds niet bereid om een punt te zetten achter de onenigheid die ze zo vaak met hem had via de telefoon.

'Heb je je druk zitten maken over wie er voor mij moet zorgen?'

'Ja!' zei ze. 'Precies.'

'Dat wil ik niet,' zei hij. 'Niet nu ik nog fit en gezond ben. Je hebt je eigen leven om je druk over te maken. Je eigen gezin.'

'Maar je zit hier zo geïsoleerd.'

'Maar ik hou van de eenzaamheid. Ik ben mijn hele leven omringd geweest door mensen.'

'Maar het is zo ver weg van ons.' Stephanie kon het niet helpen dat ze kregelig overkwam. Ze vroeg zich af of ze zich zo alleen zou voelen als hij in de buurt zou wonen. Ze voelde zich altijd meer met zichzelf verbonden als ze bij haar vader was, meer de persoon die ze was voordat haar leven zo ingewikkeld werd.

'Dat weet ik, maar jullie zijn er nu.'

Stephanie gaf geen weerwoord meer. Ze wist dat hij wist dat ze van hem hield en hem altijd zou komen opzoeken, ook als dat betekende dat ze met de boot moest, en hij wist dat ze daar een hekel aan had.

'Je moeder maakte er altijd grapjes over dat we ons leven samen begonnen in Londen en elke tien jaar een paar honderd kilometer verder weg verhuisden. Maar dit is mijn laatste toevluchtsoord. Als ik dood ben, kunnen jullie mijn as over Hell Bay uitstrooien.'

Hij knikte uit het raam naar het uitzicht.

'O, pap.' Stephanie kneep in zijn schouders. 'Niet zo morbide doen, hoor.'

Haar vader grinnikte. 'Ik ben nog lang niet de pijp uit. Je zult

ervan opkijken. Deze ouwe hond zit nog vol leven.'
'Dat hoor ik graag,' zei ze. Ze verzamelde de mokken op de tafel om wat te doen te hebben. 'Trouwens, je moet maar eens opschieten hierboven. Isabelle zegt dat de lunch om drie uur klaar is.'
'Wat waren al die worstjes en eieren dan twee uur geleden? Kunnen we niet wat later een vroeg diner hebben?'
'Nee, Gerry,' zei Stephanie, met het Amerikaanse accent van Isabelle. 'Dat staat niet in het kerstprogramma.'
'Nou, nou.'
'Ja, zeg eens eerlijk,' zei Stephanie.
Haar vader draaide zich om op zijn kruk en keek haar aan. 'Ik weet dat je de kriebels van haar krijgt, maar ze doet haar best.'
'Maar –'
'Ik wil geen ruzies, oké? Jullie zijn hier allemaal welkom met kerst en ik wil dat we het gezellig hebben.'
'Maar ze is zo bazig.' Zodra de woorden uit haar mond waren, wist Stephanie dat ze net een kind leek zoals ze het zei.
'Dat kan misschien wel zijn, maar Isabelle houdt van Elliot en hij houdt van haar. En dat is het enige wat telt. Ze is goed voor hem en voor zijn gezin. Ze heeft zich gisteravond uit de naad gewerkt om het hier allemaal op tijd klaar te krijgen voor jullie.'
'Weet ik, weet ik.'
Haar vader zette zijn bril af.
'Liefje, gaat het goed met je?' vroeg hij. 'Je komt een beetje bedrukt over. Is alles goed tussen jou en David?'
Stephanie knikte. Ze haatte het om te liegen, maar ze kon haar vader onmogelijk vertellen hoe ze zich voelde. Ze glimlachte opgewekt en vermeed zijn ernstige blik. Ze was niet van plan om zijn kerst te bederven met haar droevige verhalen.
'Het gaat prima met ons. We hebben gewoon een lange reis achter de rug. Dat is alles. Ik ben nog niet zo in kerststemming.'
'En je mist Paul.'
Ze draaide zich om met twee mokken in haar hand. 'Ja,' zei ze en liep naar de deur. Plotseling voelde ze zich heel erg moe.

Hoofdstuk 9

Ben veegde de sneeuw, die een weg had gevonden tussen zijn pet en zijn opstaande kraag, uit zijn nek. IJzige windstoten striemden zijn gezicht dat zijn ogen ervan traanden. De wind maakte een ongelooflijke herrie. Het was alsof hij in een auto zat met de radio op een stoorzender en het volume op tien.

Ben zat gehurkt onder aan de oude betonnen hellingbaan naast de vissershut en probeerde de buitenboordmotor te repareren. De kleine gereedschapskist uit de boot stond naast hem, maar geen enkele ratel, moersleutel of schroevendraaier had enig nut gehad. De motor was vernield en er was een veel betere monteur nodig dan Ben om hem te kunnen repareren. De romp was ook beschadigd doordat ze de boot het strand op hadden gesleept, maar hij kon niet zien of er daadwerkelijk gaten in zaten. Hij had niet de kracht om de boot op te tillen en eronder te kijken.

Hij kwam overeind en schopte gefrustreerd tegen de boot. 'Rotding,' zei hij, alsof dat iets uit zou maken.

De tekening op de zijkant van de boot was verbleekt als een T-shirt dat te vaak was gewassen. Hij was volgend seizoen waarschijnlijk toch aan vervanging toe, dacht Ben, en stelde zich gerust met de gedachte dat het tenminste geen gloednieuw vaartuig was dat hij wellicht naar de knoppen had geholpen. Desalniettemin was het een kostenpost die zijn vader liever niet had. Maar dat was ook oké, veronderstelde Ben. Nu kon hij er tenminste op aandringen om een nieuwe boot te kopen zonder zijn vaders trots te krenken.

Ben had genoeg geld weggezet om dit te kunnen betalen, en meer nog. Hij had geen broers of zussen of kinderen om zijn spaargeld aan uit te geven, alleen aan zichzelf en zijn ouders. Heel anders dan zijn vrienden en leeftijdsgenoten, mensen met wie hij werkte, of mee had gestudeerd op de kunstacademie. Die hadden het tegenwoordig alleen nog over geboorteplanning en complicaties, en de grappige dingen die hun kinderen deden en zeiden. Soms nodigden die mensen hem uit om er een te komen drinken, of om te komen eten, en dan moest hij altijd naast hun net zo gegeneerde alleenstaande vriendinnen gaan zitten. Vervolgens werden ze in de gaten gehouden als de twee enig overgebleven artikelen op eBay, de tijd langzaam aftellend naar nul en nog steeds geen bod gedaan. Of hij vroeg hun oudere kinderen tijdens zo'n weekend onhandig wat ze op school hadden geleerd, of welke bands ze *vet* of *cool* vonden. Baby'tjes hield hij onbeholpen voor zich uit en hij probeerde niet te steunen als ze biologische pastinaak- en wortelcompote over zijn nieuwe DKNY-jasje heen kotsten.

Ben had zich altijd voorgesteld dat hij zelf vader zou zijn op deze leeftijd en dat hij op deze koude kerstavond bezig zou zijn met cadeautjes kopen voor zijn eigen kinderen en laat op zou blijven om de rails voor een elektrische speelgoedtrein op te zetten, of een nieuwe trampoline, zodat ze die de volgende ochtend met grote verbaasde ogen zouden vinden als ze beneden kwamen.

Op de een of andere manier was het niet zo gelopen en in plaats daarvan zou hij kerstavond doorbrengen met zijn eigen vader en moeder, precies zoals toen hij zelf een klein kind was.

Ten minste, als het hem zou lukken om Kelly en zichzelf van dit eiland af te krijgen, zei hij tegen zichzelf toen hij de uitzinnige witte hemel inkeek.

Hij had geen gevoel meer in zijn vingers en zijn slapen begonnen pijn te doen. Hij wist dat het alleen maar erger zou worden als hij nog langer buiten bleef. Hij keek naar het strand dat nu bijna helemaal wit was van de sneeuw, en naar de zee. Het was harder gaan waaien. Zeehonden lagen tegen de grijze rotsen gezakt, als grote zwarte waterballonnen. Golven stormden door de baai. Zelfs als hij de motor kon repareren, zou hij het niet riskeren om dit weer te trotseren. Hun bootje zou zeker door de wind worden omgekiept.

Hij stopte de bootradio onder het rode zeil. Die bleek ook niets waard te zijn en hij had hem een paar minuten geleden eveneens flink uitgescholden. Hij had nul ontvangst en alles wat hij uit de radio had weten te persen waren een paar zinnen van een BBCdocumentaire over de benarde toestand van de inheemse wilde dieren van Finland – feiten die hij kon missen als kiespijn. Hij keek rond en probeerde de situatie in te schatten. Behoorlijk vreemd om hier plotseling vast te zitten, een paar uur geleden had de dag nog weinig meer beloofd dan een terugtocht naar Fleet Town en een biertje in de kroeg met Mick, en daarna wat eten en misschien tv-kijken met zijn vader en moeder.

Ben wist dat hij boos zou moeten zijn, op zichzelf, op zijn lot. Hij zou moeten nadenken over een manier om hiervandaan te komen en niets anders. Maar toen de wind weer over het zeil heensloeg, verdween de frons van zijn voorhoofd en glimlachte hij zacht. Het kwam door haar: Kellie, die binnen in het hutje zat, een paar meter verderop.

In plaats van te vloeken en te tieren dat hij hier was aangespoeld, was hij blij dat hij tijd met haar kon doorbrengen. Hij geloofde niet in het lot. Hij was niet eens religieus. Maar hij begon weer te geloven in een bepaalde aantrekkingskracht die kon ontstaan tussen twee mensen, zomaar, in één oogopslag. Hij wist dat als hij Kellie ergens anders was tegengekomen, in een café of in de trein of zelfs op de hoek van de straat, met die optimistische stemming van vanmorgen, hij haar zeker aangesproken en uit gevraagd zou hebben.

'Jezus, het lijkt *The Day after Tomorrow* wel daarbuiten,' zei ze tegen hem, toen hij het vervallen vissershutje binnenstapte en de deur achter zich dichttrok.

Er hing een doorzichtige sluier van rook in het hutje en Kellie zat op het krakkemikkige bankje voor het vuur dat Ben had weten te maken in een hoek op de stenen vloer. Een dunne sliert rook kronkelde van de vuurresten naar boven en vond zijn weg naar buiten door een gaatje in het dak, dat Ben erin had geslagen met de achterkant van een roeispaan.

'Nog erger dan dat,' zei hij. 'Het lijkt meer op het begin van de Apocalyps. Ik dacht steeds dat ik de Vier Ruiters aan zag komen galopperen over het strand om ons weg te halen.'

'Dat mogen ze gerust proberen. Onherbergzamer dan dit kan bijna niet,' zei ze.

'Dat vind jij misschien. Ik hou helemaal niet van paarden. Veel te veel tanden. Is je dat wel eens opgevallen? Het lijkt wel of ze een kunstgebit in hebben. En heb je weleens een paard zien pissen? Ongelooflijk. Duurt uren. Alsof er een kraan onder hun buik zit vastgebonden...'

'Leuke associatie,' zei ze, ze trok haar neus op. 'Dankjewel.'

'Trouwens,' ging hij verder, 'ik denk niet dat de Vier Ruiters nog op paarden rijden. Ze zijn vast gemoderniseerd, net als iedereen.'

'Wat, zijn ze nu de Vier Brommerrijders van de Apocalyps?'

'Ja, precies, of misschien wel iets degelijkers, want zij zijn natuurlijk ook niet meer de jongsten thuis.'

'Wat dacht je van de Vier Volvo-station-bestuurders van de Apocalyps?' stelde ze voor.

'Veel beter. En dan zouden het waarschijnlijk de Vier Volvo-station-*diesel*-bestuurders van de Apocalyps zijn, want ze moeten tegenwoordig heel wat kilometers afleggen nu de Apocalyps zich over de hele wereld verspreidt.'

'Misschien zijn ze wel wat zachtaardiger geworden nu ze wat ouder zijn,' zei ze. 'Misschien willen ze zich helemaal niet meer met de Apocalyps bemoeien.'

'Ook waar. Ze gebruiken hun Volvo's waarschijnlijk alleen nog om naar een kuurhotel te rijden, of naar de dokter voor hun medicijnen, of naar hun gîte in de Provence.'

Kellie deed haar mond open om iets te zeggen, en sloot hem weer. 'Nee,' zei ze glimlachend, 'ik denk dat we nu wel ver genoeg zijn gegaan.'

Hij glimlachte naar haar. 'Dat denk ik eigenlijk ook,' zei hij.

'En nu terug naar de realiteit,' zei ze. 'Hoe gaat het met *onze* motor? Is het gelukt?'

'Nee.'

'Dus hij is helemaaltotaalnadeklote?'

'Onbetwijfelbaar.'

Ze glimlachte vol verwachting naar hem, en even was hij van zijn stuk gebracht, zoals ze daar zat bij het vuur. Ze had een oude vriendin kunnen zijn, of zelfs een geliefde. Ze had iemand kunnen zijn met wie hij een leuk weekendhuisje had gehuurd om, ver weg van alle beslommeringen, vakantie te vieren. Dan had ze hem nu misschien aangekeken in afwachting van zijn voorstel in welk kroegje ze zouden gaan lunchen.

Maar het moment verdween en Ben had het gevoel alsof hij iets moois kwijtraakte. Dat had hij niet verwacht. Hij en Kellie waren helemaal geen vrienden of geliefden. Ze kenden elkaar nauwelijks. En ze waren hier niet om vakantie te vieren. Ze waren hier omdat hij een blunder had gemaakt.

Het vuur, dat sowieso al geen groot vuur was geweest, ging uit. Het drijfhout dat ze buiten hadden opgeraapt, was vochtig, had wat gewalmd en was uitgegaan. Het enige droge hout dat ze hadden gevonden, was een oud houten krat en een steunbalk die Ben uit de achterste muur van het hutje had getrokken. Maar alles wat daar nu nog van over was, waren wat smeulende resten.

'Wat gaan we nu eigenlijk *doen*?' vroeg ze.

Ze staarde hem aan met absoluut vertrouwen, alsof het slechts een kwestie van tijd was dat hij met de juiste oplossing zou komen, als een goochelaar met een konijn in zijn mouw. Hij ademde de warme geur in van het smeulende hout en staarde naar hun zwemvesten, die nutteloos naast het vuur lagen.

'Hier,' zei hij. Hij graaide in zijn zakken, blij dat hij iets had om te voorschijn te toveren.

In zijn vuist hield hij een paar chocoladerepen, die hij uit een van de dozen had gehaald en bezorgd hadden moeten worden in Green Bay Harbour. Hij legde ze in Kellies handen.

'Eet er hier maar een van op,' zei hij. Hij staarde naar zijn vingers. 'En kun je er ook een voor mij openmaken? Mijn vingers doen het niet meer.'

Hij wilde zijn handen tegen elkaar wrijven, maar ze greep zijn rechterpols.

'Niet doen,' zei ze tegen hem en draaide zijn handpalmen naar boven.

Hij keek opnieuw naar zijn handen.

'Zie je hoe wit je huid is geworden,' zei ze. 'Dat is het begin van bevriezing.'

Zijn handen zagen er inderdaad raar uit, bleek en wasachtig, en hij had er nog steeds geen gevoel in, behalve een vaag kloppend gevoel, zelfs nu hij binnen was.

'Het begin van bevriezing?' zei hij. 'Betekent dat dat ik straks in een sneeuwpop verander?'

'Nee, serieus,' legde ze uit. 'Dat is het precies – een milde vorm van bevriezing. Het komt wel goed als je het met rust laat, maar als je je handen tegen elkaar wrijft, wordt het alleen maar erger. Dus niet doen. Die witte kleur... dat zijn de ijskristallen die onder je huid vastzitten, en die maken het weefsel kapot, tenzij je goed oplet en niet in je handen wrijft tot ze verdwenen zijn.'

'En hoe kan een Australiër als jij dat nou weten?' vroeg hij. 'Ik raad het al: je bent een Google-fanaat, een cyberchonder... Je brengt het liefst je avonden door met het opzoeken van de meest lugubere, dodelijke ziektes die overeenkomen met de symptomen die je zelf denkt te hebben...'

'Ik wil je wel vertellen,' zei ze, 'dat ik nooit het internet gebruik buiten mijn werk. Maar je kunt gerust een keer Australië en sneeuw googelen, en dan zul je zien dat het wel degelijk sneeuwt bij ons. Zoveel zelfs, dat ik vroeger als kind heel veel geskied heb. En als tiener ook, zowel in Australië als in Frankrijk. Ik heb zelfs een jaar in een chalet gewerkt toen ik klaar was met school.'

'En daarom weet je wat er met mijn handen loos is...'

'Ja.'

'Nou, je hebt het wel druk gehad,' zei hij. 'Skiën, duiken... Zo te horen heb je heel wat dingen gedaan...'

Hij had niet hatelijk willen overkomen – hij had er immers niets mee te maken wat zij vroeger gedaan had – maar hij zag meteen aan de uitdrukking op haar gezicht dat hij haar beledigd had.

Ze liet zijn hand los. 'Het is al lang geleden,' zei ze.

'Bedankt voor het advies,' zei hij snel. 'Ik zal niet in mijn handen wrijven.'

Buiten huilde de wind en was het nog harder gaan waaien. Het dak kraakte alsof het hutje elk moment uit elkaar kon vallen en de lucht in zou vliegen, net als het huisje van Dorothy in *The Wizard of Oz*.

'Dat klinkt niet goed,' zei ze.

'Nee.'

Hij liep naar de deur en duwde de klink naar beneden. Door de kracht van de wind viel hij bijna naar achteren. De sneeuw joeg naar binnen en met alle macht trok hij de deur weer dicht.

'Hoe zit dat eigenlijk met die chocola?' vroeg ze, en met haar tanden trok ze het papiertje eraf. 'Ik weet het al: als we doodvriezen, worden we tenminste gevonden met een glimlach op ons gezicht.'

'Het was maar voor het geval *dat*,' zei hij en hij staarde weer naar zijn handen. Als zijn handen nu al bijna bevroren waren, wat stond hen dan nog te wachten?

'Voor het geval dat wat?'

'Voor het geval de storm erger zou worden.'

'Wat nu dus is gebeurd.'

'Precies.'

Ze staarde naar de chocoladerepen. 'O,' zei ze, 'dit zijn natuurlijk de toverrepen die zo meteen in een helikopter veranderen en ons hier uithalen?'

'Nee.'

'Dat was een grapje,' zei ze. Ze reikte hem een reep aan en brak de andere doormidden, voordat ze een hap nam.

'Dat weet ik,' zei hij. 'Maar eigenlijk ook niet.'

'Wat bedoel je?'

'Gewoon, ik bedoel dat we hier echt weg moeten zien te komen.'

Een sneeuwvlokje zweefde door de geïmproviseerde schoorsteen naar binnen en dwarrelde naar de grond.

'Maar het zal dadelijk toch wel ophouden met sneeuwen?' zei ze.

'Volgens het weerbericht zou het blijven sneeuwen als het eenmaal begon...'

'Ja, maar ze zaten er ook naast wanneer dat zou zijn,' zei ze. 'Dus misschien zitten ze ook fout met de duur van de storm.'

Hij kon aan haar zien dat ze niet besefte hoe ernstig hun omstandigheden waren. En waarom zou ze ook? Hij begon het zelf ook pas net door te krijgen. En het was immers ook nog niet zo lang geleden dat ze de toerist had uitgehangen, kiekjes makend van de zeehonden in de buurt van een groepje eilanden dat bekendstond om zijn gematigde klimaat.

Maar toen hij daarstraks de Apocalyps noemde, had hij geen grapje gemaakt. Weer zoals dit had hij nog nooit meegemaakt. En nu was het nog erger geworden, en dit soort weer ging niet zomaar voorbij. Dit was een storm en ze zaten er middenin.

'Als het weerbericht wel klopt,' zei hij, 'en we besluiten hier in het hutje te blijven en het houdt niet op met sneeuwen... nou ja, ons brandhout is nu al op, dus we zullen het alleen maar kouder krijgen... En dan wordt het donker. Ik weet niet hoe dat bij jou zit, maar ik heb er niet al te veel vertrouwen in als we hier moeten overnachten.'

De achterste muur van het hutje bolde op als een zeil bij de volgende windvlaag. Hij kon niet geloven hoe stom hij was geweest om haar mee te nemen naar Brayner Island, zelfs als er geen sneeuw voorspeld was. En wat een idioot om haar de zeehonden te laten zien. Deze kant van het eiland was onbewoond, want alle bruikbare bouwgrond was in beslag genomen door de oude mijn. Zelfs als de ouders van Ben zich ongerust zouden maken en alarm sloegen, zouden ze nooit hier komen zoeken. Niet voordat het te laat was.

'Wat zeg je nu eigenlijk?' vroeg ze.

Zijn hand ging onwillekeurig naar zijn zak, op zoek naar het pakje sigaretten dat er niet was. Hij had er nu wel een willen opsteken, om te kalmeren, om ruimte te creëren om te bedenken wat hij nu moest doen.

'We zullen hier uit moeten lopen,' zei hij, een besluit dat hij liever had vermeden. 'Hoe eerder, hoe beter. Daar is de chocola voor, om ons energie te geven om over de rotsen heen te klimmen en dan naar de andere kant van het eiland te lopen.'

Ze staarde naar zijn handen. Voor het eerst zag hij een vlaag van angst op haar gezicht. 'Naar Green Bay Harbour?' vroeg ze.

'Ja. Die huizen zijn het dichtste bij.'

Even was ze stil, toen vroeg ze: 'Wonen daar de mensen die jij vanmorgen hierheen hebt gebracht?'

Had hij die overtocht genoemd? Hij kon het zich niet herinneren.

'Nee,' zei hij, 'die wonen bijna twee kilometer buiten het dorp. Waarom?' vroeg hij, maar misschien wist hij het antwoord al. 'Ken je hen?'

'Nee. Ik...' ze leek even te aarzelen. 'Ik dacht dat hun huis mis-

schien dichterbij was, als ze buiten het dorp wonen.'
'Dat is het ook,' zei Ben. 'Maar het staat alleen, en deze storm bedekt alles met een witte laag. Green Bay Harbour is een makkelijker doel om te bereiken. Ik denk dat we in die richting moeten gaan.'
'Dan is het goed.'
Ze leek plotseling opgelucht, waarschijnlijk, dacht hij, omdat ze een beslissing hadden genomen. Hij was blij dat ze het positief benaderde. Hoe meer ze samenwerkten, hoe makkelijker het zou zijn.
'Dan kunnen we beter maar niet te veel tijd meer verspillen,' zei ze. Ze stond op en drukte de honkbalpet stevig op haar hoofd. Ze trok haar capuchon eroverheen.
Hij beet in de chocoladereep, die al zo koud was dat hij hem nauwelijks kon proeven. Hij dwong zichzelf om te eten, kauwend op de wasachtige brokken.
'Hoe lang doen we erover?' vroeg ze.
'In normale omstandigheden? Maximaal een halfuur. Maar met dit soort weer... wie weet? Achter het hutje loopt een paadje over de rotsen. Van daar af lopen we om Solace Hill heen. Of eroverheen, dat hangt van het weer af. Het is ruw terrein, dus we moeten voorzichtig zijn. Maar het moet lukken.'
'*Moet* lukken?'
'*Zal*,' zei hij. Hij moest en zou hen hier doorheen krijgen. Hij probeerde luchtig te glimlachen maar het voelde raar en scheef en nep. 'Ik kan ook alleen gaan, als je wil,' zei hij. 'Om hulp te halen.'
'Nee,' zei ze. 'Dat zou alleen maar meer mensen in gevaar brengen. Ik kom met je mee. Je hebt gelijk. Het heeft geen zin om hier te blijven en te bevriezen. Kom,' zei ze toen hij de deur open wilde maken, 'laat mij maar. Ik maak me zorgen over je handen.'
Voordat hij haar tegen kon houden, had ze haar sjaal afgedaan, het om een nagel aan de muur gehaakt en in twee repen gescheurd.
'En jij dan?' vroeg hij.
'Ik red me wel.'
Opnieuw vroeg hij zich af wat een vrouw als zij hier alleen deed met kerst. Zijn gedachten dwaalden af naar het vakantiehuisje dat

nooit had bestaan, dat hij zich daarstraks had voorgesteld toen hij het hutje binnenstapte. Ondanks hun omstandigheden, ondanks het feit dat Kellie waarschijnlijk liever ergens anders was, was hij blij dat ze hier bij hem was.

'Ik vind je erg moedig,' zei hij.

Ze knoopte de repen vast en begon met de rest van de sjaal haar eigen handen in te wikkelen. 'Ik heb niet veel keus. Kom op,' zei ze. 'We gaan.'

*

Ondanks het dreigende gevaar zag het kind in Ben de uitdaging opgewonden tegemoet. Maar toen hij de deur opendeed werd het onmiddellijk duidelijk dat ze het dorp misschien niet eens zouden kunnen bereiken.

De wind sloeg om hen heen en de deur zwaaide wijdopen toen hij de klink naar beneden deed, en sloeg met een knal tegen de binnenkant van de hut. Kellie gilde van schrik en Ben voelde de angst in hem boven borrelen.

Dit was geen spelletje. Ze stapten een storm in. Bijna dubbel gebogen duwde hij zichzelf naar buiten en trok Kellie met zich mee.

'Jezus Christus, Ben!' schreeuwde ze.

Hij trok haar naar zich toe. 'Weet je zeker dat je mee wilt komen?' riep hij.

Ze zag er doodsbenauwd uit, maar ze riep terug: 'Ja.'

Ben keek naar het strand. Het zicht was nog slechter dan toen hij de motor had proberen te repareren. Hij kon de zee niet eens meer zien, de sneeuw viel dicht en snel. Hij schermde zijn ogen af en keek naar boven, maar hij kon de top van de rotsen die om de baai heen lagen niet zien, alhoewel die niet meer dan dertig meter boven hen kon zijn. Sneeuw danste voor zijn ogen.

Hij boog zijn hoofd naar voren, tegen de wind in. Hij was hier als kind een keer geweest. Het was een goed pad, een stevig pad, en hij wist de weg. Hij *zou* hen hier uithalen.

Het pad zigzagde steil naar boven vanaf de achterkant van de hut, en baande zich een weg langs doornstruiken en rotsen. Maar na vijf meter verdween het onder de wervelende sneeuw.

Kellie greep Ben vast en schreeuwde in zijn oor. 'Weet je het zeker?'

Hij boog zich over haar heen.

'Ga jij maar eerst,' zei hij tegen haar. 'Ik vang je wel als je uitglijdt.'

'En als *jij* uitglijdt?' schreeuwde ze terug. Haar ogen waren wijd opengesperd van de angst, haar neus streek over de zijne.

'Doe ik niet. Je moet zo dicht bij de grond blijven als je kunt. Onder de wind blijven.'

Ze lieten elkaar los en Kellie ging op weg. Ben volgde. Met elke meter die ze hoger kwamen, werd de wind krachtiger. Algauw sloeg het als enorme vuisten op hen in en dreigde hen om te duwen, of achterover te sleuren, over de rotsen naar beneden te donderen.

Ben was zo dom om achter zich te kijken. Hoewel de sneeuw de diepte van de val vervaagde, draaide zijn maag zich om bij de aanblik naar beneden. Hij stelde zich voor hoe ze allebei vielen, zag het bloed op de rotsen. Niemand zou hen kunnen vinden, dagenlang.

Hij fixeerde zijn blik op Kellie, die heen en weer slingerde en langzaam voortstrompelde, de ene moeizame stap na de andere, over natte stenen en glibberige modder en sneeuw. Bij elke stap verwachtte hij half dat ze zou vallen, of dat haar dure laarzen het zouden begeven. Maar dat gebeurde niet. Ze liep alsmaar door. Ze waren nu bijna boven op de rotsen. Nog twee minuten en dan hadden ze het gered.

Toen gleed ze uit. Haar jas bolde op als een zeil in een storm, een huilende windvlaag duwde haar omhoog en tilde haar op als een stuk drijfhout op een golf. Ze gilde en viel achterover en kwam op Ben terecht. Even dacht hij dat ze verloren was.

Hij hoorde haar gillen.

Maar op de een of andere manier wist hij haar jas vast te grijpen. Hij zwaaide naar achteren en viel ook zelf bijna om.

Toen, heel eventjes, viel de wind stil. En in die paar seconden kalmte, lukte het Ben om Kellie naar zich toe te trekken. Ze klampte zich aan hem vast alsof hij een boom was, alsof hij wortels had in de bergwand en onmogelijk kon vallen. En plotseling voelde hij zich ook zo. Hij zou niet vallen, niet met haar in zijn armen. Hij probeerde zich de laatste keer te herinneren dat hij iemand zo stevig had vastgehouden, maar er kwam niets bovendrijven. Langzaam zakten ze door hun knieën en hurkten samen neer, weer vaste grond onder de voeten.

Ze duwde haar gezicht tegen het zijne. Hij keek in haar ogen. 'Alles goed met je?' schreeuwde ze.

'We moeten doorlopen,' zei hij.

Ze knikte en liet hem los. Ze stond op en ze liepen weer verder, naar boven toe, de wind in.

Pas toen ze de top hadden bereikt en het land weer vlak werd, merkte Ben hoe zijn hart bonkte. Hij werd zich ook bewust van zijn ademhaling, snel en kort, als een ventiel in een stoomtrein die over het spoor raasde. Kellie strompelde verder, weg van de rotswand, landinwaarts, in de richting van een groepje dennenbomen. Hij sloeg zijn arm om haar heen en ze zakten op hun knieën.

'Bedankt,' schreeuwde ze in zijn oor, toen ze eenmaal op adem gekomen was. 'Je hebt mijn leven gered.' Haar gezicht was zo rood alsof ze zich verbrand had.

'Ik ben ook degene die je in gevaar heeft gebracht,' zei hij tegen haar.

Ze keek over haar schouder. 'Ik heb het ijskoud. Maar het is ons gelukt.' Hij kon haar ogen zien glanzen van vreugde en trots in haar capuchon.

Hij schreeuwde: 'We gaan verder.'

Instinctief haakten ze hun armen in elkaar, ze stonden op en begonnen landinwaarts te lopen.

Vijf minuten gingen voorbij, tien, vijftien, en meer – en nog steeds kolkte de sneeuw om hen heen. Het zicht was nu zo slecht dat struiken en bomen onverwacht uit de sneeuwstorm op hen af leken te springen. De wereld was een wervelende massa wit en grijs.

Ben kon niet zien waar de grond ophield en de lucht begon. Zijn ogen traanden en deden pijn, maar telkens als hij erin wilde wrijven met zijn verbonden handen, herinnerde hij Kellies waarschuwing over bevriezing en hield zich in. Zijn voorhoofd deed pijn van de kou, alsof iemand hem in elkaar had geslagen. Zijn huid trok en zijn ledematen waren hard als marmer. Zijn gewrichten zaten vast.

De grond was ruw en verraderlijk. Hij hoopte dat het met Kellie beter ging dan met hem. Hij verbaasde zich over haar kracht. Ze had niets gezegd sinds ze waren vertrokken, maar ze was niet één keer langzamer gaan lopen. De afgelopen paar minuten was ze twee keer gevallen en hij was ook een keer gevallen. Maar ze waren elke keer zonder protest weer opgestaan.

Bens benen deden pijn en zijn ademhaling was vlak. Hij dacht aan alle sigaretten die hij had gerookt en wou dat hij er al eerder mee was gestopt. Hij herinnerde zich zijn droom over dat hol en de tv die aanstond. En hij herinnerde zich hoe hij het had geïnterpreteerd, dat hij zijn leven aan het verknoeien was, en zijn besluit om er iets aan te doen, door meer *betrokken* te raken. Nu was hij wel degelijk betrokken. Heel erg zelfs.

Het was alsof iemand hem voor de gek wilde houden. Eigenlijk was het toch lachwekkend hoe ze hun weg door het landschap vochten, kromgebogen in de wind, als een tafereel op een oude kerstkaart. Maar waar was Bing Crosby? Waar was de vriendelijke vreemdeling uit Disneyland die de deur van zijn huisje voor hen opendeed en hen uitnodigde om bij het haardvuur te komen zitten?

Dit hoorde niet te gebeuren. Niet in de moderne wereld. Niet in Engeland. Kellie had gelijk: het was echt net *The Day after Tomorrow*. Het leek er inderdaad op dat het klimaat aan het veranderen was. Die klote *global warming*, dacht Ben. Kloteregeringen en multinationals. Hij zou nu op dit moment in de kroeg moeten zitten met Mick, om een biertje te drinken en pinda's in de lucht te gooien om op te vangen met zijn mond. Als hij hier levend vandaan zou komen, zou hij zijn leven lang lid worden van de Green Party.

Maar wat de situatie nog erger maakte, was dat hij de weg kwijt was. Volgens zijn calculaties zouden ze nu in de buurt van Green Bay Harbour moeten zijn. Maar het was nergens te bekennen. De sneeuw had het landschap opgeslokt. Het kleine jongetje in Ben wilde in huilen uitbarsten. Maar dat ging niet. Wat zou Kellie niet denken? Hoe zou hij zichzelf ooit weer onder ogen durven zien? Of haar?

Ze struikelde en viel voor de derde keer.

'Kom op,' schreeuwde hij en hielp haar overeind.

'Ik ben moe,' riep ze terug. 'Hoe ver nog?'

'Ik weet het niet.'

'Maar – '

Hij trok haar mee naar een omgevallen eikenboom die opdoemde uit het wit. Het ondiepe gat in de grond, gemaakt door de blootliggende, ondergesneeuwde wortels, vormde een natuurlijk windscherm en ze kropen er samen in.

'Hoe bedoel je, *je weet het niet*?' vroeg ze streng.

Hij trok haar naar zich toe. 'Ik weet niet goed hoe ik dit tegen je moet zeggen...'

'Wat?'

'We zijn de weg kwijt.'

De wind suisde zo hard, het leek wel of ze in een slangenhol waren beland.

'*De weg kwijt*? Je maakt toch een grapje, hoop ik?'

'Nee.' Hij voelde zich misselijk, hij schaamde zich. Hij had precies dat gedaan wat hij niet had willen doen: hij had Kellie teleurgesteld.

'Maar dat kan toch niet,' zei ze. 'Je komt hier zo vaak...'

'Nee. Ik ben hier al jaren niet geweest.'

'*Al jaren*? Maar – maar dat is je werk.'

'Nee,' zei hij, 'je hebt me verkeerd begrepen. Ik woon niet eens op de eilanden. Niet meer.'

Ze staarde hem geschokt aan. 'Wat bedoel je?'

'Ik woon in Londen. In Kentish Town.'

'Kentish Town!'

Ze ging een stuk van hem vandaan zitten. 'Je zei tegen me dat je de veerman was.'

'Dat ben ik ook. Maar alleen deze week. Mijn vader heeft het in zijn rug. Hij is de echte veerman. Ik help hem alleen een beetje. Ik werk in Soho. In de media.'

'Wat een leugenaar ben jij!' riep ze.

En dat was hij ook. Hij was een oplichter en nu was hij betrapt.

Het was niet zijn bedoeling geweest dat ze er op deze manier achter zou komen. Toen hij haar had meegenomen op de boot en zij ervan uit was gegaan dat hij altijd de boottaxi bestuurde, had hij het maar zo gelaten, omdat dat veel leuker was. Ze zag wat ze wilde zien. Een man van de zee. Meester van de elementen. En het was toch ook een halve waarheid. Zijn vader had *echt* een boottaxi. En Ben was er *echt* mee opgegroeid. En hij was van plan geweest om haar de hele waarheid te vertellen. Wie hij werkelijk was. Wat hij werkelijk deed. Het was er alleen nog niet van gekomen.

Maar dit was niet leuk meer.

'Het spijt me,' zei hij. 'Het is allemaal mijn schuld.'

'Daar is het verdomme te laat voor!' schreeuwde ze en even dacht hij dat ze hem een klap zou geven.

Toen leek haar zelfvertrouwen uit haar weg te vloeien.

Hij pakte haar bij de schouders. Hij kon er niet tegen om haar zo te zien. Hij moest het weer goed maken.

'Ik zal ons hier uithalen,' beloofde hij.

Hij tuurde de tunnel van haar capuchon in. Haar ogen waren samengeknepen. Ze leek helemaal niet op de vrouw die hij een paar uur geleden langs de oude kade had zien lopen.

'Doe dat,' zei ze.

Nog vijf minuten. Zoveel tijd gaf hij hun. Dan zouden ze moeten stoppen en een plek moeten zoeken – ergens, een grot of een omgevallen boom – om zich in te graven en te wachten tot het voorbij was. Hij dwong zichzelf om niet in paniek te raken. Hij hoopte vurig dat het zover niet zou komen.

Ze trokken opnieuw het witte landschap in. Rechtdoor blijven lopen, zei hij tegen zichzelf. Als je rechtdoor blijft lopen, kom je misschien een oriëntatiepunt tegen.

Maar hoe verder ze liepen, hoe meer hij het gevoel kreeg dat ze nog steeds op zee waren. Het ene moment stegen ze, om vervolgens weer te dalen. Net als over de golven varen in een boot. Zijn laarzen waren loodzwaar. Kon hij maar ergens zitten, dacht hij, eventjes maar. Alleen om even op adem te komen. De sneeuw zag er zacht en uitnodigend uit onder zijn voeten. Als hij nu ging liggen, zou het vast net een bed zijn.

Hij hoorde gegrom.

En nog een keer.

'Daar.'

Hij besefte dat het Kellie was.

'Daar!' schreeuwde ze voor de tweede keer. 'Kijk! Daar!' Haar uitgestrekte armen wapperden in de wind. Hij keek in de richting waar ze wees, maar zag niets. Ze zal wel in de war zijn, dacht hij, ze ziet dingen die er niet zijn. Hij zag niets anders dan sneeuw.

Maar toen zag hij het ook. Daar, hoog boven hen, een donkere rechthoekige schim. Toen een lichtflits. Een seconde maar, bovenop de rechthoek. Toen was het weer weg. Hij keek, verward. En toen flitste het licht weer aan.

Plotseling wist hij wat het was.

'De vuurtoren!' schreeuwde hij.

De wind blies haar antwoord weg. Maar dat kon hem niet schelen. Hij voelde een opwelling van energie en zijn slaperigheid verdween.

'Kom op!' riep hij en trok haar met zich mee. Hernieuwde kracht stuwde door hem heen. 'Dat is de vuurtoren. Het is Green Bay Harbour. Het is ons bijna gelukt. We zijn er bijna.'

Hoofdstuk 10

Het was een lange, uitgebreide lunch geweest, met de familie Thorne en Michael gezamenlijk rond de tafel. Buiten jankte de wind als een gewond beest, en de sneeuw bleef maar vallen. Maar binnen was alles stil.

Michael, Simon, de oude Thorne en Taylor en haar ouders zaten allemaal in de woonkamer. Elliot las de krant, en Thorne een boek. Ze zaten allebei in een leunstoel voor het haardvuur. Isabelle zat met gekruiste benen op de grond en lakte haar nagels, met lange, voorzichtige likjes van een knalrood penseeltje. David was in de keuken messen aan het slijpen.

Michael zat aan tafel en bladerde in het wilde weg door een stapel krantenbijlagen en tijdschriften die Elliot daar een kwartier geleden voor hem en Taylor had neergegooid. Taylor zat tegenover hem met haar haren te draaien en neuriede een deuntje van *The Great Escape* – steeds weer van voor af aan en hield haar vader vanuit haar ooghoeken in de gaten.

Ze had al tien minuten geen woord gezegd, niet eens tegen Michael. Ze was nog steeds boos op Stephanie omdat ze niet had toegegeven aan haar eis om Simon naar buiten te laten, en ze zou Elliot eraan blijven herinneren. Dikke kans dat ze zelf niet eens meer naar buiten wilde. Michael in elk geval niet. Maar het was het principe dat telde, veronderstelde hij, het principe dat iemand nee tegen haar had gezegd.

Michael voelde zich gevangen, benauwd, alsof hij op school zat op een hete zomerdag en uitkeek over de lege sportvelden midden in een dubbel uur wiskunde. Hij wilde naar huis. Daar kon hij tenminste op zijn computer spelen. Misschien wilde Taylor wel met hem meekomen. En zo ja – hij liet zijn gedachten de vrije loop en zag hun twee samen op zijn slaapkamer, zittend op de rand van het bed, plotseling verlegen en niet wetend wat ze moesten zeggen...

Hij zuchtte. Het was al een marteling om aan dit mogelijk fantastische alternatief te denken. Ze zouden nergens heen gaan, niet voordat het ophield met sneeuwen.

'Zullen we nog een potje pingpongen?' stelde hij voor.

Maar Taylor gaapte luid. Zo makkelijk wilde ze het haar vader niet maken. Ze begon weer te neuriën.

Elliot legde zijn krant op zijn schoot neer. 'Ik heb er nu zo langzamerhand wel genoeg van,' zei hij.

Isabelle schraapte haar keel. 'Ik ga in bad,' kondigde ze aan. Ze stond op en strekte zich uit. Ze keek door het raam naar buiten, naar het groepje dennenbomen van waaruit Elliot eerder had proberen te bellen. Het werd langzaam donker en zelfs de vallende sneeuw begon uit het zicht te verdwijnen. Michael vond dat Isabelle er bleek en moe uitzag. Maar toen wierp ze Elliot een schitterende glimlach toe, en zag ze er plotseling veel jonger uit. Ze liep naar hem toe en trok hem overeind uit zijn stoel, sloeg een arm om zijn middel en trok hem stevig naar zich toe.

'Misschien moet je ook even gaan liggen,' zei ze. Ze liet haar vingers over de achterkant van Elliots dijbenen glijden en liep toen naar de deur.

'Waarom gaan jullie geen spelletje doen?' zei Elliot tegen Taylor. 'Trivial pursuit?'

'Dat haat ik.'

'Scattergories?'

'Vind ik ook niks aan. Al dat soort spelletjes zijn stom,' voegde ze er verveeld aan toe.

'Speel dan een ander soort spelletje. Ik weet het al. Wat dacht je van verstoppertje?'

'Wat dacht je van over mijn lijk?' was haar weerwoord.

Michael glimlachte achter zijn hand.

'Verstoppertje is een spelletje voor kleine kinderen,' riep ze uit.

'Dat weet ík zelfs,' zei Simon. 'Bij ons op school spelen alleen kleine kinderen verstoppertje en anders niemand, want het is veel te makkelijk en helemaal niet zo leuk, niet in vergelijking met al die andere spelletjes die je kunt doen die veel leuker zijn, en –'

'Sardientjes, dan,' zei Elliot.

'Hoe gaat dat?' vroeg Simon.

'Dat weet je toch nog wel, of niet, Taylor? We hebben het een paar jaar geleden in Amerika gedaan.'

Michael kende het spelletje ook. De regels waren niet zo moeilijk. Eén iemand ging zich ergens verstoppen waar genoeg plek was voor de anderen om zich ook te verstoppen. Alle anderen gingen hem zoeken. De eerste die hem vond, verstopte zich dan ook daar. Enzovoort. De verliezer was degene die alle anderen als laatste vond.

'Vijf jaar geleden,' corrigeerde Taylor haar vader. 'Toen ik negen was.'

'Dat bedoel ik,' zei Elliot. 'Toen je even oud was als Simon nu.'

'Ik doe niet mee,' zei ze.

Elliot keek Michael vragend aan. Maar Michael had zijn lesje over partij kiezen tegen Taylor wel geleerd en deze keer keek hij de andere kant op.

'Goed dan,' ging Elliot verder. 'Ik zal het wat interessanter maken. Ik geef degene die zich het langst verstopt vijf pond.'

'Als je er twintig van maakt doe ik mee,' zei Taylor.

Elliot glimlachte, blij dat hij eindelijk zijn zin kreeg, of misschien uit respect voor zijn dochters besluit om te onderhandelen. Michael wachtte ongeduldig op wat Elliot nu zou zeggen. Twintig pond was veel geld. Michael kreeg van zijn moeder twee pond per uur voor koken en afwassen in de kroeg. Dit was dus een kans om in een mum van tijd te verdienen waar hij anders tien uur hard voor moest werken. Elliot hoefde alleen maar ja te zeggen.

De oude Thorne draaide zich om in zijn stoel om te kijken wat er gebeurde.

'Vijftien,' zei Elliot. Hij pakte een clip opgevouwen briefjes uit zijn broekzak en likte de top van zijn vingers om de briefjes te tellen.

'Zeventien-vijftig,' zei Taylor.

Elliot dacht even na en zei toen: 'Goed.'

'Magnifiek,' zei Simon en balde zijn vuist in de lucht. 'Dat is een hoop. Daar kan je stapels spullen van kopen. Speelgoed, stripboeken, snoepjes, chips en dan heb je nog geld over voor iets anders. Misschien een spel. Of – '

'Michael?' vroeg Taylor.

'Ik doe mee,' zei hij gedecideerd. Wat deed het ertoe of sardientjes een kinderspelletje was? Geld was geld, zo simpel was het. Ze besloten om het spelletje drie keer te doen zodat ze konden zien wie er gewonnen had. Ze zouden zich ieder om de beurt verstoppen en degene die zich het langste verstopt had voordat de andere twee hem vonden, kreeg het geld. Ze trokken lootjes over wie als eerste zou gaan, en Michael had het kortste, dus moest hij zich als eerste verstoppen. Taylor en Simon bleven in de keuken en Simon begon tot honderd te tellen.

Hoewel hij vastbesloten was om het geld te winnen, wilde Michael wel cool blijven, en hij liep langzaam de keuken uit. Heel zachtjes ging hij de trap op, zonder de treden te laten kraken, anders zouden ze meteen weten dat hij naar boven was gegaan.

Hij kende de weg in het huis behoorlijk goed, hij was hier zo vaak geweest. Vanaf de overloop boven aan de trap waren er twee gangen met elk drie slaapkamers. Er ging ook nog een trap naar de zolder. Michael ging de linkergang in, aan de zachtgele wanden hing een rij ingelijste zwartwitfoto's.

Een deel van hem wilde hier altijd graag wonen, zelfs al voordat zijn vader weg was gegaan en Roddy bij hen was komen wonen. Hier rook het niet naar verschaald bier of oude asbakken zoals hij thuis gewend was. De drukte van het gewauwel in de kroeg waarmee Michael was opgegroeid was hier ook prettig afwezig. Hier voelde het privé, niet openbaar, zoals bij hem thuis meestal.

Michael stopte bij de tweede slaapkamerdeur. Als hij het zich goed herinnerde, was dit de kamer waar de ouders van Simon altijd sliepen. En aangezien die beneden waren (David in de keuken; Stephanie en Nat in de tv-kamer), dacht Michael dat ze het niet erg zouden vinden als hij zich daar verstopte. Hierboven, weg van Taylor en Simon, vond hij het nog belachelijker dat hij verstoppertje speelde. Maar hij maande zichzelf om aan het geld te denken en de rest te vergeten.

Meteen toen hij de kamer binnenstapte en de deur achter zich sloot, wist hij dat hier volwassenen logeerden. Het was onberispelijk. Er slingerden geen kleren op de grond, er stond geen stereotoren en er lagen geen computerspelletjes. Michael keek de kamer rond, op zoek naar een verstopplek, niet onder het bed, niet in de antieke kast en niet achter de crèmekleurige gordijnen, want dat was te voor de hand liggend.

Er was nog een tweede deur aan de andere kant van de kamer, naar de *en suite* badkamer waarschijnlijk, dacht hij. Hij wilde net naar binnen gaan om te kijken, toen hij een dekenkist van blank dennenhout tegen de bladderende witgekalkte stenen muur zag staan. Ze was een meter diep, een meter breed en anderhalve meter lang.

Hij maakte haar open en zag dat ze leeg was. Er was niet veel plek, maar genoeg voor twee mensen, en meer deden er niet mee aan het spelletje. Hij klom erin – voelde zich een beetje een sul, maar niet zo erg dat hij de kans op wat extra geld wilde opgeven – en vroeg zich af wat er zou gebeuren als Taylor hem eerst zou vinden. Zou ze er bij hem inkruipen? En dan? Wat zou er gebeuren als ze hier met zijn tweeën in het donker lagen? Zou het dan nog een kinderspelletje zijn?

Het werd donker toen hij het deksel over zijn hoofd naar beneden trok, maar niet helemaal pikzwart. Er zat een rij ronde ventilatiegaatjes voor in de kist, net onder de rand van het deksel. Hij ging verzitten en leunend op zijn elleboog kon hij door een van de gaten de lege kamer inkijken.

De geur van lavendel drong zijn neusgaten binnen. Hij kon zijn eigen ademhaling horen en moest eraan denken hoe hij eerder die dag in de vluchttunnel had gestaan. Hij huiverde. Die plek joeg hem de stuipen op het lijf en hij hoopte dat Taylor van gedachten zou veranderen en geen zin meer zou hebben om nog een keer terug te gaan.

Er klonken voetstappen in de gang. De slaapkamerdeur vloog open en sloeg hard tegen de klerenkast.

'Oooo, Miiii-chaellll,' riep Simon met een spookstem toen hij de kamer binnenkwam. 'Ben je hiiiiier?'

Michael keek door de gaatjes en zag hoe Simon op het bed af liep, op zijn knieën ging zitten en eronder keek. Hij kwam weer overeind en keek de kamer rond. Michael verstijfde. Niet omdat Simon hem gezien had, maar omdat Michael iets anders had gezien. Achter Simon ging langzaam de badkamerdeur open en kwam Isabelle naar buiten.

Ze had een witte badjas aan, netjes vastgeknoopt om haar middel. Haar blonde haar was nat en uit haar gezicht gekamd, en zag er donkerder uit dan anders. Stoom hing in de deuropening. *O, shit*, dacht Michael, *ik zit in de verkeerde kamer. Ze was daar al de hele tijd, in bad.*

'Wat ben je aan het doen?' vroeg ze. Simon had haar nog niet gezien en hij schrok.

'Ik zoek Michael,' zei Simon stijfjes.

'Michael?'

'We spelen sardientjes,' legde hij uit.

'Nou, hier is hij niet, schatje.'

'Nee, tante Izzy. Sorry, tante Izzy.' Simon liep achteruit naar de deur. 'Ik ga nu in de andere kamers kijken. Tot straks.'

'Doe dat maar, liefje,' riep ze hem na.

Ze maakte de deur achter hem dicht.

Michael wilde het deksel optillen, hoe sneller hij liet weten dat hij hier zat, hoe beter, dacht hij. Maar precies op dat moment maakte Isabelle de knoop los van haar badjas en liet hem op de grond vallen.

Daar stond ze, naakt.

Shit, dacht hij. *Shit, shit, shit, shit, shit...*

Wat moest hij nu in godsnaam doen? Hij probeerde niet in paniek te raken, hij probeerde geen adem te halen, maar daarvan raakte hij nog meer in paniek. Wat als ze hem zou horen? Wat moest hij doen? Hij moest doen wat betamelijk was en er uitklimmen. Hij moest zijn handen voor zijn ogen houden. Als ze hem hier nu vond, was hij de pineut. Hij moest zich verontschuldigen. Maar hij deed het niet, hij *kon* het niet. Hij zou zich doodschamen, dat deed hij nu al.

Dus in plaats daarvan staarde hij alleen.

Hij had nog nooit een naakte vrouw gezien. Niet in het echt, tenminste. En Isabelle leek helemaal niet op de geretoucheerde foto's van strippers die hij op internet had gezien, of de meisjes uit de jaren zeventig, met hun dikke bossen schaamhaar en wijduitstaande kapsels, die in de oude *Playboys* stonden die hij onder zijn bed had verstopt.

Het was bijna shockerend om te zien hoe gewoon Isabelle eruitzag, alsof ze *te* echt was. Maar ze had ook iets moois. En hij haatte zichzelf voor wat hij voelde, dat hij nu behalve Taylor ook haar moeder aantrekkelijk vond. Hij was niet de enige die haar eens goed bekeek. Hij zag dat ze zichzelf onderzoekend aankeek in de lange spiegel op de klerenkast. Ze volgde de lijnen op haar gezicht met haar vingers en raakte de rimpeltjes rond haar ogen aan. Toen ging ze zijdelings voor de spiegel staan, niet bewust dat ze zich naar hem toedraaide en hij zag hoe ze haar buik introk. Ze legde haar handen als kommetjes om haar borsten heen en duwde ze tegen elkaar, zodat de gleuf ertussen donkerder en dieper werd. Haar huid was nog roze van het bad. Hij staarde naar het netjes geschoren verticale lijntje blonde haar tussen haar benen.

Toen hoorde hij voetstappen. De slaapkamerdeur ging met een klik open.

Isabelle wilde haar badjas pakken maar liet hem liggen toen ze zag wie het was. Michael werd nog nerveuzer. Het was niet Simon, of Taylor, zoals hij verwacht had. Het was Elliot die nu de slaapkamer binnenkwam en de deur achter zich dichtdeed.

'Ik had al gehoopt dat je zou komen,' zei Isabelle.

'Ik dacht dat jij in bad zat.'

'Zat ik ook. Maar Simon kwam me storen. Hij was hierbinnen iets aan het uitspoken.'

'*Mea culpa.* Ik heb ze wat geld beloofd voor een spelletje. Ondeugend, weet ik, maar ik had er alles voor over om te zorgen dat Taylor ophield met dat stomme irritante deuntje te neuriën.'

'Ze weet wat ze wil.'

'Net als haar moeder, hè?' zei Elliot.

Hij wilde om het bed heen lopen, waar Michael een open tas op de grond kon zien liggen, maar Isabelle ging precies voor hem staan, en blokkeerde zijn weg.

'Weet je wat ik nu wil?' vroeg ze.

Hij keek haar uitdrukkingsloos aan.

'Jou,' zei ze tegen hem.

'En de kinderen dan?' vroeg Elliot. 'Misschien komt een van hen zo weer binnenlopen.'

'Vast niet,' zei ze. 'Maar als je je daar zorgen over maakt, doe je toch gewoon de deur op slot?'

Michael kon niet geloven wat er gebeurde, en al helemaal niet wat er misschien nog ging gebeuren. Als ze hem hier nu vonden, zou hij voor altijd zijn gezicht verliezen. Hij zou nooit meer met hen of met Taylor durven praten, of zelfs maar aan te kijken.

Isabelle ging dicht bij Elliot staan en drukte zich tegen hem aan, maar Elliot zette snel een pas achteruit.

'Ik kan nu niet,' zei hij. 'Zeg, waar is mijn trui eigenlijk. Ik heb David beloofd dat ik hem zou helpen om hout uit het schuurtje te halen.'

'Maar Elliot...'

Maar Elliot had zich al voor zijn tas neergeknield. Hij vouwde een vale groen met wit geruite trui open. 'Het is ijskoud buiten. Ik zou me zo rot voelen als ik het hem alleen liet doen.'

Isabelle raapte haar badjas op van de vloer.

'Kom dan daarna naar boven,' zei ze. 'Het duurt vast niet lang. Ik wacht wel.'

Elliot grijnsde. 'Ik denk dat Stephanie het avondeten zo gaat klaarmaken, schatje.' Hij kuste Isabelle op haar voorhoofd. 'Ik zie je beneden, oké?' zei hij.

Isabelle knikte en keek hem na. De deur van de slaapkamer klikte dicht. Ze stond daar en staarde hem zo lang na dat Michael zich afvroeg of ze in slaap was gevallen.

Toen ze zich weer bewoog, leek het alsof ze zichzelf uit een trance losschudde. Ze ging op het bed zitten en tilde haar badjas op naar haar gezicht en beet erin. Haar hele lichaam spande zich en begon te trillen.

Ze deed haar handen naar beneden en hij zag haar gezicht. Het was verwrongen van de pijn, de tranen stroomden over haar wangen. Ze kneep haar ogen stijf dicht en stond op. Ze liep naar de badkamer en trok de deur achter zich dicht.

De armen en benen van Michael waren verkrampt. Maar hij moest zich bewegen. Dit was zijn kans. Nu. Hij duwde het deksel van de dekenkist naar boven. Hij keek naar de deurklink van de badkamer en hoopte vurig dat die niet naar beneden zou gaan. Hij stapte uit de kist en liet het deksel naar beneden zakken. Zachtjes, langzaam, liep hij naar de deur van de slaapkamer. Zodra hij er was, verdween zijn voorzichtigheid. In een wip stond hij buiten. Op het moment dat hij de deur dichttrok, kwam Taylor de hoek van de gang om. Ze bleef stokstijf staan, vouwde haar armen over elkaar en keek hem strak aan.

'Waar ben jij verdomme geweest?' vroeg ze. 'Ik heb je overal gezocht.' Ze zag dat hij nog steeds de deurklink vasthad. 'Zat je daar?' vroeg ze. 'In de kamer van pap en mam?'

'Nee.'

'Ik had net mijn hoofd naar binnen gestoken om te kijken of jullie twee daar waren,' ging hij verder. 'Maar er is niemand. Ik dacht dat jullie je misschien ook verstopt hadden, om een grapje uit te halen.'

Ze bekeek hem van top tot teen. 'Waarom bloos je?' vroeg ze.

'Ik bloos niet. Ik heb het gewoon warm.'

'Kom, we gaan Simon zoeken,' zei ze, 'er valt nog geld te winnen.'

Ze liepen naast elkaar en ze boog haar hoofd naar hem toe.

'Je stinkt naar bloemen,' zei ze. 'Lavendel of zoiets. Hoe zit dat met jou?' vroeg ze. 'Ben je een flikker of zo?'

Hoofdstuk 11

Kellie glipte door de deur van *The Windcheater*, voorzichtig zodat de klink geen geluid maakte. Ze ademde in en verstopte zich achter het dikke fluwelen gordijn. Ze trok het een klein beetje opzij, zodat ze kon zien wat er zich binnen afspeelde. Ze wilde geen risico's nemen, ze moest zich ervan vergewissen of de kust veilig was, en dat Elliot, of een van zijn familieleden, niet toevallig naar de kroeg was gekomen. Niet dat ze haar zouden herkennen, bedacht ze, zelfs als ze hier wel waren.

Maar alles leek veilig. De muren waren versierd met rode en gouden slingers en een elektronisch rendier met slee sprong over de twee ramen aan de voorkant. Repen zilverpapier versierden de lage balken. De vloer was bedekt met linoleum en er stonden grote ronde tafels. Naast het knappend haardvuur waren twee mensen darts aan het spelen.

Ze wist dat ze zich aanstelde, maar toch, ze was maar een kilometer van Elliots verblijfplaats vandaan. Het sneeuwde nog steeds buiten, dus hij zou in elk geval niet hiernaartoe onderweg zijn nu, hoopte ze. Zou hij flippen, vroeg ze zich af, als hij wist dat ze hier was? Een deel van haar zou hem nu graag tegen het lijf lopen, in zijn armen vallen, om uit te leggen wat er gebeurd was en hoe bang ze was geweest. Maar ze wist ook dat hij woedend op haar zou zijn en dat hij niet veel begrip voor haar zou hebben.

En hij zou ook het recht hebben om boos te zijn. Ze had op St. John's moeten blijven. Ze had nooit aan boord van dat bootje moeten stappen. Ze herinnerde zich de woorden van Ben toen ze waren weggesneld van St. John's richting open zee. 'Hou je vast,' had hij gezegd. 'Het wordt een ruwe overtocht.' Toen had ze nog niet geweten wat een accurate voorspelling dat bleek te zijn.

Sally, de waardin, die Kellie al had ontmoet, stond achter de bar. Ze had een zwarte polotrui aan met een knipperende kerstmanbroche op haar volumineuze boezem en was bezig de glazen op te poetsen. In de plastic asbak op de bar voor haar lag een brandende sigaret. De rook kronkelde naar een rij tinnen bierkroezen die aan haakjes boven haar hoofd hingen. Door de open keukendeur achter haar was het liedje op de radio te horen dat Kellie gisteren zo afschuwelijk had gevonden, een a capella versie van een Motown klassieker uit de jaren zestig, gespeeld door een jongensband gekleed in jasjes met bontkraagjes, dat op nummer één stond. Vandaag vond ze de muziek wel geruststellend.

Ben stond bij de mobilofoon aan de ander kant van de bar. Hij glimlachte onzeker naar Kellie toen ze binnenkwam, maar ze glimlachte niet terug. Ondanks wat ze samen hadden doorgemaakt, waren ze nog steeds vreemden voor elkaar. Erger nog, dacht ze. Hij had tegen haar gelogen over wie hij was, over wat hij deed. Ze wist minder dan niets over hem en dat maakte het belachelijk dat ze hier samen waren. Ze raakte in de war van Ben. Ze wist niet of ze boos op hem moest zijn, of dankbaar. Door hem waren ze bijna verongelukt, maar hij had hen ook het leven gered.

Sally glimlachte ook naar haar en kwam achter de bar vandaan. 'Alles goed hiernaast?' vroeg ze. 'Voel je je al beter? Passen de kleren?'

'Ja, dank u wel,' zei ze en vroeg zich af hoe ze Sally ooit zou kunnen terugbetalen voor haar goedheid. De kleren waren warm en droog, hoewel de velours sweater en de stretch spijkerbroek waarschijnlijk de vreselijkste modeartikelen waren die Kellie ooit aan had gehad. En trouwens, ze hoefde voor niemand mooi te zijn. Ze realiseerde zich dat dit de eerste keer was dat ze in een kroeg was zonder make-up op.

Ze glimlachte terug naar Sally en boog zich instinctief naar voren om haar een kus te geven. De waardin rook naar sigaretten en goedkope parfum. Ze deed Kellie aan haar moeder denken.

Het leek plotseling helemaal niet zo'n slecht idee om kerst met haar moeder in Parijs door te brengen, dacht Kellie. Daar kende ze tenminste mensen. En ook al konden Kellie en haar moeder het niet altijd goed vinden, ze hield wel van haar. En wat nog belangrijker was, Kellie kon er zichzelf zijn. Dat ging hier niet.

'Roddy heeft tomatensoep gemaakt,' zei Sally en wenkte Kellie naar een klein tafeltje naast het haardvuur. 'Het komt uit blik, maar het zal je lekker opwarmen. Ik ga het even halen.'

Kellie vroeg zich af of er iemand in de kroeg bij haar om de hoek zo vriendelijk zou zijn geweest. 'U bent een engel,' zei ze, en ging zitten. Sally liep terug naar de bar.

Kellie voelde zich raar. De storm buiten was krankzinnig geweest, maar hier was alles normaal en spookachtig stil, als een vacuüm. Alsof het nooit echt gestormd had. Maar dat had het natuurlijk wel. En nu was ze hier gestrand.

Kellie en Ben waren een paar uur geleden bevroren en onder de modder aangekomen en door de kroegdeur gestrompeld, hun gezichten en handen stijf van de kou. Sally had hen binnengelaten en gauw voor het haardvuur gezet. Kellie was zo kwaad geweest op Ben, woedend dat hij hen hierheen had gebracht, woedend dat ze verdwaald waren en woedend op zichzelf dat ze zo stom was geweest.

Ze had zichzelf proberen gerust te stellen met de gedachte dat ze in ieder geval niet meer buiten was. Ze hadden het in ieder geval gered zonder gewond te raken of medische hulp nodig te hebben, maar ze had bijna moeten huilen toen Ben aan Sally en Roddy had uitgelegd wat er gebeurd was. Ben wilde nog steeds naar de boot terug om hem te repareren, maar Roddy had hem gezegd dat hij dat beter kon vergeten. Het zou straks donker zijn, had hij gezegd. Ze zouden het morgen opnieuw proberen. Ben had zich druk gemaakt, zei dat hij hun gastvrijheid niet wilde misbruiken met Kerstmis en dat hij Kellie terug moest brengen. Maar Sally had eens naar Kellie gekeken en haar besluit stond vast. Ze konden in het gastenverblijf overnachten, had ze gezegd. Roddy had tegen Ben gezegd dat ze gelijk had. Ze hadden geen keus, ze moesten wel op Brayner blijven vannacht. In dit weer zou geen enkele boot hen willen komen ophalen.

Kellie had schoorvoetend toegegeven. Het vooruitzicht om weer naar buiten te gaan stond haar tegen, ze wilde alleen opwarmen. Het gastenverblijf bleek een rij kleine vakantiehuisjes te zijn, met één slaapkamer, een piepkleine badkamer en een keukentje. Sally verhuurde ze in de zomer, maar nu was er niemand en ze waren bezig het dak te repareren. Sally had hun het huisje gegeven

dat het dichtste bij was en zette de elektrische verwarming aan.
Behalve wat kleren had ze Kellie ook een paar warme wandelsok-
ken en oude gymschoenen gegeven.
'Heb je je ouders kunnen bereiken?' vroeg Kellie aan Ben, toen
hij de mobilofoon neerlegde en bij haar aan tafel kwam zitten. In
de warmte hier was het bijna niet te geloven dat ze ooit echt in gevaar waren geweest. Maar dat waren ze wel. En hij had hen eruit
gehaald. Ze waren er samen uitgekomen.
'Ja,' zei hij. 'En je hotel ook. Om hen te laten weten dat je in veiligheid bent.'
Ze vroeg zich af of Elliot haar zou bellen en erachter zou komen dat ze verdwenen was. Zou hij te weten komen dat ze op het
eiland was? Zou hij zich zorgen over haar maken? Maar het maakte niet uit, dacht ze. Ook als hij zou weten dat ze hier was, zou hij
het niet riskeren om haar te komen opzoeken. Hij had net zo goed
honderden kilometers van haar vandaan kunnen zitten.
'Dank je. Hoe gaat het met je handen?'
'Wel goed nu,' zei hij en liet ze aan haar zien. 'En jij?'
'Veel beter,' zei ze.
Ze schaamde zich plotseling. Ze vroeg zich af of hij boos op
haar was dat ze hem uitgescholden had toen ze verdwaald waren.
Tegelijkertijd vroeg ze zich af of ze nog steeds boos op hem moest
zijn dat hij gelogen had. Toen ze hier net waren aangekomen was
ze zo kwaad op hem geweest dat ze hem nauwelijks aan had kunnen kijken toen Sally hun het gastenverblijf liet zien.
Ben had een trui aan van acryl met een bontgekleurde eland erop, die vast van Roddy was. Ze vond het egoïstisch van zichzelf dat
ze de eerste douche had genomen en niet eerder had gevraagd of
het wel goed met hem ging.
'Staat je goed,' zei ze.
'O, de trui. Ja, nou, het is onderdeel van een nieuwe modereeks
die ik heb bedacht. Het heet De Draad van Gisteren, ofwel Vête-
ments d'Hier, zoals de Franse titel zal luiden.'
Haar lippen vormden zich tot een glimlach.
'Ik heb het er al met Jean Claude Gautier over gehad,' ging hij
verder, 'en hij overweegt om het in zijn wintercollectie op te nemen, ofwel Collection d'Hiver, zoals hij zou zeggen. Nu je het zegt

trouwens,' voegde hij eraan toe, 'wat jij nu aanhebt, zou mooi in de reeks dameskleding passen.'

Hij was dus niet kwaad op haar. Nou, dat was tenminste iets.

'Kijk eens,' zei Sally en liep naar hen toe met twee grote kommen dampende rode soep. 'Hier zullen jullie van opknappen.'

Sally zette de kommen neer en liet hen alleen. Het was even onaangenaam stil.

'Ben, het spijt me,' zei Kellie. 'Dat ik zo boos op je was daarstraks.'

Hij schudde zijn hoofd. 'Het was mijn schuld. Allemaal. Dat ik je hierheen heb gebracht...'

'Niemand heeft me gedwongen om in die boot te stappen. Ik had niet zo grof moeten zijn. En bedankt dat je ons veilig hierheen hebt gebracht.'

Ze keek hoe hij at, maar haar eigen eetlust had haar in de steek gelaten. Ze voelde zich nog steeds opgelaten.

Ben zag haar met haar lepel draaien.

'Geen honger?' vroeg hij.

Misschien kon ze hem beter vertellen wat er in haar gedachten speelde. Het had geen zin om te doen alsof het haar niets kon schelen.

'Waarom heb je me niet gezegd dat je uit Londen komt?' vroeg ze.

'Maakt dat dan wat uit?'

'Nee, niet echt. Ik vroeg me alleen af waarom je niets hebt gezegd.'

'Ik dacht dat jij zo'n typisch stadsmens was en ik wilde je toeristische ervaringen niet verpesten. Daarom komen mensen toch hiernaartoe? Voor een beetje plattelandssentiment?'

'Misschien...'

'En trouwens,' voegde hij eraan toe, 'je was zelf ook zo mysterieus, zo... over wat je hier in je eentje deed... nou ja, het was een beetje een spelletje, dus ik dacht dan creëer ik ook een beetje mysterie voor mezelf, dan staan we tenminste gelijk...'

Ze merkte dat hij haar aankeek om te zien hoe ze reageerde, dat hij ook van haar antwoorden wilde, maar ze ging er niet op in.

'Maar het spijt me,' ging hij verder. 'Ik had je niets wijs moeten

140

maken. Niet nu ik je iets beter ken.'

'En wat denk je dan precies van mij te kennen?'

'Dat je een Australische bent met veel pit.'

'Pit?'

'Dat zegt mijn moeder altijd. Je was vandaag erg moedig. Het was vreselijk daarbuiten. En ik geloof wel degelijk dat je mensen in tijden van crisis pas echt leert kennen, zoals men zegt. Vergeef je me?' vroeg hij.

Ze rilde en moest er weer aan denken hoe hij zijn leven voor haar in de waagschaal had gelegd, daar op die rots.

'Ik weet niet. Hoe kan ik weten of al het andere wat je me verteld hebt geen leugen is?'

'Het is geen leugen. Echt niet.' Hij glimlachte. 'Hoewel dit natuurlijk ook een leugen zou kunnen zijn.'

Ze schoot gefrustreerd een bierviltje naar hem toe. 'Ik bedoel het serieus,' zei ze.

'En ik ook. Al het andere dat ik heb verteld is waar.'

'Alles?'

'Tuurlijk.'

'Zoals bijvoorbeeld' – ze zei het eerste wat in haar hoofd opkwam, 'ik weet niet... wat je me in het hutje hebt verteld, dat je gescheiden bent... is dat echt waar?'

Maar hij kreeg geen kans om antwoord te geven. Een enorme man stormde de kroeg binnen en bracht een vlaag koude lucht met zich mee. Hij schudde de sneeuw uit zijn haar en van zijn schouders.

'Krijg nou wat,' riep Ben. 'Heeft iemand een camera bij zich? Ik heb net een yeti gezien!'

'Ben!' riep de man, en hief zijn reusachtige handen in de lucht. Zijn wangen waren rood. Hij had een regenjas aan en een kerstmuts op. 'Kijk uit,' ging de man verder, 'de werkeloze miljonair is weer terug. Jij betaalt de drankjes, hè rijke stinkerd?'

Kellie staarde voor zich uit, ze wist niet zeker of ze het goed gehoord had. Werkeloze *wat*?

Ben keek haar aan en rolde met zijn ogen. 'Hallo Jack,' zei hij tegen de man. Hij stond op en liet zichzelf omarmen.

Kellie liet de informatie even zakken. Alles wat ze over Ben ge-

dacht had – over hem had aangenomen – was helemaal verkeerd.
'En wie is dit?' zei Jack en glimlachte naar Kellie.
'Kellie. Een vriendin,' zei Ben.
Vreemd genoeg voelde ze zich erg gevleid door die omschrijving.
'En een mooie ook nog. Soms is het toch wel gunstig om te scheiden, hè?'
'Zie je wel!' zei Ben tegen Kellie. 'Ik zei toch dat ik de waarheid vertelde.' Hij draaide zich weer naar Jack. 'Vind je het goed als ik dit even opeet?' zei Ben en wees naar de soep. 'Dan kunnen we daarna bijpraten.'
'Oké,' knikte Jack. Hij reikte zijn armen uit naar de bar. 'Sally, mijn engel. Gelukkig kerstfeest.'
'Jack! Ik maakte me al zorgen dat er niemand zou komen vandaag. Hoe is het daarbuiten. Sneeuwt het nog?'
'Niet meer zo hard en de wind is ook gaan liggen. Zo meteen loopt het hier vol. Kom nou eens hier en geef je beste klant een zoen.'
Kellie keek het tafereel even aan en slurpte van haar soep.
'Iedereen kent elkaar hier,' zei Ben. Hij bloosde.
'De werkeloze miljonair?'
'Eh, ja. Dat...'
'Nog meer waarheid?'
'Zo ongeveer.'
'Zo ongeveer wat?'
'Mijn vrouw – mijn ex-vrouw – Marie... we hadden vroeger een bedrijf. Nou ja, het liep behoorlijk goed en we hebben wat geld verdiend, maar om kort te gaan, ik was niet erg gelukkig. En dus heeft ze me uitgekocht. Ik heb het geld pas onlangs gekregen. Maar miljoenen is een beetje overdreven. Tenzij je in roepies rekent. Niet genoeg om te stoppen met werken, maar het is genoeg om iets nieuws mee op te zetten. Hoewel ik geen idee heb wat. Trouwens, ik weet niet hoe Jack Leeson dat te weten is gekomen.'
Marie. Het was de eerste keer dat Kellie haar naam hoorde. Het was alsof ze een stukje van een puzzel gevonden had en het maakte haar erg nieuwsgierig. Ze had hem zo totaal verkeerd ingeschat.

'Wat voor bedrijf? Je zei media, of niet? Toen we in de storm zaten...'

'Het stelde niet zoveel voor – we zetten de homevideo's van mensen om in echte filmpjes. Met muziek en alles. Maar we gebruikten de juiste apparatuur zodat het er professioneel uitzag.'

'Goed idee, zo te horen.'

'Dat was het ook, maar Marie vond er na een poosje niets meer aan om filmpjes te maken van de kinderen van andere mensen. Ze liet zich verleiden door het bedrijfsleven. Ze wilde een corporatie opzetten. Videocursussen maken. Allemaal saaie dingen. Ik wilde het graag simpel houden. Ik wilde gewoon mensen gelukkig maken, hen laten glimlachen.'

'En zij niet?'

'Nee. Mij liet ze in ieder geval niet glimlachen.'

'Ik snap het al.'

'Het zit ingewikkeld in elkaar,' zei Ben.

'Vind je het niet triest? Dat je het hebt laten zitten?'

'Niet echt. Het ging nooit om het geld. Het ging over mij en Marie. Toen het tussen ons voorbij was, was de rest ook voorbij.'

Hij dronk het laatste restje uit zijn bierglas.

'Nog een?' vroeg ze.

Aan de bar wachtte Kellie tot Sally naar haar toe zou komen om de bestelling op te nemen. Ze keek om naar Ben, die nu werd begroet door een paar nieuwe mensen die waren binnengekomen. Het weer was zeker aan het opklaren buiten, dacht ze. Het dorp werd langzaam wakker. En zij ook. Langzaam begon het te dagen wie en wat Ben werkelijk was.

Ze stond perplex van wat hij over Marie en het bedrijf vertelde. Het klonk allemaal zo zwart-wit. Ze kon het niet geloven. Ze wist uit bittere ervaring hoe gecompliceerd het leven in werkelijkheid was. Was hij echt helemaal over Marie heen, zoals hij wilde doen geloven? Was het echt zo gemakkelijk voor hem geweest om de boel in de steek te laten? Ze vroeg zich af hoe oud Marie was en hoe ze eruitzag. Ze schrok ervan dat haar dat plotseling iets uitmaakte.

Sally was aan de mobilofoon. Ze glimlachte en stak een vinger op om Kellie te zeggen dat ze even moest wachten.

'En alles is goed met Michael?' hoorde Kellie haar zeggen. 'Oké, oké...'

Sally legde haar hand over het mondstuk en fluisterde naar Roddy: 'Gerry Thorne zegt dat Michael nog steeds bij Taylor is. Maar hij komt zo terug.'

Roddy glimlachte. 'Hij en die Taylor! Nou, goed om te horen dat hij op een veilige plek is.'

Sally keerde zich weer naar de telefoon. 'Bedankt,' zei ze.

Kellie had haar oren gespitst toen ze de naam Thorne had horen noemen. Het was duidelijk dat Sally en haar man Roddy de Thorne-familie kende. En hun zoon Michael, waar Sally al iets over had gezegd toen ze hier aankwamen, was bevriend met de dochter van Elliot. Goed bevriend zelfs, zo te horen.

Kellie had zich Taylor altijd voorgesteld als een geïsoleerd, eenzaam, braaf klein meisje, maar de gedachte dat ze hier vrienden had, verontrustte haar. Door zo verbonden te zijn met het eiland en met elkaar, leek de familieband van de Thornes op de een of andere manier veel sterker dan ze had gedacht.

De korte, irrationele aandrang om haar eigen connectie met de Thornes bloot te geven, kon ze onderdrukken. Hoe zouden ze met haar omgaan, vroeg ze zich af, als ze zouden weten van haar verhouding met Elliot? En wat zou de familie van Elliot denken als ze hier werd ontdekt? Hoe zouden ze reageren als ze erachter kwamen wie ze werkelijk was?

En nog erger, hoe zou Ben reageren, als ze het hem zou vertellen? Zou hij zich gebruikt voelen of bedrogen? Ze wist dat hij het heel erg vond dat hij haar in deze situatie had doen belanden. Hij dacht dat zij een onschuldige toerist was, maar hoe zou hij zich voelen als hij wist dat ze hierheen gekomen was vanwege Elliot? Alleen omdat ze zelf zo graag een glimp had willen opvangen van de plek waar haar geliefde verbleef?

Kellie bestelde nog twee drankjes van Roddy.

Sally kwam naar haar toe. 'En ga je nu een liedje voor Roddy zingen?' vroeg ze. 'Hij gaat zo de karaoke-installatie halen, omdat het Kerstmis is. Er komen straks veel meer mensen, nu het weer tot bedaren is gekomen. En als je hier bent, moet je meedoen.'

'O nee. Ik kan helemaal niet zingen.'

'Dat kan niemand. En daar gaat het om. Het is gewoon voor de lol.'

Ondanks het weer had Jack gelijk. Het leek alsof iedereen in het dorp zich door de sneeuw had geploegd om hierheen te komen en zich te amuseren. Het duurde niet lang voordat de kroeg gonsde van het gelach en de kerstmuziek. Er waren minstens dertig mensen in de kleine bar. De ruimte gloeide van de fonkelende kerstlichtjes.

Opnieuw maakte Kellie zich ongerust dat Elliot binnen zou komen. Maar opnieuw zei ze tegen zichzelf dat dat niet zou gebeuren. Hij was hierheen gekomen om bij zijn familie te zijn. Daar was het hem om te doen. De kroeg was wel de laatste plek waar hij zou zijn op kerstavond. En zeker niet een kroeg die zich toelegde op karaoke. Daar kon Elliot helemaal niet tegen.

Algauw verhuisden Kellie en Ben naar een grotere tafel waar een hele club eilandbewoners zat te drinken. Het gesprek vervloeide tot een stroom van grappen en plagerijen, en een poosje later, toen Kellie in de rij ging staan om meer drankjes te bestellen, merkte ze dat haar wangen kramp hadden van het lachen.

Het leek allemaal zo ontspannen en open, dacht ze. Zo zouden feestjes in de kroeg eigenlijk altijd moeten zijn. Het deed haar denken aan toen ze student was in Sydney. De mensen hadden elkaar geaccepteerd zoals ze waren. Niemand had de behoefte om zich te bewijzen.

Ze besefte dat ze zich zolang ze zich kon herinneren niet zo opgenomen had gevoeld door mensen van haar eigen leeftijd, en al helemaal niet door oudere mensen. Er was een tijd geweest dat ze uitging met haar leeftijdgenoten na werktijd, maar sinds ze met Elliot was, ging ze niet meer uit met anderen. Tussen haar en Elliot was het altijd intiemer, niet zo vrijblijvend en snel zoals dit, en niet – durfde ze dat zo te zeggen? – lang niet zo spontaan en grappig.

Ze hadden het allemaal over Kerstmis toen ze bij de tafel terugkwam met een dienblad vol drankjes.

'Ik hou van de cadeautjes en zo, en van de opwinding,' zei Ben, glimlachend naar Kellie. Hij schoof een stukje op om plaats te maken op het bankje. Ze ging naast hem zitten. 'Ik kan bijna niet wachten tot ik zelf kinderen heb om te verwennen.'

Kellie keek naar Ben en voelde een opwelling van jaloezie, of was het spijt? Het was zo verfrissend om een man tegen te komen die kinderen wilde. Zoals hij het zei klonk het zo eenvoudig en zo onvermijdelijk. Was dat voor haar ook maar zo. Ze had het er met Elliot nog niet eens over gehad.

Ze liet haar blik afdwalen naar Toni, wier baby Oliver dicht tegen haar aan genesteld lag, zijn gezicht lekker warm begraven in haar nek. Wat als Kellie zelf daarvoor nooit de kans zou krijgen?

'Ach, kom nou. Denk je niet dat dat gewoon doorgedraaide commercie is? Dat denkt toch iedereen,' zei Jed, een van de jongens die bij Ben op school hadden gezeten. Ze dacht tenminste dat hij Jed heette. Het was moeilijk om al die nieuwe namen te onthouden.

'Nee, ik vind het prima dat iedereen eropuit moet om te gaan winkelen en over anderen na te denken. Daar gaat het om. Bij elkaar zijn,' zei Ben. 'Denk je ook niet, Kellie? Je houdt toch ook van Kerstmis, of niet?'

Kellie dacht aan haar iPod met kerstliedjes. Kerstmis was hier duidelijk een heel andere ervaring dan in Londen, waar je er alleen maar cynisch van werd. Ze voelde hoe haar anti-kerst-houding aan het wankelen kwam door het enthousiasme van Ben.

'Best wel,' zei ze.

'Je bent altijd al zo'n softie geweest, Ben. En jij dan? Waarom ben jij hier met kerst?' vroeg Jed aan Kellie.

'Dat is een lang verhaal,' zei ze, niet van plan om uit te wijden.

'Wij houden van lange verhalen,' zei Toni. Ze draaide haar nek om te kijken of Oliver nog sliep en pakte haar glas bier.

'Eigenlijk...' Kellie keek de kring van gezichten rond, ze vond hen allemaal aardig omdat ze geïnteresseerd waren en haar het gevoel gaven dat ze erbij hoorde. Ze wou dat ze eerlijk kon zijn. Maar in plaats daarvan zei ze: 'Ik heb een soort vriendje.' Ze meed Bens blik. 'Maar hij is weg en... ik weet niet... ik vond het stom om iets zonder hem te organiseren, dus ben ik spontaan hierheen gekomen, om er even uit te zijn, en nu ben ik dus hier beland.'

Een soort vriendje! Waarom had ze dat gezegd, vroeg ze zich af. Waarom had ze de waarheid zo aangepast dat het bijna een leugen was? Ze gluurde naar Ben om te kijken wat hij dacht, maar ze kon niets aan hem aflezen.

'Wat voor soort vriendje is dat?' zei Toni tegen de anderen. 'Wie laat er zo een nou alleen met kerst?'

Kellie glimlachte. 'Ja, dan kan je van alles overkomen.'

'En je familie dan?' vroeg Ben. 'Missen zij je niet?'

'Mijn ouders zijn in het buitenland, dus ik zou sowieso alleen zijn geweest.'

'Nou, maak je maar niet druk, liefje, dit wordt een kerst om nooit te vergeten, zo te zien,' zei Erin, een van de oudere vrouwen. Ze glimlachte naar haar en gaf Ben een knipoog.

Kellie nam een slok van haar bier en keek naar Ben, gegeneerd door de insinuatie. Waarom had ze het niet fatsoenlijk uitgelegd? Waarom had ze hem niet verteld dat ze verliefd was? Waarom had ze haar relatie als zo luchthartig en onbelangrijk afgeschilderd, terwijl het precies het tegenovergestelde was. Ze keek neer op de tafel en wou dat ze meer had gezegd, maar dat ging nu niet meer.

'Aha!' zei Jed. Roddy stond naast de karaoke-installatie en begon de kroeg toe te spreken.

Het was zeker geen grapje geweest van Sally toen ze had gezegd dat niemand kon zingen, maar het deed er niet toe. Naarmate er meer bier naar binnen gleed, werd iedereen zelfverzekerder. En uiteindelijk moest ook Kellie toegeven aan het onvermijdelijke, en ze zong 'Last Christmas' van Wham!

Misschien kwam het door al dat bier of het glaasje glühwein van Roddy, misschien kwam het omdat Ben haar zo aan het lachen maakte, maar ze kreeg de smaak steeds meer te pakken. Zingend in de microfoon besefte ze dat ze niet meer op kon houden met grijnzen.

Ze grinnikte naar Ben en keek toen de rest van het publiek rond. Ze kon niet geloven wat ze aan het doen was. Wat zouden haar vrienden denken als ze haar nu konden zien? *Wham!* In stretch spijkerbroek? Het was nou niet bepaald het stoerste dat ze ooit had gedaan, maar plotseling kon het Kellie geen moer schelen. Al het sentimentele gedoe met kerst waar ze altijd zo'n afkeer van had gehad, kwam nu als een golf van welbehagen over haar heen. Iedereen zong met haar mee en ze vond het geweldig.

'Special, special,' zong ze, George Michael imiterend met een nichterige echo en meezingend met het instrumentaal intermezzo.

Maar toen bevroor de grijns op haar gezicht. Ze zag Elliot Thorne staan, die haar aanstaarde. Zijn hand lag op de schouder van een lange, blonde tienerjongen. Hij hield de deur voor hem open, maar zijn ogen lieten Kellie geen moment los.

Ze voelde haar wangen branden en stotterde het laatste refrein. Ze zette de microfoon terug en liep terug naar haar stoel. Het applaus negeerde ze. Ze had overal kippenvel, alsof iemand een emmer koud water over haar heen had gegooid.

Allerlei mensen zeiden iets tegen haar. Ben feliciteerde haar en zei iets over het Eurovisie Songfestival, maar ze begreep nauwelijks wat hij zei.

Ze zag hoe Elliot naar de bar liep en Sally groette, die haar zoon omarmde. Dat zal Michael zijn, dacht ze, de zoon van Sally.

Toen draaide Elliot zich om naar Kellie en liep in haar richting. Ze hield haar adem in, haar hart bonsde.

'Hoi, ben jij hier ook,' zei hij. Hij hield zijn zwarte leren handschoenen in zijn hand en keek naar Ben, die op het randje van de bank zat. Elliot had zijn marineblauwe jas aan van kasjmier en maakte zijn chique grijs geruite sjaal los. Zijn zachte wangen waren roze van de kou. In zijn donkere haar zaten wat sneeuwvlokjes. Hij paste niet tussen al deze gewone mensen, hij zag er heel formeel uit, als een begrafenisondernemer op een bruiloft.

Hij keek Kellie kort aan en richtte zich weer tot Ben. Ze herkende die uitdrukking. Het was dezelfde uitdrukking die hij gebruikte als hij een tegenstander van een zijn cliënten ondervraagde.

'O, hallo,' zei Ben. Hij schonk Elliot verder geen aandacht en lachte toen Erin onder luid gejoel het podium opkwam. Uit de karaoke-installatie klonk de intro van 'Merry Christmas Everyone' van Slade, met de rinkelende bellen van een arrenslee.

'Ik dacht dat je terugging naar Fleet Town?' zei Elliot op een toon alsof hij in de war was.

'Ik ben ook teruggegaan. Maar toen moest ik weer hierheen, en nu zitten we vast,' zei Ben verstoord.

'Vanwege het weer?'

'Jep. Hé Kellie, moet je Erin zien,' lachte Ben. 'Ze is nog erger dan jij!'

Elliot knikte en liep weg, duidelijk van zijn stuk gebracht. Kellie wist dat hij het niet gewend was om zo afgewezen te worden, zoals Ben net had gedaan. Ze kon zien dat hij woedend was.

'Dan ga ik maar weer, Sally,' riep Elliot door de muziek heen en wuifde in de richting van de bar. Zijn ogen flitsten langs Kellie.

Kellie zag Elliot de kroeg uitlopen, ze kon nauwelijks ademhalen.

'Weet je, ik ga even naar de wc,' zei ze en stond op. 'Zo terug.'

*

Buiten scheen de maan zo helder als een zoeklicht boven Gotham City. Het sneeuwde niet meer, maar overal lag een dik pak dat het witte licht weerkaatste. De hemel was paars en sprankelde. Zwarte voetafdrukken maakten een patroon op de grond.

Elliot leunde tegen de bakstenen muur in het steegje tussen de kroeg en het wc-gebouwtje buiten. Het leek alsof hij oploste in de schaduw. De rode punt van een sigaret gloeide op en viel door de lucht naar beneden.

Het was ijskoud. Kellie rilde, de kou deed pijn in haar keel. Ze had haar jas niet meegenomen en na al die warmte in de kroeg sneed de ijskoude lucht onmiddellijk door Sally's trui heen.

'Wat doe je hier?' vroeg Elliot en greep haar bij de arm. Door de wolk stoom van zijn adem in de koude lucht kon ze niet zien of hij woedend was of blij. Hij rook naar sigaretten. Ze wist dat hij alleen rookte als hij geagiteerd was.

'Het was een nachtmerrie. We zouden een boottochtje maken en toen zijn we gestrand. En toen moesten we hierheen komen door de sneeuw – '

'Een boottochtje?' onderbrak hij. 'Hoe haalde je het in je hoofd?'

Kellie schudde haar arm los. Ze verbaasde zich over zijn reactie. Na alles wat zij had doorgemaakt.

'Het gaat goed met me, trouwens,' zei ze. 'Het hele land is tot stilstand gekomen door de arctische weersomstandigheden en ik

149

kwam vast te zitten in de ergste sneeuwstorm die ze hier in vijftig jaar hebben gehad. O, en ik ben bijna van de rotsen afgevallen, maar goed, ik heb het overleefd.'

'Blijkbaar. Nou, laat me de pret niet bederven.'

'Elliot,' zei ze. 'Jij hebt me hiernaartoe gehaald...'

'Ik heb je hier niet naartoe gehaald. *Hier* niet.'

Ze bleven allebei even stokstijf staan toen er een man uit het wc-gebouwtje achter Elliot kwam en terugliep naar de kroeg.

'Wat is er met je aan de hand?' vroeg ze, toen het weer veilig was om te praten. 'Ben je niet eens een heel klein beetje blij om me te zien?'

'Jawel, maar...'

'Maar wat?'

'Ik had niet verwacht je hier te zien sjansen met de plaatselijke bevolking.'

'Ben?'

'Ja. Die. Daarbinnen.'

Nu begreep ze waar het over ging. Elliot was jaloers. De man die zich nooit uit zijn tent liet lokken, die niet te shockeren was, Elliot Thorne, was jaloers op Ben. Ze staarde hem verbijsterd aan. Zo had ze hem nog nooit gezien.

'Nou, het is anders dankzij "die daarbinnen" dat ik nog in leven ben. En dat is de enige reden – de *enige* reden – dat ik bij hem ben.'

Elliot keek de andere kant op.

'El?' vroeg ze en keek hem in zijn ogen. 'Je gedraagt je als een idioot.'

'Echt?'

'Ja! Natuurlijk. Dit ben ik, weet je nog?' zei ze, en bokste zachtjes tegen zijn borst, om hem eraan te herinneren. 'Kan je niet gedag zeggen?'

Elliot ademde plotseling uit en trok haar naar zich toe en omarmde haar. 'Ik was gewoon vreselijk ongerust. Over het weer. Over dat ik je niet kon bereiken vanavond.'

'O ja?'

'Natuurlijk. Maar toen was je hier. Je hebt me zo laten schrikken.'

'Het spijt me.'

'Vooral in die kleren. Jezus, je ziet er niet uit.'

Ze sloeg hem, speels. 'Nou, bedankt.'

'O schat, ik ben zo blij dat je in veiligheid bent.'

Hij omarmde haar en zij sloeg haar armen om hem heen. Ze voelde zijn koude jas tegen haar wang.

Elliot trok zich los. 'Je hebt hem toch niet verteld, hè? Over ons?' zei hij.

'Wie?'

'Hoe heet-ie? De veerjongen?'

'Nee. Natuurlijk niet.' Plotseling voelde ze een golf van verontwaardiging. 'En trouwens, Ben is geen jongen en ook geen veerman. Hij heeft een bedrijf in Londen. Hij is hier alleen op bezoek bij zijn ouders.'

'Wat kan mij dat schelen. Ik maak me alleen zorgen om jou.'

Elliot keek voorzichtig om zich heen en trok haar naar zich toe tegen de muur en kuste haar hard op haar lippen. 'Ik heb je zo gemist,' fluisterde hij. 'Ik werd er gek van.'

Uiteindelijk wurmde ze zich uit zijn armen, bang om betrapt te worden.

'Ga je vanavond terug naar het hotel? Met de boot?' vroeg hij.

'Nee. Dat gaat niet. De boot is kapot, dus ik zit hier vast. Het is te gevaarlijk om terug te gaan. Trouwens, in het donker ga ik nergens naartoe. Ik heb een hekel aan het donker.'

'Waar overnacht je dan?'

'We mogen van Sally een van de vakantiehuisjes gebruiken.'

'We?'

'Ja, Ben en ik.'

'Jullie brengen samen de nacht door?'

'Elliot, in godsnaam. Hou hiermee op. Ik vind het ook niet leuk.' Hij had blijkbaar niet door dat hij de nacht met zijn vrouw zou doorbrengen.

'Laten we elkaar dan morgen ontmoeten.'

'Waar?'

's Ochtends, bij de boothuisjes op de kade. Eentje is groen. Je kunt het niet missen.'

'Wanneer?'

De deur van de kroeg ging open en Jack kwam naar buiten. 'Hé, hallo,' zei hij en knikte naar Kellie en Elliot. Ze sprongen uit elkaar en deden of ze vreemden van elkaar waren.

'Half tien,' zei Elliot, alsof hij haar zei hoe laat het was.

'Oké,' mompelde ze. 'Vrolijk kerstfeest.'

Ze knikte kort naar Elliot, en met haar hoofd naar beneden en met een bonzend hart liep ze weer de warme kroeg binnen.

Hoofdstuk 12

Het was bijna middernacht en Stephanie was doodmoe, haar hoofd zwaar van de rode wijn. Ze stond in haar eentje bij de haard in de eetkamer te kijken naar de foto van haar moeder die op de schoorsteenmantel stond.

Toen zij en Elliot kinderen waren, legden ze altijd kousen op het voeteneind van hun bed. Ze wist nog goed hoe het voelde om wakker te worden en haar moeders nylonkousen te zien hangen, volgepropt met cadeautjes die zwaar op haar voeten onder de dekens drukten. Ze deed elk jaar hetzelfde voor haar eigen kinderen, want ze wilde dat zij zich ook zo zouden voelen.

Maar tijdens het eten had Isabelle erop gestaan dat de kousen in de buurt van de schoorsteen moesten liggen. Ze had Nat al helemaal dol gemaakt met haar verhalen over schoorstenen en rendieren en of de kerstman vast zou komen te zitten en hoe hij de roet uit zijn sneeuwwitte baard zou krijgen. Stephanie vond het irritant dat haar vader deze breuk met de traditie had toegestaan, maar David had gezegd dat ze niet zo moest muggenziften.

Nu stopte Stephanie de kousen van Nat en Simon vol met chocoladegeld. Haar hart voelde duf en leeg. Het viel haar op dat Isabelle de moeite had genomen om roetige 'rendiervoetafdrukken' aan te brengen op de haard.

Ze wist dat ze eigenlijk blij moest zijn met het feit dat Nat en Simon er nog steeds waren. Ze zou zich moeten verheugen op het zien van hun gezichten morgenvroeg. Maar schijnbaar kon ze alleen achteruit kijken in plaats van vooruit. En elke keer als ze achteruit keek, sloeg de waarheid haar in het gezicht.

Want eigenlijk zou ze nu drie kousen moeten vullen. Niet twee. En hoe langer ze verdergingen zonder Paul, hoe pijnlijker het werd. Ze miste hem steeds meer. Vooral nu. Vooral omdat hij altijd zo dol was geweest op kerst.

Er begonnen tranen uit haar ooghoeken te druppelen. Wat was

er mis met haar? Waarom kon zij het niet gewoon uitschakelen zoals alle anderen schijnbaar hadden gedaan? Waarom kon zij geen manier vinden om zich erdoorheen te slaan, zoals David, of zoals haar vader, toen met haar moeder? Omdat Paul hier ook had moeten zijn. Daarom. Dat was het afschuwelijke feit waar ze steeds weer bij uitkwam. Steeds opnieuw. David had het kunnen voorkomen. Ze voelde de koude wrok binnen in haar opwellen toen ze zijn gelach kon horen vanuit de keuken, waar hij een slaapmutsje dronk met Elliot en haar vader. Dit moest ze niet toelaten, dacht ze. Ze moest verder met Kerstmis. Ze moest niet in dat zwarte gat vallen en het voor iedereen bederven. Ze stopte nog meer cadeautjes in de kousen en probeerde zichzelf wijs te maken dat kerst iets magisch had, dat het allemaal de moeite waard was. Maar de herinnering aan Paul, en ook wat er met hem was gebeurd, kwam steeds weer terug. Ze kneep haar ogen dicht en zag het allemaal weer voor zich...

Het was zestien maanden geleden, aan het begin van de tweede week van de eerste vakantie die ze sinds lange tijd met haar gezin in het buitenland had gehad. De eerste week was fantastisch geweest. Stephanie kon zich herinneren hoe heet het was. En ze kon zich ook herinneren hoe goed het ging tussen haar en David. Ze hadden elke avond gekampeerd op de Franse camping en hadden gevreeën onder de sterrenhemel in het bos achter de tenten.

Maar toen kwam die fatale ochtend, en ging alles verkeerd.

Ze waren allemaal vroeg opgestaan want de felle hitte drong door de tenten heen en het was onmogelijk om binnen te blijven. Het was een prachtige ochtend. Ze zongen liedjes onderweg naar het meer waar Simon een bootje wilde huren.

'Ik blijf wel hier met Nat en dan maken wij een picknick klaar,' zei Stephanie tegen David toen ze de auto parkeerden. 'Neem jij de jongens maar mee, dan kunnen jullie samen lol hebben.'

David gaf haar gauw een kus en liet zijn ogen rollen vanwege Nat, die was beginnen te krijsen en met haar kleine vingertjes aan haar muggenbeten krabde. Sterkte, mimede hij, en ging op weg met Simon en haar prachtige Paul. Stephanie riep hen nog een laatste groet na, maar Paul zat al achter Simon aan, ze renden tussen de bomen door, over het zandpad in de richting van het boothuisje. Stephanie hield haar hand boven haar ogen tegen de zon en lachte om haar vijfjarige Paul in zijn kleine kaki broekje en rode pet, die hij probeerde op te houden.

Het duurde lang voordat Nat eindelijk in haar buggy in slaap viel. Stephanie duwde haar naar de picknicktafels aan de rand van het meer, en zette het parasolletje van de buggy zo dat haar gezicht in de schaduw was. Stephanie stond aan de rand van het water en keek naar de bootjes of ze David en de jongens kon herkennen. Ze zag hoe een lichtrode wolk voor de zon schoof en een schaduw wierp over de oever van kiezelsteen. De golven kabbelden er schuin overheen. Alles was perfect. Ze was blij om te leven.

En toen, op het moment dat ze zich omdraaide om een van de tafels te dekken, hoorde ze iemand roepen. Ze zag David die terugroeide naar de oever. Te snel. Hij roeide te snel. Ze besefte dat het Simon was die riep, de longen uit zijn keel schreeuwde om haar.

Ze liet het glas in haar hand vallen en rende naar het water. Ze waadde door het water, haar dunne katoenen rok plakte aan haar benen, en ze viel naar de boot toe. Ze zag Simon staan schreeuwen op de boeg. En David was helemaal doorweekt. Maar waar was Paul? Ze kon Paul nergens zien. Ze kon haar kleine jongen nergens zien. Ze wierp zich op de boot zodra hij dichterbij kwam en keek erin. Daar was Paul ook niet.

En het gezicht van David. Bleek en vol afschuw. Toen ze in zijn ogen keek, wist ze het.

Daarna ging alles zo snel.

Ze renden naar het boothuisje om alarm te slaan. De opzichter rende met David naar de reddingsboot en ze keek toe hoe ze het meer opstoven.

Maar het was te laat. Ze voelde het diep vanbinnen.

Stephanie voelde niets toen de reddingsboot terugkwam. Ze omarmde haar snikkende gezin, maar het was alsof ze er niet was.

Een paar uur later zag ze het lichaam van Paul, blauw en opgezwollen. Ze hadden het gevonden tussen het riet, vijftig meter verwijderd van de plek waar hij in het water was gevallen. Ze hield hem dicht tegen zich aan. Ze wilde hem niet laten gaan. Ze wilde

155

met hem in slaap vallen en nooit meer wakker worden. Uiteindelijk haalden ze hem bij haar vandaan, ze drukte haar lippen op de zijne. Ze dacht aan het perfecte baby'tje dat hij was geweest. Ze dacht aan de eerste keer dat ze hem had vastgehouden. Het waren de gelukkigste momenten van haar leven. Toen was het stil. Ze keek om zich heen en zag Simon zitten, gewikkeld in een deken met zijn ogen stijf dicht. Ze voelde David naast haar die zich wanhopig aan haar arm vasthield. Ze keek naar de mond van Nat, wijd opengesperd in een niet-aflatend gekrijs.

Ze keek naar de mannen in gele jassen die het lichaam van Paul wegdroegen naar een ambulance. En ze zag de menigte die zich achter hen had verzameld. Ze keken toe en deinsden tegelijkertijd achteruit, hun handen over hun monden van schrik.

Toen kwam het geluid weer terug en ze viel neer op haar knieen.

Pas later hoorde ze wat er precies was gebeurd. Pas later probeerde David haar de onuitlegbare horror uit te leggen.

De jongens hadden ruziegemaakt over de hengel en over wie er aan de beurt was, zei hij. En Paul had met zijn zwemvest zitten prutsen. Hij kon zijn hengel niet uitwerpen als hij het ding aanhad. Dus had hij het zwemvest uitgedaan.

David had haar zoon, die niet kon zwemmen, zijn zwemvest uit laten trekken.

Hij had zich maar een moment omgedraaid.

Dat ene moment. *Het enige moment dat ertoe deed.*

Hij was Simon aan het helpen om het opvangnet uit de war te halen. Maar toen hij zich omdraaide, was Paul weg.

Ze hadden hem er niet in horen vallen. Simon en David hadden allebei niet eens een plons gehoord. David was meteen in het water gedoken op zoek naar Paul. Maar de stroming was te sterk geweest.

De rest: de lijkschouwer, de politie, het ziekenhuis, het mortuarium, alles trok als een waas aan haar voorbij. Het vliegtuig naar huis. Zelfs de begrafenis.

Daarna ging alles veel langzamer. Langzamer dan eerst. Elke dag werd ondraaglijk lang, zwart en zwaar van de onvermijdelijke waarheid. Haar baby was weg. Paul was weg. Haar kleine jongen was dood.

'Hé, hallo.'

Stephanie werd uit haar gedachten losgeschud door Isabelle, die in de deuropening naar de keuken stond te treuzelen met een mok warme chocolademelk in haar handen. Ze had een crème-kleurige zijden pyjama aan met bijpassende zijden kamerjas, die openhing. Haar haar was uit haar gezicht geborsteld en ze had geen make-up op, maar ze zag er evengoed perfect uit. Stephanie draaide zich snel om, zodat Isabelle haar tranen niet zou zien.

'Wat zullen ze blij zijn,' zei Isabelle.

'Wie?'

'Nat en Simon natuurlijk. En hopelijk Taylor en Elliot ook. Vooral El. Ik heb dit jaar een heel speciale verrassing voor hem.'

Stephanie zei niets. Ze had simpelweg niet de kracht om op de blijheid en het enthousiasme van Isabelle in te gaan.

'Stephanie? Weet je, het is goed dat ik je hier alleen tref...'

Stephanie wist wat er ging komen. Maar ze kon nu geen mede-leven verdragen. Niet van Isabelle. Van niemand niet.

'Zo. Klaar is Kees. Ik ga naar bed,' onderbrak ze haar.

'Ik wilde graag met je praten over – ' zei Isabelle, maar Stepha-nie schoot al langs haar heen.

'Morgenochtend heb je veel meer aan mij. Echt, Isabelle. Het is al zo laat. Welterusten,' zei ze en rende de trap op.

Dag 2

Eerste kerstdag

Hoofdstuk 13

'Wat een rotzooi is het hier,' zei Roddy.

Roddy, Michael en zijn moeder waren in de bar van *The Wind-cheater*. Het was tien uur in de ochtend, maar het leek avond. De sneeuw zat zo dicht tegen de ramen geplakt dat er alleen wat bleek licht naar binnen kwam, alsof iemand een kaars achter een stuk stof hield. Michael zweette. De radiatorkachels straalden een enorme hitte uit. Maar desondanks rilde Michael. Hij dacht aan de tinmijn en vroeg zich af of Taylor er nog steeds heen zou willen gaan. Hij hoopte van niet.

'Stom ding,' zei Roddy. Hij sloeg op de zijkant van de tv die aan de muur was geschroefd en siste als een kat, met alleen ruis in beeld.

Het was eerste kerstdag, maar het voelde niet anders dan anders. Zoals elke ochtend na de vorige avond zag de bar eruit alsof het leven er uitgezogen was. Er zaten rode wijnvlekken op het tapijt. Het leek wel of er iemand vermoord was en een bebloed lichaam was weggesleurd. De jukebox was uit. De flikkerende lichtjes van de gokautomaat waren uit. Het was moeilijk te geloven dat de ruimte een paar uur geleden nog vol dronken mensen was geweest die vrolijk hadden meegezongen met allerlei kerstliedjes.

Over een paar uur zou de kroeg weer open zijn, om de enkeling op te vangen die de behoefte had om zijn familieverplichtingen te ontglippen en even snel een biertje kwam drinken. Roddy vond dat ze zoveel mogelijk verdiensten uit de kroeg moesten zien te halen, nu het nog ging.

Er was eens een tijd geweest, toen de vader van Michael er nog was, dat Michael nooit in de bar kwam op eerste kerstdag. De vader van Michael was altijd gek geweest op kerst en alle festiviteiten eromheen. Hij was een dronkelap, hij werd snel sentimenteel.

Michael glimlachte nu hij eraan moest denken hoe het vroeger was. Ze hadden het opruimen van de kroeg altijd uitgesteld tot tweede kerstdag. Ze sliepen lang uit, dan maakten ze hun cadeautjes open en gingen buiten spelen. De vader van Michael had hem een keer met kerst geleerd hoe je moest vliegeren, en de vlieger was in een boom vast komen te zitten. Een andere keer was hij op zijn gat gevallen en had hij zijn enkel verstuikt toen hij Michael wilde laten zien hoe je over een stoeprand heen moest springen op zijn eerste skateboard. Michael hielp zijn vader en moeder 's middags altijd met het klaarmaken van een gigantische lunch, en daarna gingen ze lekker op de bank bij het haardvuur liggen en keken naar herhalingen van programma's die de vader van Michael leuk had gevonden toen hij zelf klein was: *The Two Ronnies* en *Monty Python*. Of ze zakten onderuit met een film, een klassieker als *The Bridge over the River Kwai*, of *Gone with the Wind*.

Maar een jaar of twee voordat de vader van Michael was weggegaan, liep alles anders. Kerstmis ging alleen nog maar over lege wijn- en whiskyflessen en zwijgende maaltijden. Het ging alleen nog maar over hoe Michael, zijn moeder en zijn vader door het raam naar buiten tuurden, alsof ze achter de tralies zaten.

En nu was kerst helemaal verdwenen. Alle oude favorieten van Michaels vader – de dansende sneeuwman, de kerstboomijsjes, en de ragebol voor boven op de boom – waren weggestopt in verfrommelde vuilniszakken op zolder, onder de door motten aangevreten kleren die hij nooit meer zou komen ophalen.

Michael had eerder die ochtend tijdens het ontbijt met zijn moeder naar het journaal geluisterd op de radio. Het was nu officieel: het was een witte kerst in heel Groot-Brittannië. De gebruikelijke waarschuwingen werden uitgezonden: geen autorijden tenzij het echt noodzakelijk was; houd kinderen uit de buurt van grachten en bevroren vijvers; draag warme kleding en kijk even of alles in orde is met uw oudere buren.

Bij Newquay werd een schip vermist. De roodwitte helikopter van de kustwacht had de kust afgezocht maar niets gevonden. Het hele land was zo goed als stil komen te liggen. Wegen waren afgesloten en treinen reden niet meer. Sommige mensen hadden de hele nacht met hun auto vastgezeten op de snelweg. St. John's of Brayner werden echter niet genoemd. Het nieuws concentreerde zich op de meest dichtbevolkte gebieden zoals Londen, Edinburgh en Cardiff. Het was alsof de wereld Michael en zijn familie de rug toe had gekeerd. Het was alsof ze vergeten waren of niet meer bestonden.

'Gelukkig is dit de laatste keer dat we dit hoeven te doen,' zei Roddy. Hij duwde een grijze dweil over het rode linoleum bij de bar, achter hem glansde het als ijs.

Roddy had een kater. Hij haalde luid zijn neus op en schraapte overdreven zijn keel als protest tegen de walm chemische stank die uit de emmer kwam toen hij de dweil in het schuimende bruine water plonsde. Hij zat al een eeuwigheid te mopperen en Michael keek hem vanuit de hoek van de kamer waar hij de tafels met een natte doek schoonmaakte boos aan.

De kroeg schoonmaken was niet iets waar Michael zich op verheugde, maar hij had er ook geen hekel aan. Het hoorde gewoon bij de dingen van alledag, net als tandenpoetsen, en Michael ergerde zich aan Roddy dat hij er zo moeilijk over deed. Michael was hier opgegroeid. Dit was zijn thuis. Dat Roddy er zo'n hekel aan had, gaf Michael het gevoel dat Roddy ook een hekel had aan een deel van hem.

Rot op, dacht Michael, met je vieze stomme theesalon in je vieze stomme Truro. Wat dacht Roddy eigenlijk? Dat het daar anders zou zijn? Dat ze daar niet hoefden op te ruimen?

Michael wilde Roddy en zijn moeder verrot schelden, hen *zeggen* dat hij niet met hen mee zou gaan. Maar hij kon het niet. Omdat hij zijn moeder niet wilde kwetsen. Als hij haar zou zeggen wat hij er echt over dacht om naar Truro te verhuizen, zou ze zeker gekwetst zijn. Want Roddy had haar moeder ervan overtuigd dat dat was wat ze wilde, Brayner achterlaten. En alles wat Roddy tegen haar had gezegd had ze aan Michael doorgegeven als de absolute waarheid. Dat ze een beter leven zouden hebben in Truro, en een groter huis. Dat Michael snel nieuwe vrienden zou krijgen. Dat ze allemaal meer geld zouden hebben en volgend jaar met kerst naar de Cariben op vakantie zouden kunnen gaan.

Maar Michael wist wat de waarheid was. Ze gingen naar Truro om heel andere redenen. Ze gingen omdat Roddy dat wilde. Hij zou het geld van de kroeg gebruiken om in Truro te kopen wat hij niet had kunnen betalen toen hij daar alleen woonde.

'Het is hier een zwijnenstal,' zei Roddy.

Alleen omdat jij gisteren ladderzat bent geworden en pas sloot toen de laatste weg was, dacht Michael.

'Alleen omdat gisteravond niemand de moeite heeft genomen om op te ruimen,' zei hij.

'Jij in elk geval niet,' zei Roddy.

'Omdat ik al in bed lag. Omdat ik een kind ben, weet je nog?'

'Ja, een kind met gedragsproblemen.'

Michael deed zijn mond open om te zeggen dat hij op moest rotten. Dat had hij één keer eerder gedaan, toen zijn moeder er niet bij was, en het was uitgelopen op een gigantische ruzie, waarin Michael Roddy tot slot had toegeschreeuwd dat hij niet zijn vader was, en Roddy had terug geschreeuwd dat hij daar de hemel op zijn blote knietjes voor kon danken.

'Houden jullie nou eens op met dat gekibbel,' kwam Michaels moeder ertussen. Ze was bezig met het vullen van de vaatwasser achter de bar. Ze had ook een kater. Ze had een witte badjas met bruine koffievlekken op de mouwen om zich heen gewikkeld. Op haar gezicht zaten vegen oude make-up. Michael had een aspirientje voor haar gehaald, meteen toen ze wakker was, maar het scheen niet te hebben geholpen.

'Hij begon ermee,' zei Michael.

Roddy boog voorover bij de haard en stak zijn sigaret aan met de gloeiende resten van het haardvuur van gisteravond. Zijn ogen waren bloeddoorlopen van het bier en de wallen onder zijn ogen hadden de kleur van ongebakken deeg.

'Ik wil alleen maar zeggen dat hoe sneller iemand ons hier uitkoopt, hoe beter.'

'Je hebt helemaal niets te verkopen,' zei Michael.

Michaels moeder keek hem streng aan, en onmiddellijk wou Michael dat hij niets had gezegd.

'Sorry,' zei hij.

'Je hoeft je niet bij mij te verontschuldigen,' zei ze.

'Ik ga buiten wat hout halen,' kondigde Roddy aan.

'Nee,' zei Michael. 'Laat mij maar.'

Michael haastte zich naar buiten voordat Roddy kon protesteren. Hij was boos op zichzelf dat hij iets gezegd had. Het had geen zin en het was kinderachtig. Zijn moeder was gelukkig met Roddy, zei hij tegen zichzelf, zoals hij dat wel tien keer op een dag deed. Dat was het enige wat telde. Wat deed het ertoe dat het niet aan Roddy was om de kroeg te verkopen? Ze verkochten hem toch. En er was niets dat Michael kon zeggen, zei hij opnieuw tegen zichzelf, dat daar een greintje aan kon veranderen.

Hij schoof door de zware witte branddeur, die de bar scheidde van de rest van het huis. Aan de andere kant werd het linoleum vervangen door rood tapijt. De deur viel met een zucht achter Michael dicht, hij liep de hal door naar de keuken. De stank van verschaald hedonisme in de bar werd verdrongen door de geur van spek en eieren, die hij vanmorgen voor hemzelf en zijn moeder had klaargemaakt. Ze had het met haar vork om en om gedraaid zonder ervan te eten, alsof ze beschimmeld waren.

Kerstmis kwam niet verder dan hier. Tegenover de klanten had Roddy meer kerstgevoel dan een kudde rendieren, maar alleen omdat het hun portefeuilles wat losser maakte en ze hun geld makkelijker uitgaven. Hier aan de familiekant van het gebouw hadden Roddy en zijn moeder niet veel moeite gedaan dit jaar.

De enige concessie die ze in de keuken hadden gedaan was een kleine kerstster in een rode plastic pot in het midden van de keukentafel, en een paar kaarten die stonden uitgestald op de magnetron. Michael zuchtte en trok zijn neus op. Er zat een elektrische verstuiver met dennengeur in het stopcontact bij de deur. De sticker op de voorkant adverteerde de frisse geur van een open plek in het bos, maar Michael vond dat het meer naar wc rook.

Er lag kattenvoer op de witte plastic tegelvloer, naast het kattenbakje. Rode kattenharen dreven op de paar centimeter troebel water in het plastic roomijsbakje. Michaels moeder en Roddy hadden het altijd te druk met het schoonhouden van de openbare kant van het gebouw, dat er goed uit moest zien voor de klanten, en hadden niet veel aandacht over voor deze kant. Michael ging er altijd 's avonds met een poetsdoek doorheen, als ze klaar waren in de bar. Maar meestal zag het er de volgende ochtend alweer uit alsof er niets aan gedaan was. Hij haalde zich het huis van Thorne voor de geest, de aandachtig klaargemaakte lunch die hij gisteren had gegeten, het glanzende bestek en het glinsterende glaswerk, en de schone, zoete geur in de lucht.

Hij ging op de keukenmat zitten naast de elektrische kachel met drie gloeiende staven en begon zijn schoenen aan te trekken. Zijn moeder kwam binnen en keek op hem neer. Ze reikte haar hand uit en wreef door zijn haar.

'Kom op,' zei ze, 'alles komt goed.'

Hij rukte aan zijn schoenveters. 'Weet ik.'

'Het zal allemaal veel gemakkelijker zijn als we eenmaal verhuisd zijn... dat beloof ik je.'

Michael deed alsof hij zich op zijn veters concentreerde en strikte ze dicht met een mooie dubbele knoop. Elke keer als zijn moeder hierover met hem praatte – over haar en hem en Roddy, over hoe het verder zou gaan met hun leven – voelde hij zich net een baby'tje, alsof hij bijna moest huilen. Hij wilde tegen haar schreeuwen dat het gewoon niet eerlijk was.

'Ik weet wel dat je hier niet weg wilt,' ging ze verder, 'maar het is gewoon iets wat we moeten doen. Het is niet goed voor ons om hier te bijven. Het is niet eerlijk tegenover Roddy. Er zijn veel te veel herinneringen verbonden aan deze plek. Die niet van hem zijn.'

Michael maakte de veter weer los die hij net had dichtgeknoopt. Hij wilde niet opkijken, wilde niet dat ze wist dat hij boos was. Hoe zou hij haar ooit kunnen uitleggen dat hij juist vanwege diezelfde herinneringen hier wilde blijven. Soms als hij hier rondliep, was het net of zijn vader helemaal niet weg was, alsof hij even naar St. John's was overgestoken met de boot en straks weer thuis zou komen. Michael nam het zijn vader nog steeds kwalijk dat hij was weggegaan, maar hij hield genoeg van hem om hem nog steeds terug te willen.

'Je vader en ik hebben deze plek opgebouwd tot wat het nu is,' zei zijn moeder, 'maar dat is nu voorbij. Het is tijd om verder te gaan. Je begrijpt het vast als je wat ouder bent.'

Michael rolde zijn spijkerbroek op tot boven zijn schoenen. Hij had zijn vader zes weken geleden opgebeld en verteld dat ze naar het vasteland zouden verhuizen. Hij had gevraagd of hij bij hem en Carol, de jonge lerares voor wie hij zijn moeder had verlaten, kon komen wonen. Maar zijn vader had tegen hem gezegd dat ze sowieso al te weinig plek hadden in hun flatje en dat ze niet veel geld hadden. Hij had tegen Michael gezegd dat hij beter bij zijn moeder kon blijven.

'Dank je dat je Roddy helpt,' zei Michaels moeder.

Dat doe ik niet, dacht Michael. *Ik probeer alleen maar bij hem uit de buurt te blijven.*

Schuldbewust keek hij op en zag een glimlach op haar gezicht verschijnen.

'Wat?' vroeg hij.

'Gewoon, jij. Je wordt ouder.' Ze pakte even zijn kin vast met haar hand. 'Ik had een scheerapparaat voor je moeten kopen met kerst, hè?'

Hij stond op, verlegen, en voelde dat hij bloosde. Hij voelde zich allesbehalve een man wanneer zij zulk commentaar maakte over zijn uiterlijk.

'Ik wilde net een kop thee zetten voor Roddy,' zei ze. 'Wil jij er ook een?'

'Nee, dat hoeft niet.'

Ze pakte een zak spruitjes van het groenterek en legde het op de keukentafel.

'Als je klaar bent met het hout,' zei ze, 'kun je dan een kip voor me halen? Een dikke, alsjeblieft. Dan hebben we morgen ook nog wat.'

'Oké.' Michael trok zijn jas aan.

Hij ging naar buiten en trok de deur achter zich dicht. De keuken keek uit over een rechthoekige binnenplaats, die geleidelijk opliep vanaf de achterkant van de kroeg en omringd was door een hoge muur van rode bakstenen. Het houtschuurtje stond achter op de binnenplaats naast het kippenhok. De vader van Michael had het kippenhok gebouwd. Michael vermoedde dat zijn moeder het daar alleen liet staan omdat ze wist dat Michael het heel erg zou vinden als ze het liet afbreken. Ze vond het vervelend om kippen te plukken voor het eten en gebruikte bevroren stukjes kip met voorverpakte jus voor de klanten. De enige reden waarom ze vandaag een verse kip klaarmaakt, was dat de bevroren kip gisteren op was gegaan.

Normaal gesproken was het hier erg smerig, het metselwerk

167

vochtig en mossig, met spetters kippenstront over het gebroken beton als uitroeptekens. Maar nu was alles brandschoon, alsof de hele wereld opnieuw witgeverfd was. De sneeuw was wel tien centimeter diep en overal gelijk, met een patroon eroverheen van piepkleine afdrukken van vogelpootjes.

Michael trok zijn wollen bivakmuts uit zijn zak en zette hem op zijn hoofd, opgerold tot een muts. Hij pakte de sneeuwschuiver achter de deur vandaan en begon een pad te maken aan de zijkant van de kroeg en daarna naar het uiterste eind van de binnenplaats.

Hij stond even stil om op adem te komen en tuurde naar het dorp. De sneeuw lag in golven over de daken van de dichtstbijzijnde huisjes. Het hing in vlagen tegen de achtermuur van de kroeg en de muren van de binnenplaats. Een randje leisteen prijkte door de sneeuw op het dak rondom de schoorsteen, waar het gesmolten was door de hitte van het haardvuur. Lange ijspegels grijnsden vanaf de dakgoot naar beneden.

Vanuit het kippenhok achter hem kwam het nieuwsgierige gekakel van de hennen. Hij zou ze direct voeren en vers water geven, maar eerst ging hij hout halen. Hij duwde de kruiwagen uit het houtschuurtje, stapelde hem helemaal vol en begon hem vervolgens richting het huis te duwen.

Een beweging ving zijn aandacht en hij stond stokstijf stil. Daar stonden zijn moeder en Roddy, als in een foto omlijst door het keukenraam. Michael zag hoe ze elkaar kusten. Plotseling schaamde hij zich dat hij boos op hen was geweest, dat hij het hen kwalijk nam dat ze een nieuw leven voor zichzelf wilden opbouwen.

Zíj waren niet het probleem, begreep hij nu. Maar hijzelf. Hij was degene die niet meer in het plaatje paste.

Hij keek de ander kant op en dacht weer aan wat hij gisteren gezien had in het huis van Thorne. Hij zag opnieuw hoe Elliot zich wegdraaide van Isabelle, en hij zag opnieuw hoe het gezicht van Isabelle verkreukelde toen ze begon te huilen en haar gezicht begroef in haar kamerjas.

Een stukje ijs in de vorm van een diamant glinsterde als een ring op een vinger van Michael. Hij keek naar de lucht. Hij hoopte dat Taylor niet was vergeten dat ze hem zou komen opzoeken vanmiddag. Het was raar hoezeer hij haar miste, terwijl het nog geen twaalf uur geleden was dat hij haar voor het laatst had gezien. Hij stelde zichzelf in Truro voor, met zijn moeder en Roddy in hun nieuwe huis. Daar zou hij Taylor Thorne nog veel meer missen. Hij hield zichzelf warm met het werk, hij reed drie kruiwagens vol naar de voorkant van de kroeg en maakte ze leeg bij de voordeur. Hij sjouwde de houtblokken naar binnen en stapelde ze netjes op aan allebei de kanten van de haard. Daarna bolderde hij de kruiwagen terug naar het schuurtje.

Op dat moment zag hij de kip. De knoestige poten staken door het ventilatiegat heen onder de hut. Ze was morsdood, Michael raapte haar op. De bevroren vleugels braken als takjes in zijn handen.

'Gelukkig kerstfeest.'

Michael schrok en draaide zich om. Daar stond Taylor. Ze grijnsde naar hem, haar ogen helder en glinsterend als de sneeuw. Hij voelde hoe zijn maag zich omdraaide en besefte opnieuw hoezeer hij naar haar verlangde. Maar toen zag ze de dode vogel.

Ze glimlachte even, met net zoveel afschuw als fascinatie. 'Ik hoop niet dat dat mijn cadeautje is,' zei ze.

Hij lachte. 'Natuurlijk niet.'

Ze keek hem nieuwsgierig aan. 'Je hebt hem toch niet...'

'Wat?'

'Doodgemaakt...'

'Nee. Ze is doodgegaan van de kou. Waarschijnlijk buitengesloten geweest vannacht.'

Roddy, dacht Michael. Roddy had gisteren zeker de kippen in het hok gedaan toen hij bij de Thornes was. Deze kip was dood vanwege hem.

Michael gooide de dode vogel in de zwarte vuilnisbak naast het hok. Taylor staarde naar zijn lege handen, en vouwde haar eigen handen in elkaar. Ze had een felgroen ski-jasje aan van O'Neil, een zilveren muts met een roze pompon en zo te zien een nieuwe spijkerbroek.

'Ik dacht dat Simon en jij pas later zouden komen,' zei hij.

'Dat doen we ook. Maar pap moest naar het dorp en ik had zin in een wandeling.'

'Waar is hij nu?'

'Bij de jachtwinkel.'

'Maar die is dicht...'

'Dat dacht ik ook, maar hij zei dat hij daar verwacht werd. Hij moet een cadeautje ophalen voor opa.' Ik tref hem over een half-uur voor de kroeg.' Ze schaafde met haar voet door de sneeuw. 'En, heb je iets leuks gekregen met kerst?' vroeg ze.

De wangen van Taylor waren roze. Ze zag er klaarwakker uit. Hij probeerde zich voor te stellen hoe kerst bij hen thuis was geweest vanmorgen. Heel anders dan bij hem. Zo gezellig en leuk als op een Disney DVD, dacht hij. Kousen en pakpapier overal over de vloer, iedereen die elkaars cadeautjes bekijkt bij het haardvuur. Dat wilde hij ook toen hij klein was. Als hij ooit zelf een gezin zou hebben, wilde hij ook zo'n kerst: perfect, zoals die van haar.

'Een verrekijker,' zei hij. 'Van mijn vader. En jij?'

'Wij maken onze cadeautjes straks pas open. Heb je de zaklampen gevonden?' vroeg ze.

De grote donkere ingang van de mijn gaapte open in zijn gedachten.

'Twee,' antwoordde hij. 'Maar ik kan er nog meer krijgen. Mam heeft een hele stapel achter de bar voor gasten. Ik heb ze boven op mijn kamer gelegd. Maar denk je niet dat we het beter kunnen vergeten? In elk geval tot de sneeuw weg is...'

'Waarom? Het is me toch ook gelukt om van opa's huis naar hier te komen, of niet? Zo lang het niet opnieuw begint te sneeuwen, gaat het prima. Ik vind dat we nog steeds moeten gaan na de lunch. Kun je om half drie naar ons komen?'

Afgelopen nacht had hij door een *Kerrang!* liggen bladeren in bed, met de nieuwste muziek van Good Charlotte op zijn koptelefoon om de herrie van de kroeg beneden hem te overstemmen. Hij had zich Taylor voorgesteld voor dat gapende gat dat de aarde in ging, en hij had een verwrongen klauw als een zeis uit het donker achter haar zien verschijnen, die haar had meegesleurd in de diepte. Badend in het zweet was hij wakker geworden.

'Maar zijn jullie dan niet nog aan het eten?' vroeg hij.

'Zij wel, maar dan sluip ik weg. Je weet toch hoe die dingen gaan. Ze zijn toch allemaal te zat om het te merken. Ik jat ook wel wat drank voor ons om mee te nemen, als je wil. Maar we moeten het wel stiekem drinken zodat Simon het niet ziet.'

'Cool,' zei hij, hoewel hij zich helemaal niet zo voelde.

'Het je zin in een vlug...' ze deed alsof ze een sigaret rookte en tikte met haar vingers tegen haar lippen.

'Ik moet – ' Hij stamelde, hij wist niet hoe hij het onder woorden zou brengen.

'Wat?' vroeg Taylor.

Michael knikte in de richting van het kippenhok. 'Je weet wel... voor de lunch...'

'Eten jullie eieren voor de lunch?'

'Nee...'

'Bedoel je dat je er een gaat doodmaken?'

'Tja, ik denk niet dat er een zelfmoord zal plegen,' zei hij.

Ze keek naar de vuilnisbak. 'En die dan? Kan je die niet eten?'

'Beter van niet. Er kan vannacht van alles aangezeten hebben.'

Ze keek weer naar het kippenhok. Je kon net de silhouetten zien van de kopjes die op en neer gingen achter het kippengaas.

'Hoe ga je dat doen?' vroeg ze. 'Met een mes?'

Hij trok zijn bovenlip op over zijn tanden. 'Of miet ain klain beetje,' zei hij tegen haar met zijn beste Transylvaanse accent.

'Haha. Nee, echt. Hoe? Draai je ze de nek om?'

'Dat kan. Dat is de snelste... vriendelijkste manier – als je tenminste weet wat je doet.'

Zo deed hij het meestal. Zijn vader had hem geleerd hoe je het moest doen, het lijfje stevig onder de arm stoppen en dan de nek scherp naar boven draaien en trekken. Hij had er nooit veel over nagedacht, eigenlijk, tot nu toe. Hij had er nooit bij stilgestaan dat het een bron van fascinatie zou kunnen zijn, vooral niet voor zo'n werelds iemand als Taylor. Voor Michael was het doden van kippen niets anders dan het opgraven van aardappelen in de moestuin die zijn vader had gehad aan de rand van het dorp. De vogels waren voedsel, meer niet. Ze hadden zelfs geen namen.

Maar Taylor maakte zich er niet druk over. 'Het is toch maar een kip,' zei ze.

Michael haalde zijn Leatherman-mes uit zijn zak. Hij vouwde het geslepen lemmet open en zag hoe ze er verrukt naar staarde.

'Of je kunt het met een mes doen,' zei hij, genietend van haar fascinatie en het gevoel van macht dat zijn deskundigheid hem gaf.

'En dat heb je ook gedaan?' vroeg ze.

'Natuurlijk.'

Ze keek heen en weer tussen Michael en het hok alsof ze iets overwoog. Toen keek ze hem recht in de ogen.

'Laat mij het doen,' zei ze. 'Laat mij het doen met het mes.'

'Maar ben je niet...'

'Wat?'

'Ik weet niet... de meeste meisjes die ik ken... zijn, zouden...' Hij zocht naar woorden. Te teergevoelig zijn, wilde hij zeggen. Of *hysterisch worden*, of *het walgelijk vinden*. Maar geen van deze omschrijvingen paste bij Taylor, zo'n meisje was ze niet.

'Ik wil weten hoe het voelt,' zei ze. 'Ik wil dat je het me leert.'

Iets in haar ogen, iets wat hij nog nooit eerder had gezien, deed zijn hart bonken. De manier waarop ze naar hem keek, met bewondering, met respect, hij voelde zich ineens veel ouder en sterker. Hij voelde zich als iemand die Taylor misschien aantrekkelijk zou vinden.

'Weet je het zeker?'

'Nou, waarom niet?' Ze lachte nerveus. 'Ik ben toch ook bereid om een kip in de supermarkt te kopen, verpakt in cellofaan, als iemand anders het vuile werk voor me heeft opgeknapt, nietwaar? Dan moet ik het toch ook zelf kunnen?'

'Goed,' zei hij en maakte de deur van het kippenhok open. 'Ga je gang.'

De kippen scharrelden rond toen Michael zijn hand uitstak en er een uitviste. De uitgekozen vogel zat roerloos op zijn arm, en keek met een domme blik beurtelings naar hem en naar Taylor.

Michael legde het Taylor nog eens uit. Hij vertelde haar waar ze het mes moet houden, daar, precies onder het oor van de kip, achter en boven de onderkaak. Hij demonstreerde met zijn vingers hoe ze dan de kop een beetje naar links moest rollen en naar boven moest drukken met het mes om het vervolgens scherp over de keel te trekken.

Hij had half verwacht dat ze op dat moment terug zou krabbelen en hem zou vertellen dat ze maar een grapje had gemaakt en niet eens wilde zien hoe hij de kip doodmaakte, en al helemaal niet zelf de daad wilde uitvoeren.

Maar ze aarzelde geen moment. Ze vroeg hem niet eens om het nog eens uit te leggen. Ze had het mes al in haar hand, nam de kip van hem over en hield haar stevig vast.

'Hier?' vroeg ze en zette het mes op de plek die hij haar gewezen had.

Ze had het precies goed. 'Ja,' fluisterde hij, bijna geschokt om te zien hoe snel de rollen zich hadden omgedraaid, verbaasd om te zien dat hij het nu was die haar aanstaarde met ontzag in plaats van andersom.

Haar voorhoofd fronste van de concentratie toen ze de kippenkop omrolde. Ze sneed het mes zijdelings over de keel met de gratie en precisie van een violist met zijn strijkstok.

Taylors ogen straalden toen de kip begon te bloeden. Ze knielde en liet de vogel los, en keek hoe die lag te stuiptrekken op de grond bij haar voeten. Er zat bloed aan haar vingers en bloed op de sneeuw.

'Waarom is ze nog niet dood?' vroeg ze.

'Dat kan wel drie minuten duren,' zei hij.

Toen de vogel dichter bij de dood kwam, begon ze wild met haar vleugels te slaan.

'Het is net alsof ze probeert op te stijgen...' zei Taylor. 'Alsof ze weg wil vliegen voordat het te laat is...'

De kip ging dood en zakte zijdelings in elkaar in de sneeuw.

'Dat was fantastisch,' zei Taylor tegen hem. 'Ik geloof dat dat het mooiste is wat ik ooit heb gezien.'

*

Later gaf Michael de pas gedode kip aan zijn moeder om te plukken en schoon te maken. Taylor en hij haalden de verrekijker uit de keuken en pikten – na aandringen van Taylor – een paar Bacardi Breezers vanachter de bar. Michael zei tegen zijn moeder dat ze naar buiten gingen om de verrekijker uit te proberen. Hij nam Taylor mee naar de voorkant van de kroeg en keek om zich heen om er zeker van te zijn dat niemand hen zag, dook met haar achter een grote hulststruik en stak voor hen allebei een sigaret op. Ze draaiden de flesjes Bacardi open.

'Zo vroeg op de dag ben ik nog nooit dronken geworden, geloof ik,' zei Taylor, 'maar ach, wat zou 't,' voegde ze eraan toe en nam een slok, 'het is Kerstmis...'

Michael volgde haar voorbeeld.

Ze klonken hun flesjes tegen elkaar en namen nog een slok. Hij ving even een glimp van haar op door de fles heen, vervormd en gevangen, als een geest opgesloten achter het groene glas. Ze sloegen allebei hun hoofd achterover tot de flesjes leeg waren. Taylor gooide haar flesje achteloos over haar schouder en Michael deed hetzelfde.

Hij nam een flinke trek van zijn sigaret en hield de verrekijker voor zijn ogen. Hij probeerde een meeuw te volgen door de lucht. Hij speurde de lege weg af. Door de sneeuw zag het dorpje eruit als iets van een andere planeet, alsof de gewone wereld was veranderd in sciencefiction en er vandaag de raarste dingen konden gebeuren.

'Laat mij eens,' zei Taylor.

Ze keek een poosje naar het dorp en draaide naar de haven.

'Wauw,' zei ze, 'wat een goeie kijker. Hé, kijk... Daar is mijn vader...'

Ze had gelijk. Honderd meter verderop zag Michael een figuur in een felrode regenjas, waarschijnlijk dezelfde die Elliot aanhad gehad toen hij gisteren uit de sneeuw was binnengekomen. Elliot liep langs de rij boothuisjes, waar de eilandbewoners hun rubber zeilbootjes en vistuig opsloegen. Hij stopte voor een huisje met een groene deur, maakte hem open en stapte naar binnen. De deur ging dicht en de haven was weer verlaten, alsof hij er nooit was geweest.

'Wat doet hij in het boothuisje van opa?' vroeg Taylor zich hardop af. 'Hij zou naar de winkel gaan. Hij zal toch niet van plan zijn om met het bootje te gaan varen...'

'Zelfs al zou hij dat willen, het zou helemaal niet kunnen. Kijk,' zei Michael.

Taylor liet de verrekijker zakken en Michael wees naar de zee.

'Niemand kan ergens heen,' zei Michael. 'Vandaag niet.'

Er was duidelijk iets aan de hand met de grijze watervlakte. De waterkant, waar de zee het land bereikte, was vlak. Het bewoog niet en zat vol met barsten. Sprankjes licht kwamen tevoorschijn en verdwenen weer, verdwenen erín, ongrijpbaar als barstjes in een edelsteen.

'Zee-ijs,' legde Michael uit.

Het had zich in de nacht gevormd, vreemd en solide als een stenen terras. Zijn moeder had hem er vanmorgen al op gewezen.

'Moet je zien hoe ver het de zee ingaat,' zei Taylor. Ze draaide zich glimlachend naar hem toe. 'Ongelooflijk. Is het dik genoeg om op te lopen?'

Hij wilde haar kussen, nu meteen.

'Hé, jongens!' riep een stem.

Het was Ben. Hij liep naar hen toe vanaf de vakantiehuisjes. De hulststruik dekte hen niet aan die kant. Zijn voetstappen kraakten in de sneeuw.

Taylor gooide snel haar sigaret weg.

'Voor mij hoef je niet bang te zijn,' zei Ben, hij keek naar de sigaret die een gat brandde door de sneeuw voor haar voeten en er vervolgens in verdween.

Maar Michael liet zijn sigaret ook vallen, en drukte hem uit onder zijn schoen.

'Dat is een mooie,' zei Ben bewonderend en bekeek de verrekijker van alle kanten.

'Die is van hem,' zei Taylor.

'Heb ik met kerst gekregen,' legde Michael uit.

'Wie ben je dan aan het begluren?' vroeg hij.

'Niemand,' zei Taylor tegen hem. 'We zaten naar het ijs te kijken.'

Ben was een centimeter of tien groter dan Michael en had een oude zwarte overjas aan, die ooit van Michaels vader was geweest. Michaels moeder had hem die ochtend aan Ben uitgeleend, toen hij was komen schooien om wat theezakjes en melk om mee terug te nemen naar zijn huisje waar hij en de chique vrouw overnacht hadden.

Michael kende de ouders van Ben wel, maar Ben zelf had hij pas een paar keer ontmoet. Maar hij had een vriendelijk gezicht en hij maakte zijn moeder aan het lachen, dus Michael dacht dat het wel goed zat met hem.

'Waarom ben je niet op St. John's?' vroeg Taylor. 'Ik dacht dat je daar woonde.'

Even vroeg Michael zich af waar zij elkaar van kenden, maar besefte al snel dat Taylor en haar moeder de vorige dag waarschijnlijk door Ben waren overgezet met het veerbootje.

'Dat is een lang verhaal,' zei Ben. 'Ik heb mijn boot stuk gevaren en ik had gehoopt dat iemand hem hier kon repareren, maar ik denk niet dat het ervan komt, niet met dat ijs.'

'Ach arme,' zei Taylor.

'O, ik weet niet,' zei Ben raadselachtig. 'Er zijn ergere dingen...'

Ze wachtten op zijn uitleg, maar die kwam niet.

In plaats daarvan zei hij tegen Taylor: 'Mag ik even kijken?'

Ze gaf hem de verrekijker. Hij tastte de zee af en daarna de haven.

'O, kijk,' zei hij. 'Daar heb je Kellie.'

Michael zag een andere figuur, wat kleiner deze keer, zwart gekleed, een vrouw waarschijnlijk, die door de haven liep in de richting van de boothuisjes, net als Elliot Thorne eerder had gedaan.

'Wie is Kellie?' vroeg Taylor.

'Een vriendin van mij. Met wie ik in het vakantiehuisje logeer. Ze is een toerist. Ik had haar gisteren meegenomen om het eiland te laten zien, vervolgens ging de boot stuk. Wauw,' zei hij. 'Ze ziet er geweldig uit. Zelfs vanaf hier.'

Ben knipoogde naar Michael. Hij gaf de verrekijker terug aan Taylor en draaide zich weg van Kellie en de haven.

'Ik heb net met je moeder gepraat,' zei hij tegen Michael. 'Ze is bereid om iets voor me te doen, maar ik heb jouw hulp nodig.'

'Wat dan?' vroeg Michael.

'Ik wil het goedmaken met Kellie. Ze zou eigenlijk in het hotel in Fleet Town moeten zijn, maar nu zit ze hier vast vanwege mij, en dus wil ik haar kerst zo leuk mogelijk maken... Je moeder heeft ons uitgenodigd voor de lunch, maar ik wilde jullie niet tot last zijn, en nu heb ik zelf een plannetje bedacht...'

'Ja, en?' zei Michael, maar half luisterend naar het verzoek van Ben, merkte hij hoe Taylor opnieuw door de verrekijker tuurde.

Ze leek vastgevroren, met haar aandacht op de haven gevestigd. Nu zag Michael waarom. Het figuurtje van Kellie stond voor de groene deur van het boothuisje van Taylors opa. Er was schijnbaar iets vreselijks aan de hand. Plots zag Michael wat het was. Kellie maakte de deur open en ging naar binnen.

'Is dat goed?' vroeg Ben.

'Wat zeg je?' zei Michael.

Ben glimlachte en besefte dat hij niet geluisterd had. 'Zal ik het nog een keer herhalen?' vroeg hij.

'Eh...ja...'

Maar opnieuw kon Michael het niet laten naar de kade te staren. Deze keer draaide Ben zich ook om.

Maar er was niemand. Net als Elliot Thorne was Kellie naar binnen gestapt en verdwenen.

Taylor liet de verrekijker zakken. Ze zag er bleek uit en had een lege blik in haar ogen. Ze ging tussen Michael en Ben in staan.

'Die vriendin van jou, Kellie...' zei ze. 'Waarom was ze hier, zei je?'

Hoofdstuk 14

Elliot smaakte vreemd: een onbekende mix van pepermunt en koffie. En in zijn haar kon ze nog de geur van sigaren ruiken. Maar toen hij Kellie tegen zich aan trok, zuchtte ze van opluchting. In zijn armen voelde ze zich plotseling veilig. Hij was van haar en zij van hem. Nu ze hem omarmde, voelde ze zich weer heel alsof hij haar opnieuw verbonden had met alles wat ze kende en begreep.

Ze wilde zich van hem losmaken om met hem te praten, maar hij hield haar tegen en kuste haar opnieuw alsof ze jaren uit elkaar waren geweest, in plaats van uren, en hij geen genoeg van haar kon krijgen. Hij pakte haar handen en duwde ze met de zijne tegen de muur achter haar en drukte zichzelf tegen haar aan. Ze kuste hem. Hij vouwde zijn armen om haar heen en trok haar dicht naar zich toe. Ze gaf zich aan hem over, ze had het gevoel dat ze zich opnieuw aan hem verbond.

'Hé, gelukkig kerstfeest,' zei hij uiteindelijk. Hij drukte zijn voorhoofd tegen het hare.

Het boothutje werd verlicht door één kale peer. De lucht glinsterde van het stof.

'Gelukkig kerstfeest.' Ze glimlachte naar hem en keek nauwlettend naar zijn gezicht. Als hij haar zo vasthield met zijn blik, leek het alsof er niets anders bestond en niets anders ertoe deed.

'Dat ik je hier tegenkom.'

'Ja,' zei ze. 'Inderdaad. Ik had niet verwacht dat ik hier zou zijn, echt niet.'

'Nou, ik ben blij dat je er bent,' zei hij en trok haar weer naar zich toe en streek teder een plukje haar achter haar oor.

'Echt? Ik dacht dat je woedend was.'

'Doe niet zo mal. Ik was alleen een beetje van mijn stuk gebracht gisteravond, dat is alles. Je hebt mijn kerst leuk gemaakt. Ik was bang dat je alleen zou zijn en dat ik je helemaal niet zou zien.'

Hij kuste haar weer. Alles was toch goed tussen hen.

Hun ontmoeting gisteren had haar aan het wankelen gebracht. Het was zo gevaarlijk geweest. Wat zou er gebeurd zijn als er iemand anders van Elliots familie bij was geweest? En Ben? Ze had zich zo rot gevoeld tegenover hem nadat Elliot weg was. Hij was de hele avond zo aardig tegen haar geweest, en ze had alleen maar gelogen.

Ze had nog één drankje gedronken, daarna was ze weggegaan met het smoesje dat ze doodmoe was en had tegen Ben gezegd dat hij gerust met zijn vrienden verder kon drinken. Ze had zich teruggetrokken in het vakantiehuisje, lange tijd dubbend over waar ze zou slapen. Elliot had haar onzeker gemaakt met zijn jaloerse reactie op haar samenzijn met Ben. Dacht Elliot echt dat ze ooit met iemand anders zou kunnen flirten? Was hij echt zo boos op haar als hij in het begin leek te zijn? En als Elliot, die haar zo goed kende, tot zo'n conclusie had kunnen komen, zou Ben dat dan misschien ook hebben gedaan? Ze mocht hem graag, maar niet op die manier. En ze wilde hem niet de indruk geven dat ze dat wel deed.

Uiteindelijk maakte ze beneden een bed voor Ben op en had ze zelf de kamer boven genomen. Maar ondanks haar moeheid kon ze de slaap niet vatten. Ze had wakker gelegen en naar de schaduwen op het plafond gekeken. Ze had vaag de muziek uit de kroeg kunnen horen en er eigenlijk graag bij willen zijn.

Ze had Ben kort na één uur binnen horen komen. Hij was over iets gestruikeld en ze hoorde hem giechelen en sst! tegen zichzelf zeggen. Ze had gegrinnikt toen ze zich daarbij zijn gezicht voorstelde. Even had ze in de verleiding gestaan om naar beneden te gaan en met hem te praten. Er was nog zoveel dat ze hem wilde vragen: hoe hij zich voelde over de scheiding van zijn vrouw, hoe hun huwelijk was geweest, hoe hij had geweten dat het voorbij was, wie er uiteindelijk een streep onder had gezet, en hoe hij nu tegen de toekomst aankeek. Maar ze had zichzelf tegengehouden. Haar nieuwsgierigheid had al genoeg moeilijkheden veroorzaakt die dag. Trouwens, had ze tegen zichzelf gezegd, ze kende Ben nauwelijks. Wat had het voor zin om hem überhaupt iets te vragen? Ze had er niets mee te maken.

Ze had met gespitste oren in het donker liggen luisteren, wachtend tot hij in slaap viel, maar Ben had onrustig liggen draaien op de kleine slaapbank beneden en ze had geweten dat hij ook wakker was. Ze was bang geweest om zich te bewegen voor het geval hij dat zou interpreteren als een uitnodiging van haar, bang voor het gesprek dat ze niet met hem wilde hebben, bang voor de antwoorden die ze zou moeten geven op alle vragen die ze wist dat hij had.

Nu ze Elliot weer kuste, was ze blij dat ze haar intuïtie had vertrouwd. In het koude licht van de dag was ze erg blij dat ze geen nachtelijke biechtsessie had gehad met Ben. Ze rilde en Elliot wreef over haar armen.

'Ik wou dat we de hele dag hier konden blijven,' zei Elliot. Hij voegde het er niet aan toe, maar Kellie wist dat hij *maar dat gaat niet* bedoelde. Ze keek naar hun handen en de manier waarop ze zich instinctief hadden verstrengeld.

'Ik ook, maar het is hier wel een beetje tochtig, vind je niet?'

Elliot lachte. 'Nou en of. Wat moeten we nu doen?'

Zijn ogen keken haar teder aan. Hij streelde weer over haar wang.

'Het is zo vreselijk koud buiten. Je kunt nu niet op en neer tussen hier en St. John's. Het ziet ernaar uit dat ik hier blijf met kerst.'

'Overleef je dat?'

'Zal wel moeten, maar ik maak me zo ongerust. Dit is toch zo'n piepklein eilandje? Ik bedoel, wat als iemand mij ziet? Wat als ik je vader tegenkom, of jou en Isabelle samen? Wat moet ik dan zeggen?'

'Niets. Niemand heeft een flauw idee over ons. Niemand heeft ons samen gezien.'

'Maar – '

'Het komt allemaal goed, liefste. We hebben een grote kerstlunch, dus iedereen is binnen. Je hoeft je alleen maar onopvallend te gedragen. Wacht gewoon af tot het voorbij is en neem morgenochtend meteen de eerste boot. Ik kom je morgen tegen lunchtijd opzoeken. Niemand zal ooit weten dat je hier was.'

Kellie wist dat hij gelijk had, maar het beviel haar niet. 'Dit is toch belachelijk? Al dit stiekeme gedoe? Ik wou dat het anders was.'

En dat kon ook, dacht ze. Als jij Isabelle over ons had verteld vóór kerst, waren we hier niet eens geweest.

'Ik ook,' zei hij.

'Ik haat het om te moeten liegen tegen mensen. Ik haat het om te moeten doen alsof ik vrijgezel ben. Sally en Roddy, ze zijn zo aardig tegen me, ik voel me net een oplichter.'

'Vergeet hen toch. Wat maakt het jou uit wat zij denken?'

Ze gaf geen antwoord. Het maakte haar wél uit. Ze zag zichzelf hier terugkomen, over een jaar, om Elliots vader op te zoeken. Alle mensen die ze gisteravond had ontmoet zouden weten dat ze een leugenares was en haar ook zo behandelen. En Elliots vader? Wat zou hij ervan vinden dat ze zijn buren en vrienden misleid had?

Maar misschien had Elliot gelijk. Misschien moest ze zich er niets van aantrekken wat mensen van haar dachten. Wat zou de mening van anderen er nog toe doen als Elliot en zij eenmaal bij elkaar waren?

Ze zette een stap achteruit, naar het midden van de ruimte.

'Wat is dit eigenlijk hier?' vroeg ze.

'Het boothuisje van mijn vader.'

Het was de eerste keer dat ze ergens was dat direct verbonden was met de familie van Elliot. De houten deuren achterin waren in slechte conditie en het witte winterlicht scheen er in dunne spleetjes onderdoor. Aan de muur hing een aantal haken, met daaraan een bonte verzameling jassen en afgedragen zwemvesten. Grote maten en kindermaten. Aan het plafond was een giek en een windsurfplank met snelbinders vastgemaakt.

In het midden van het schuurtje stond een wit zeilbootje, de mast gevouwen en de zeilen opgerold.

Ze liep erheen. 'Is dit de plek waar je 's zomers heen gaat?' Ze keek opnieuw naar de kleine zwemvestjes. Eén ervan was vast van Taylor geweest. Ze was zich plotseling bewust van de familiegeschiedenis die de Thornes met elkaar deelden, al die herinneringen van Elliot waar ze nooit deel van zou zijn.

Elliot knikte. 'Vroeger. Ik heb dit bootje voor mijn vader gekocht toen hij met pensioen ging. Maar ik geloof niet dat hij het nog veel gebruikt.'

Kellie liet haar hand langs de kant van de boot glijden die van glasvezel was gemaakt, en liep verder van Elliot vandaan.

Toen zag ze het. Ze stopte. Haar hand trok zich terug van de boot alsof ze zich gebrand had. Daar stond de naam van de boot, in blauwe krulletters: *Isabelle.*

Elliot had een boot voor zijn vader gekocht en hem Isabelle genoemd?

'Wat is er?' vroeg Elliot.

Ze draaide zich om, dwong zichzelf om te glimlachen, dwong zichzelf om de jaloezie die ze voelde te verbergen. Had Elliot de naam verzonnen of zijn vader? Ze wist niet wat het ergste zou zijn. Of – ze werd zo misselijk van de gedachte dat ze hem onmiddellijk onderdrukte – of had Elliot hem niet voor zijn vader gekocht, maar voor Isabelle? Kon het zijn dat hij tegen haar loog?

'Niets,' zei ze.

Ze zou sterk moeten zijn. Ze herinnerde zich hoe belachelijk ze Elliot gisteravond had gevonden toen hij zo jaloers was geworden, ze was vastbesloten om niet dezelfde fout te maken. En trouwens, zei ze tegen zichzelf, als ze bij Elliot zou blijven, zouden er honderden dingen zijn die haar aan Isabelle zouden herinneren. Zo kon ze niet elke keer reageren. Als Elliot eenmaal van haar was, zou er niets meer zijn om jaloers op te worden.

'Ik wou dat we weer thuis waren,' zei ze, en ze meende het meer dan ooit tevoren. Ze kon het in haar hoofd nauwelijks bolwerken dat ze zich in minder dan achtenveertig uur verplaatst hadden van een appartement in Londen, via het comfort van een tweepersoonsbed in een hotel naar een koud boothuisje waar ze moesten fluisteren alsof ze vluchtelingen waren.

Hoe kon ze tegen hem zeggen dat ze de kriebels kreeg van deze plek? Dat al deze spullen, die hem duidelijk zo bekend waren, haar totaal vreemd waren. Misschien zou ze zich anders hebben gevoel als ze hierheen gekomen was als een gast van zijn vader, nadat Elliot haar officieel had voorgesteld. Zo had ze het altijd voor ogen gehad. Dan had ze het boothuisje kunnen rondkijken en naar Elliots herinneringen kunnen vragen zonder zich zo vreselijk onzeker te voelen. Maar in plaats daarvan was ze hier in het geheim, het leven dat ze met hem in Londen deelde, leek verder weg dan ooit.

'Kom eens hier,' zei hij met zijn bekende stoute grijns om zijn mond. 'Ik weet wel een manier om je op te beuren.'

'Elliot,' zei ze, zonder te bewegen. 'Het is ijskoud.'

'Daardoor heb je je nog nooit laten weerhouden. Weet je nog die keer op de hei?'

Ze waren een weekendje weggeweest toen ze een zaak hadden in Yorkshire een paar maanden geleden.

'Wil je het echt doen hier? Nu?'

'Waarom niet? Het is Kerstmis.'

Elliot probeerde haar te kussen, maar ze had geen zin in dat soort spelletjes.

'Wat is er toch?' vroeg Elliot.

Ze veegde haar mond af met de rug van haar hand. 'Ik wil niet.'

'Waarom niet?' Hij keek haar aan, verward en gekwetst.

'Omdat... omdat dit het boothuisje is van je vader. Het voelt gewoon verkeerd.'

'We zullen heus niet betrapt worden,' zei Elliot.

'Het gaat er niet om of we betrapt worden.'

Ze keek hem aan, alsof ze hem wilde dwingen om het te begrijpen, alsof ze hem wilde dwingen om te zorgen dat het allemaal goed zou komen. Ze wist dat ze een soort onuitgesproken gedragscode in hun relatie doorbrak door hem af te wijzen, maar ze kon nu niet meer terug.

'Ik wil dat het allemaal... echt is,' zei ze. 'Ik wil *echt* met jou samen zijn. Niet zo.'

'Dat zullen we ook zijn. Dat weet je toch.'

'Je moet weten dat dit bepaald niet mijn ideale kerst is,' zei ze. Ze moest bijna huilen. 'Maar dit is echt helemaal totaal klote.'

Totaalnadeklote, dacht ze plotseling en ze moest eraan denken hoe Ben haar aan het lachen had gemaakt op de boot. Ze dacht aan de lucht en de zee en al dat licht. Maar nu was ze in een groezelig boothuisje. Het was inderdaad *helemaaltotaalnadeklote*.

Elliot zuchtte diep en trok haar voorzichtig naar zich toe. 'Word nou niet boos. Kom op...'

'Je moet zo meteen terug,' zei ze. 'Ze zullen je missen.'

Ze hoopte dat hij zich zou verzetten, dat hij een geniale smoes zou verzinnen zodat ze meer tijd samen konden doorbrengen.

183

Maar in plaats daarvan kuste Elliot haar op haar kruin.

'Goed,' zei hij. Hij duwde haar kin met een vinger omhoog, zodat ze naar hem opkeek. 'Je hebt gelijk. Maar lach nog een keer naar mij, als laatste aandenken.'

Ze kreeg het voor elkaar om even naar hem te glimlachen, maar op deze manier had ze nog nooit naar hem geglimlacht.

'Zo ken ik je weer,' zei hij.

Die zin zou haar nog lang bijblijven, lang nadat hij vertrokken was en haar alleen achterliet in het halfduister.

*

Kellie stopte haar handen in haar zakken en liep terug van het boothuisje naar de straat. Er waaide een koude wind en er lag nog steeds een dik pak sneeuw op de grond.

Ze dacht dat ze na het zien van Elliot blij zou zijn, maar nu maakte ze zich meer zorgen dan ooit. Een paar dagen geleden nog had hun geheim haar een luchthartig gevoel gegeven, alsof de wetenschap dat ze van elkaar hielden een helder licht in haar opstak. Nu voelde het meer als een worm die aan haar vrat.

Alles was stil. De lucht was zachtpaars en toch scheen de zon. De rode en groene deuren van de huizen staken af tegen de sneeuw.

Toen ze de straat bereikt had, keek ze naar de haven waar de bootjes bedekt waren met een dun laagje sneeuw. Ze haalde diep adem en keek uit over het vlakke water. Door het grijze ijs leek de haven een dorpsvijver. Het was zo mooi, ze had het gevoel alsof ze in een boek van Dickens was gestapt. Ze was zelf niet zo'n fan, maar Ben, die schijnbaar elk boek had gelezen dat verfilmd was, zou er ongetwijfeld iets over te zeggen hebben.

'Hé. Hoe gaat het met je hoofd?' vroeg Ben. Hij kwam zo plotseling de hoek om dat ze ervan schrok. Ze vroeg zich af of hij haar uit het boothuisje had zien komen. Ze voelde dat ze bloosde, maar Ben glimlachte naar haar. 'Heeft de frisse lucht goedgedaan?'

Ze had haar kater vanmorgen wat overdreven zodat ze het huis uit kon om Elliot te ontmoeten.

'Het gaat wel,' zei ze en liep met hem langs de straat.

'We kunnen elkaar beter niet meer te vaak tegen het lijf lopen,'

184

zei hij. 'De mensen kletsen...'

Maar ze had niet veel zin in lollige opmerkingen. En al helemaal niet in geflirt. 'Hoe gaat het met de boot?' 'Ik kan er niet eens aan denken met al dat ijs daar.' Ze gleed uit op het bevroren pak sneeuw op de weg. Hij hield haar overeind. 'Voorzichtig.'

Ben zag een stel uit een van de huizen verderop in de straat komen en begroette hen vanuit de verte, 'prettig kerstfeest' klonk het over en weer.

'Het voelt helemaal niet als eerste kerstdag. Het is zo vreemd om hier te zijn,' zei Kellie.

'Toch niet vreemder dan in je eentje in een hotel, of wel?'

Ze stonden stil.

Ze kon aan hem zien dat hij haar raar vond. Het werd haar plotseling duidelijk hoe eigenaardig ze op hem moest overkomen, ondanks haar halfslachtige poging gisteravond in de kroeg hem uit te leggen wie ze was. Ze nam het hem niet kwalijk dat hij nieuwsgierig was. Immers, als de situatie omgekeerd zou zijn geweest, zou ze duizend-en-één vragen hebben gehad. Even verlangde ze ernaar om hem de waarheid te vertellen. Om hem uit te leggen dat ze een goede reden had om hier te zijn. Dat ze een rationeel mens was met een echte verklaring. En dat haar motieven absoluut eerbaar waren, omdat het om de liefde ging. Maar ze wist dat ze het niet kon. In plaats daarvan probeerde ze het weg te lachen.

'Ik zou in elk geval een kerstlunch hebben gekregen in het hotel,' zei ze.

'Maar dan zou er niemand zijn geweest om je knalbonbon mee te delen...'

'Die had ik in mijn eentje ook wel open gekregen.'

Ben strekte zijn armen uit om uit te proberen of dat tot de fysieke mogelijkheden behoorde. 'Maar je had een ober kunnen raken,' zei hij, 'met je elleboog.'

'Nee, daar ben ik veel te lenig voor.'

'Maar je had aan niemand het vreselijke grapje dat erin zit voor kunnen lezen,' merkte hij op.

'Dat is waar,' gaf ze toe.

'Nou, maak je maar geen zorgen,' zei hij tegen haar, 'dat je de lunch hebt gemist. We zullen echt niet verhongeren. Ik heb het een en ander bij elkaar geschooid in de kroeg.'

Typisch van hem, dat hij aan haar gedacht had. 'Ik kan best goed koken,' bood ze aan. 'Ik help je wel.'

'Nee, nee. Laat dat maar aan mij over. Ik maak het wel klaar. Het is toch alleen maar witte bonen in tomatensaus met wat toast. Daarna kunnen we naar de kroeg gaan en een zakje chips eten als nagerecht.'

Witte bonen in tomatensaus... ze probeerde de teleurstelling niet op haar gezicht te laten zien. Wat deed het ertoe, zei ze vlug tegen zichzelf. Kerstmis was toch niet belangrijk, of wel? Het was gewoon een naam voor een bepaalde dag, verzonnen door een religie waar ze niet in geloofde.

'Witte bonen in tomatensaus klinkt verrukkelijk,' zei ze tegen Ben. 'Wat gaan we in de tussentijd doen?'

'Nou, ik moet even bij Jack langs. Ik heb hem beloofd dat ik naar zijn vaders computer zou kijken die stuk is. Je mag best meekomen, maar ik denk niet dat het erg leuk is. Zijn vader is een beetje gestoord als je het mij vraagt.'

'Dan zie ik je tegen lunchtijd?'

'Goed. Ik vind je wel.'

'Oké, tot dan.' Ze glimlachte even en liep verder. Maar net toen ze haar rug had omgedraaid, raakte haar iets hard tussen de schouders.

Ze slaakte een kreet en draaide zich om. Ben grijnsde naar haar en was al bezig een nieuwe sneeuwbal te maken.

'Rotzak!' zei Kellie.

'Ach, kom op,' zei Ben. 'Je bent een perfect doelwit. Onweerstaanbaar.'

Hij gooide nog een sneeuwbal naar haar toe. Ze bukte op het laatste moment en hij raakte de muur naast haar.

'Hé!' Ze haastte zich bij hem vandaan en maakte snel een sneeuwbal om zich te verdedigen.

Na nog een aantal sneeuwballen over en weer, had Kellie haar capuchon afgedaan. Haar haar zat in de war. Zwetend en lachend rende ze Ben achterna en greep hem bij zijn arm en hield hem lang genoeg vast om een sneeuwbal achter in zijn nek te duwen.

Hij zakte schreeuwend in elkaar en sloeg in de sneeuw. 'Ik geef me over, ik geef me over, hou op,' smeekte hij.

Kellie lachte en liet hem los, ze klapte haar handschoenen tegen elkaar. Ze was buiten adem van de inspanning. Ze stak haar hand uit om Ben overeind te helpen en op dat moment zag ze Elliot. Hij stond bij de kroeg. Hij staarde haar even aan met een stenen blik. Daarna draaide hij zich om.

'Je had me te pakken,' zei Ben. Hij sprong overeind en klopte de sneeuw uit zijn haar. Hij glimlachte naar haar, zijn wangen rood, zijn ogen glinsterend in de zon.

'Je bent zelf begonnen,' zei ze, maar haar hart was er niet meer bij en ze glimlachte niet terug.

'Alles goed met je?' vroeg hij.

Ze dwong zichzelf om even te grijnzen. Hij mocht niet weten dat ze net Elliot had gezien, of doorhebben dat dat belangrijk was. Ze moest doen alsof alles in orde was. 'Ik heb het plotseling koud gekregen, dat is alles. Ik ga terug om me op te warmen.'

'Ik zie je straks,' riep hij haar na toen ze wegliep. Hij zwaaide naar haar en ze zwaaide zwakjes terug.

Kellie haastte zich terug naar het vakantiehuisje, haar hoofd liep over van gedachten over Elliot. Ze schaamde zich dat hij haar in een sneeuwballengevecht had gezien met Ben. Zo te zien aan zijn gezicht was hij nog steeds jaloers en nu voelde ze zich schuldig, alsof hij haar betrapt had. Ze kon er niet tegen. Het laatste beeld dat hij van haar had was van haar met Ben en hoe ze hem vasthield. Maar hij zag het verkeerd. In paniek raasden de gedachten door haar hoofd. Hoe kon ze hem nu bereiken om hem gerust te stellen?

Aan de andere kant, waarom zou ze hem moeten geruststellen? Hij zou haar moeten vertrouwen, net zoals zij hem vertrouwde. De last van het vertrouwen viel immers altijd op haar. Hij was degene die bij zijn familie was. Hij was degene die een boot had met de naam van zijn vrouw, verdomme. Wat moest ze dan doen als hij bij Isabelle was? Nooit lachen? Nooit lol hebben?

Ze keek om zich heen. Alles leek zo wit en onschuldig, en ze voelde zich schuldiger dan ooit. Maar er was niets om zich schuldig over te voelen, zei ze tegen zichzelf. Zeker niet over Ben.

Ze dacht terug aan haar ontmoeting met Elliot, tien minuten geleden pas. Alle overgebleven geruststelling van zijn laatste kus was nu verdwenen. De boot had Isabelle tot leven geroepen. Kellie had zich altijd voorgesteld dat Isabelle stilletjes zou verdwijnen als Elliot en zij eenmaal samen waren. Nu besefte ze dat het nooit zo eenvoudig zou zijn. Zou de familie van Elliot haar de schuld geven dat zijn huwelijk op de klippen was gelopen? Natuurlijk. Zouden ze haar voldoende accepteren zodat ze ooit Kerstmis zouden kunnen vieren met de hele familie? De tijd zou het leren.

Plotseling merkte ze dat ze op straat bijna tegen een paar mensen aan liep. Ze stopte, herkende de jongen onmiddellijk. Hij staarde haar aan. Het was de zoon van Sally, de tiener die Elliot gisteravond naar de kroeg had gebracht.

'Jij bent zeker Michael,' zei Kellie.

'Ja.' Hij liet zijn ogen van de hare afdwalen. Ze zag zijn pluizige snorretje en zijn slungelige onhandige ledematen en dacht aan de vreselijke schaamte die zijn leeftijd kon oproepen.

'Dat dacht ik al. Je moeder is erg aardig voor me geweest. Ik logeer in het vakantiehuisje.'

'Weet ik.'

Ze glimlachte naar hem, maar hij glimlachte niet terug. Kellie draaide zich naar de jonge vrouw die naast hem stond. Haar maag draaide zich om, de ogen die haar aankeken leken angstaanjagend veel op die van Elliot.

'Kom op, Taylor,' zei Michael, 'we gaan.'

Taylor staarde haar onverstoorbaar aan en Kellie merkte hoe haar mond langzaam droog werd. Ze zag er zoveel ouder uit dan Kellie zich had voorgesteld. Ze was vast even oud als Michael, maar ze leek al behoorlijk volwassen. Haar houding had iets koninklijks en haar blik was zo zelfverzekerd, bijna arrogant.

Kellie liep hen snel voorbij en rende bijna naar de deur van haar huisje. Ze voelde zich misselijk toen ze opendeed en naar binnen ging. Ze sloeg de deur achter zich dicht en liet zich ertegenaan vallen.

Haar wangen brandden. Ze keek rond door het lege huisje: het verfrommelde dekbed naast de haard waar Ben had geslapen. Ze wilde het liefst zo ver mogelijk hier vandaan zijn.

Dit was een ramp. Zo had ze Taylor niet tegen willen komen. Niet zonder Elliot. Niet voordat Elliot en Isabelle uit elkaar waren. Ze had het gevoel dat alles wat ze van plan was geweest steeds verder buiten bereik kwam te liggen.

Maar wat nog erger was, ze voelde ook iets anders. Het leek onmogelijk, maar ze had het gevoel dat Taylor het *wist*.

Hoofdstuk 15

In de eetkamer van Gerald Thorne was de waanzin van het cadeautjes openmaken in volle hevigheid losgebarsten. De cd van Isabelle *Christmas with the Rat Pack* speelde op de achtergrond en Frank Sinatra bralde 'Have yourself a Merry little Christmas' boven het sissende en knappende haardvuur uit. Ondanks het koude weer buiten was het snikheet in de kamer. Vanuit de keuken drong het aroma van gebraden kalkoen en gekookte aardappelen naar binnen en vermengde zich onaangenaam met de ziekelijke geur van de theelichtjes met 'kerst-odeur' die Isabelle door de kamer had verspreid.

Naast de piano in de hoek van de kamer liet Elliot een champagnefles knallen en vulde vervolgens de glaasjes op het zilveren dienblad. Stephanie zat voor de kerstboom op de grond geknield en hoopte dat hij op zou schieten. Als ze niet snel de rest van de cadeautjes openmaakten, zou ze niet op tijd terug kunnen zijn in de keuken en zou de lunch verpieteren.

Misschien werd ze net als Isabelle, dacht ze grimmig, en ergerde zich aan haar ergernis. Maar ze kon het niet helpen. Het cadeautjes openen was verschoven dankzij Elliot en zijn uitje met Taylor vanmorgen, en Stephanie had wel iets beters te doen dan op haar broer te wachten. Vooral omdat Gerald erop had aangedrongen dat de lunch om één uur op tafel moest staan, zodat iedereen de kans zou hebben om naar buiten te gaan als ze dat wilden. Stephanie kon niet begrijpen waar hij dacht dat iedereen heen zou gaan, en na al die sneeuw gisteren was het sowieso veel te koud.

Maar Elliot had blijkbaar geen haast. Stephanie zag hoe hij de champagne uitreikte. Hoewel ze het afgelopen jaar zelf ook niet erg geïnteresseerd was geweest in de mode (maar er wel van op de hoogte was omdat ze in de pauze altijd door de glossy tijdschriften bladerde die de patiënten in de wachtkamer hadden achtergelaten) vond ze zijn ballerige combinatie van blauwe blazer en sportbroek erg tragisch. Het zal wel onvermijdelijk zijn na al die jaren, dacht ze, maar hij was echt omgevormd tot Isabelles ideale bordkartonnen echtgenoot uit Chelsea. Vandaag had hij zich speciaal gekleed voor kerst. Dat had ze nog nooit eerder gezien. Hij had zich zelfs gedoucht en geschoren.

Hij was pas negenendertig jaar oud, jonger dan zij. Waar was die burgerlijke man van middelbare leeftijd met patriarchale allures vandaan gekomen? Waar was de rebellerende tiener gebleven die de deugden van The Buzzcocks en The Sex Pistol altijd hoog ophemelde? Was hij dezelfde jongen die van school werd gestuurd omdat hij een exemplaar van *Men Only* onder zijn tafeltje had, die van haar het roken en het vloeken had geleerd, en die in bad had gezeten met zijn spijkerbroek aan totdat ze om zijn dunne beentjes geklit zaten als bast rondom twee boompjes?

Was het gewoon de leeftijd? vroeg Stephanie zich af. Ze wist dat ze veranderd was, maar Elliot was meer veranderd in de afgelopen paar jaren. Als ze beter had opgelet had ze misschien kunnen voorkomen dat ze zo ver uit elkaar waren gegroeid. Ze scheen hem niet meer op dat niveau te kunnen bereiken waarop hij zou toegeven dat ze ooit een intiemere band hadden gehad. Ze werd er verdrietig van dat ze hem niet meer echt kende, en niet meer wist wat er in zijn hoofd omging.

Alsof hij aanvoelde dat ze over hem nadacht, keek Elliot haar aan. Hij glimlachte en trok zijn wenkbrauwen op, probeerde vriendelijk te zijn. Misschien was hij toch nog de oude Elliot, dacht ze. Maar ze wist het niet zeker.

Wat ging er door hem heen als hij haar aankeek, vroeg ze zich af en voelde zich plotseling onbehaaglijk. Medelijden? Ze wist het niet. Ze keek nauwelijks meer in de spiegel tegenwoordig, laat staan dat ze de tijd nam om andere kleren aan te doen om een goede indruk op iemand te maken. Vroeger hield ze zo van kleren. Het had iets magisch zoals het aantrekken van een korte rok en een paar hoge laarzen haar een zelfverzekerd en sexy gevoel kon geven, nadat ze de dag had doorgebracht met het onderzoeken van vreemde uitslag en het uitdelen van doktersrecepten. Ze glimlachte flauwtjes, ze moest denken aan de schuldbewuste winkelsessies met haar beste vriendin Tessa.

Maar haar glimlach vervaagde al snel. Er was een tijd gekomen dat kleren haar gemoed niet meer konden beïnvloeden. Haar gevoelens zaten zo vast als de wijzers van een kapotte klok die door niets meer in beweging waren te krijgen.

En ze zou er alles voor overhebben om ze weer in werking te stellen, maar ze wist niet hoe.

Ze kneep hard in de rug van haar hand en forceerde de gedachten uit haar hoofd. Dat soort gedachten, zei ze tegen zichzelf, daar kan niemand wat mee. In plaats daarvan bekeek ze de ravage die Nat en Simon eerder die ochtend hadden aangericht bij het openmaken van hun kousen. Inpakpapier en lege doosjes lagen verstrooid over de vloer, ondanks haar pogingen om alles netjes te houden. Dat David Simon meteen alle cadeautjes had laten openmaken, had ook niet bepaald geholpen.

Ze keek naar hen samen bij de haard, hoofden tegen elkaar. David probeerde het batterijvakje open te peuteren van de afstandsbediening van Simons nieuwe autootje. Nat was druk bezig hologramstickertjes van een vel te pellen en op het tapijt te plakken.

Plots merkte Stephanie dat Gerald naast haar stond. Hij inspecteerde de groene Shrek-pantoffels aan zijn voeten, die hij van Simon had gekregen.

Hij overhandigde Stephanie een glas champagne. 'Ik vind het best leuk om een reus te zijn,' zei hij terwijl hij naar zijn voeten staarde. 'Denk je dat ik de rest van het pak op mijn verjaardag kan krijgen?'

Stephanie kneep in zijn hand. 'Ik zal het proberen, pa,' zei ze. Ze wist dat hij haar probeerde op te beuren.

'O! De canapés!' zei Isabelle en rende naar de keuken alsof die in brand stond.

Zodra ze de deur naar de woonkamer opendeed, sprong de hond de kamer binnen, en botste tegen de benen van Elliot.

'Kom op, Rufie. Eventjes naar de serre, totdat we klaar zijn met de cadeautjes,' zei hij en keek even naar Stephanie. Hij leidde de hond aan zijn halsband naar de deur en duwde hem erdoor. 'We hebben geen behoefte aan een tweede voorstelling van jou.'

Zodra Elliot zich had omgedraaid, sprong Taylor overeind

uit de leren fauteuil, griste snel een glas van het blad en sloeg de champagne in één teug achterover, plofte weer terug in de stoel en sloeg haar benen over de armleuning.

'Hé, rustig aan jij,' zei Gerald tegen haar. 'Mag jij wel champagne, schatje?'

'Ik drink het geregeld,' antwoordde Taylor.

Gerald grinnikte. 'O ja? Nou, ik geloof dat dat het glas van David was.' Hij vulde het champagneglas opnieuw en gaf het aan David. 'Je moet behoorlijk bijdehand zijn hier,' hoorde Stephanie hem stilletjes zeggen.

'Zeg, proost allemaal,' zei Elliot toen Isabelle weer terugkwam en een porseleinen bord op tafel zette.

Stephanie keek naar de stapels blini's met gerookte zalm, crème fraîche en bieslook. Ze zouden gegarandeerd bij iedereen de eetlust wegnemen. Op de achtergrond jankte de hond luidkeels aan de andere kant van de deur.

'Gelukkig kerstfeest allemaal,' zei Gerald.

'Gelukkig kerstfeest,' echode Isabelle plichtsgetrouw. Ze nam een glas champagne aan van Elliot en zuchtte van tevredenheid, alsof al die moeite die ze zojuist gedaan had absoluut, helemaal, van voor tot achter de moeite waard was geweest.

Isabelle zag er stralend uit vandaag. Haar make-up was perfect, haar ogen glinsterden. Ze had een eenvoudige, crèmekleurige broek aan en een beige trui van mohair, waardoor ze er een beetje wazig uitzag, als op een foto met soft focus. Ze zag er ontspannen en gelukkig uit. Maar dat was waarschijnlijk te danken aan het twee uur durende bad dat ze vanmorgen had genomen, terwijl Stephanie de kalkoen aan het vullen was. Timing was erg belangrijk en Isabelle had het helemaal onder de knie.

Stephanie voelde zich in vergelijking met haar vreselijk smerig, ze besefte dat ze nog steeds het met bloem bespatte schort aanhad. Ze had nauwelijks geslapen. David, die laat naar bed was gekomen, had de hele nacht gesnurkt. En ze was met het krieken van de dag opgestaan omdat Nat en Simon hun cadeautjes wilden uitpakken. Stephanie had snel de kleren die ze gisteren droeg aangeschoten en een halfhartige poging gedaan om David wakker te krijgen. Hij had slechts wat gegromd en zich nog eens omgedraaid, waarop zij snel naar beneden was gegaan. Tegen de tijd dat hij op was gestaan, hadden de kinderen bijna al hun cadeautjes opengemaakt. Stephanie had aan hem kunnen zien dat hij teleurgesteld was, maar ze had hem geen aandacht gegeven. Waarom zou ze hem met de eer laten strijken? Hij was allerminst de kerstman in hun gezin. Maar als hij dat niet was, wat was hij dan wel? Ze wist het allemaal niet meer.

'Misschien moeten we een toast uitbrengen voor afwezige dierbaren?' zei Isabelle. Ze keek afwachtend naar Stephanie en daarna naar Gerald.

'Laten we de toast bewaren tot de lunch, goed?' zei Gerald en hij keek naar Stephanie alsof hij haar aan haar belofte wilde herinneren dat ze zich niet zou opwinden.

Maar dat viel niet mee. Het was niet aan Isabelle om zo'n toast voor te stellen. Emma Thorne was niet haar moeder geweest en Paul niet haar zoon. Ze had geen flauw idee wat Stephanie of haar vader voelden.

'Taylor, niet doen, schatje,' zei Isabelle op normale toon, 'dat is erg irritant.'

Taylor luisterde niet naar haar en ging door met het uitproberen van nieuwe ringtones op haar mobieltje. Verstrooid schopte ze ondertussen tegen de stapel dure cadeautjes die tegen de kant van haar stoel stond geleund.

'Mag ik wat bubbeltjes?' vroeg Nat. Ze duwde haar vuistje in het glas van Stephanie en likte de vloeistof van haar vingers.

'Nee. Niet te veel, hoor,' zei Stephanie. Ze probeerde het glas bij haar uit de buurt te houden. 'Ga maar eens rond met de canapés.'

'Waar blijft de rest van de cadeautjes, Stepho,' zei Elliot.

'Deze is voor jou en Isabelle, van ons,' zei Stephanie. Ze hield het slordig ingepakte doosje met de glazen kom potpourri omhoog.

Isabelle slikte een mondvol champagne door en wapperde met haar handen. Ze stapte door al het pakpapier heen naar Stephanie, die hun cadeautje op het tapijt neerzette.

'Laten we ze tegelijkertijd doen. Daar heb je die van ons voor jou en David. Hier, deze is voor jou,' zei ze. Ze stapte over Stephanie heen en tilde een zwaar ogend cadeau op en gaf het aan haar.

'David, deze is voor jou,' ging Isabelle verder. Ze gaf het enorme pakket aan David en deed net alsof ze haar evenwicht verloor. David wierp Stephanie een blik toe en ze wist wat hij wilde zeggen. Hij schaamde zich voor hun cadeau. Ze wisten allebei dat hij gelijk had. Het was veel te mager. Stephanie was van plan geweest om Isabelle te vertellen wat er met de glazen was gebeurd, maar nu durfde ze niet meer. Ze wilde niet het risico lopen dat Isabelle het ook stom van haar zou vinden dat ze glazen had gekocht. Ze zou gewoon moeten proberen om het later tegen Elliot te zeggen.

'Toe dan, jij eerst,' zei Isabelle, haar gezicht stralend in afwachting. Ze ging naast Stephanie op de knieën zitten. Stephanie maakte het grote pakket open. Er zat een fles parfum in met bijbehorende lichaamscrème die samen waarschijnlijk een hoop geld hadden gekost. Er zat ook een modieus boek bij over makeovers, dat Stephanie voor zichzelf had willen kopen maar te lichtzinnig had gevonden. Nu schaamde ze zich om een heel andere reden. Zag ze er zo vreselijk uit dat andere mensen het nodig vonden om boeken voor haar te kopen opdat ze zichzelf meer zou ontplooien?

'O... Jezus...' zei Stephanie.

'Volgens mijn vriendin is het fantastisch,' zei Isabelle. 'Heeft haar leven totaal veranderd. Ik bedoel, het is zo lastig om te weten wat je aan moet doen als je ouder wordt, toch? Je houdt je vast aan dezelfde stijl...'

Stephanie was blij dat Isabelle zichzelf aan het ingraven was.

Op de achtergrond kwam de afstandsbediening van Simon tot leven. Naast haar begon Taylor pinda's in de lucht te gooien en op te vangen met haar open mond. Elliot, David en haar vader schoten in de lach om een grapje dat verteld werd.

'...Ik bedoel, ik heb gewoon geluk, weet je, met Lucy. Ze is al jaren mijn persoonlijke inkoper bij Selfridges en weet precies wat ik mooi vind... maar voor andere mensen...' ging Isabelle verder.

'Het zal zeker van pas komen,' zei Stephanie om haar gerust te stellen. Ze boog voorover en kuste haar op haar wang.

Isabelle glimlachte. 'Nou, eens kijken wat we hier hebben,' zei ze. Ze pakte het geschenk van Stephanie van de grond en hield het in de lucht als een kind om te raden wat erin zat.

Stephanie vouwde het dure pakpapier van Isabelles cadeau op. Ze voelde zich misselijk. Opnieuw probeerde ze wanhopig de juiste formulering te vinden om Isabelle te zeggen dat dit slechts het tweede, reservecadeautje was, zonder dat het als een smoesje klonk, maar het lukte haar niet. Wat het nog erger maakte, was dat Isabelle het uitpakken met opzet rekte, voorzichtig peuterend aan Stephanies goedkope pakpapier, totdat uiteindelijk de kom potpourri tevoorschijn kwam.

'O, wauw!' zei Isabelle. Ze ging op haar hielen zitten en boog voorover om Stephanie een kus te geven. Ze was oftewel een uitzonderlijk goeie leugenaar, of ze vond het echt mooi. 'Die past perfect in onze zitkamer.'

'Dat dacht ik ook,' zei Stephanie. Ze voelde zich zo'n enorm kreng.

Ze glimlachte kort naar Isabelle en zij glimlachte terug. Even was het stil. Dat was het. De cadeautjes waren open. Alle verwachting en opwinding van Isabelle was in een mum van tijd verdwenen, geknapt als een zeepbel. Zomaar. Geen van beiden kon verbergen dat het een gigantische anticlimax was.

Wat had het eigenlijk voor zin, dacht Stephanie. Iedereen deed alsof Kerstmis iets geweldigs was en zoveel betekenis had, maar niemand van hen was naar de kerk geweest. Hoewel er geen dienst was geweest, vond Stephanie het jammer dat ze niet het gebouw waren binnengegaan om een gebed op te zeggen. Het zou goed zijn geweest om er de kinderen mee naartoe te nemen. Er ontbrak een context aan al deze hectiek van luchtig consumentisme om haar heen. Ze keek naar Simon die zijn mond volgepropt had met chips en tegelijkertijd aan de hendel rukte voor het autootje. Hij had geen idee wat het allemaal betekende. En waarom zou hij? Wat had zij eraan gedaan om zijn spirituele welzijn vooruit te helpen? Het autootje racete onder de tafel door en zij voelde zich een totale mislukkeling.

'En jij dan, pap?' vroeg Taylor. 'Moet jij niet je cadeautje aan opa geven. Daarom zijn we vanmorgen toch het dorp ingegaan?' Er zat iets in haar stem, iets dat bewust gemeen klonk en iedereen merkte het.

Isabelle mompelde afkeurend en liep toen lachend naar David

die bezig was zijn cadeautje open te maken. 'Dat is nog eens op het nippertje winkelen, hè Gerry?'

Elliot glimlachte naar Isabelle en Taylor. 'Zeg jullie twee, hou nou eens op met mij te pesten. Vrolijk kerstfeest, pap,' zei hij en reikte hem een klein doosje aan. 'Sorry dat het niet fatsoenlijk is ingepakt.'

'Het kompas dat ik wilde hebben voor de boot,' zei Gerald toen hij het doosje openmaakte. Hij was duidelijk opgetogen. 'Dank je, jongen.'

'Hij heeft het in de ijzerwinkel gehaald,' zei Taylor. 'Of niet, papa. Daar ging je vanmorgen toch naartoe.'

'Eh,' begon Elliot.

'Phil?' zei Gerald. 'Ik had niet gedacht dat hij open zou zijn op eerste kerstdag.'

'O jawel,' zei Taylor. 'Mensen doen wel meer rare dingen op eerste kerstdag. Nietwaar, papa?'

Elliot glimlachte zwakjes naar haar. 'Zullen we dan maar aan de blini's beginnen?' zei hij.

'Wauw! Fantastisch!' riep David toen hij het zachte bruin leren jasje openvouwde dat Isabelle hem gegeven had.

'Vind je het mooi?' zei Isabelle. 'Ik dacht dat die kleur je heel goed zou staan.'

Stephanie had ook een jasje gekocht voor David. Hij had het al eerder uitgepakt en ze had meteen aan hem kunnen zien dat hij het niet mooi vond. Ze vond het zelf ook niet zo mooi, maar het was in de uitverkoop geweest.

'Deze is voor jou, Nat,' zei Stephanie om de aandacht van David af te leiden. Hij was bezig zijn jasje aan te passen en Isabelle zwermde om hem heen en veegde over zijn schouders.

'Jezus, wat ben jij knap,' zei Isabelle lachend en David gaf haar een kus.

Stephanie draaide zich weer naar Nat die haar pakketje openscheurde en er een lange prinsessenjurk met bijpassende glinsterende schoenen uithaalde. Nat hield de jurk tegen zich aan met een kreet van blijdschap.

'Tante Isabelle, dit is het mooiste cadeautje dat ik ooit heb gekregen,' zei ze.

Stephanie voelde een steek van jaloezie in haar maag. Gisteren was Nat nog doodsbang voor Isabelle geweest en nu gedroeg ze zich alsof ze haar meest favoriete persoon op de wereld was.

'Een prinsessenjurk voor een echte prinses,' zei Isabelle. Ze glimlachte naar Isabelle en liep naar Nat toe. 'Ik kon het gewoon niet laten.'

'Is dit ook voor mij?' vroeg Nat. Ze trok een glinsterende pop uit de berg felroze vloeipapier. Haar ogen werden groot van ongeloof. Ze keek Stephanie aan.

'Die kon ik toch niet in de winkel laten liggen, of wel?' zei Isabelle.

'Wat zeg je dan?' souffleerde Stephanie.

'Dankjewel,' zei Nat en sloeg haar armen om Isabelles nek.

'Echt Isabelle, je bent veel te gul,' zei Stephanie en ze meende het.

Isabelle begon Nat te helpen met het aantrekken van haar jurk. 'Ach, kom nou! Ze zijn maar zo kort kinderen. Je moet ze af en toe verwennen.'

Elliot kwam bij hen staan om de jurk van Nat te bewonderen. 'Hoe staan we ervoor? Zit er daaronder ergens een cadeautje bij voor Isabelle?' vroeg hij.

Isabelle klapte haar handen in elkaar als een opgewonden peuter. 'Ja leuk, ben ik nu aan de beurt?' vroeg ze.

Stephanie rommelde door het puin van de cadeautjes, maar kon niets vinden.

Elliot ging overdreven op zijn handen en knieën zitten om te zoeken en vond uiteindelijk een piepklein pakketje onder de boom.

'Tada!' zei hij triomfantelijk en gaf het aan Isabelle.

Het was een sieraad, zag Stephanie aan het Tiffany-logo op het kleine doosje. Ze onderdrukte de jaloezie die ze voelde opborrelen en de ergernis over hoe haar broer zijn geld rondstrooide. David was zich nog nooit zo te buiten gegaan voor Stephanie. Dit jaar had hij zelfs helemaal niets voor haar gekocht.

'O jee!' riep Isabelle uit bij het zien van het doosje. Ze maakte het open. Ze gilde van opwinding en haalde eruit wat erin zat.

Stephanie kon er niet tegen dat ze zo nieuwsgierig was. Waarom deed ze überhaupt moeite om haar nek te verdraaien om Isabelles cadeautje te zien? Wat deed het ertoe? Maar ze kon zich niet inhouden. Ze staarde naar Isabelle die haar prachtige ketting in haar handen hield. Het was een diamanten hangertje in de vorm van een hart aan een kettinkje van gedraaid platina.

Isabelle stormde naar de schoorsteenmantel en bewonderde zichzelf in de met zilveren franjes versierde spiegel. Met haar vingertopjes duwde ze de diamant zacht tegen haar gave huid. 'O liefste. Hij is prachtig,' zei ze. Ze draaide zich om en zwaaide haar armen om Elliot heen. Hij leek gepast tevreden met haar reactie. Hij klopte zachtjes op haar rug en glimlachte naar iedereen over de schouder van zijn vrouw heen, schuddend met zijn hoofd en rollend met zijn ogen alsof hij zich wilde verontschuldigen.

Stephanie kon het niet meer aanzien. Ze kon de zelfvoldaanheid van Isabelle niet langer verdragen. Ze had geen idee hoe hard het leven was voor andere mensen. Hoe durfde ze zo op te scheppen, te doen alsof hun leven altijd zo was als in de reclame.

'Kan iemand dit opruimen en de tafel dekken?' vroeg ze. Ze stond op, haar benen waren verstijfd van het knielen op de grond. 'Ik ga verder met de lunch.'

'Wacht! Wil je dit niet eerst openmaken?' zei David. Hij wapperde naar haar met een slecht ingepakt dun rood pakketje. Hij zag eruit als een vreemdeling in het leren jasje dat Isabelle hem had gegeven. Alsof hij uit een detectiveserie uit de jaren zeventig was weggelopen.

'Wat is het?' Ze vond het een beetje verdacht. Ze had zich eraan geërgerd dat David niet de moeite had genomen om een cadeautje voor haar te kopen, maar ze besefte dat ze dat liever had dan nu in het middelpunt van de belangstelling te moeten staan.

'Maak maar open.'

Ze nam het kleine pakje uit zijn handen.

'Sorry dat het niet zo mooi is ingepakt,' zei hij.

Er zat een dunne witte envelop in met het logo van een reisbureau erop. 'Wat is dit?'

'Het zijn kaartjes voor de opera. In Wenen,' zei hij blozend.

Ze staarde naar de envelop in haar hand zonder het te openen. Ze kon het niet geloven. Het leek opeens erg stil te worden in de kamer. Ze merkte dat de cd was blijven haken op White Christmas, zodat Dean Martin alsmaar 'Why why why why why' bleef zingen. Ze keek naar de glanzend witte envelop en voelde hoe ieders ogen op haar waren gericht.

Kaartjes voor de opera in Wenen. Het was altijd een droom van hen geweest om daar heen te gaan. Een droom die ze vaak besproken hadden. Maar een droom die ze helemaal vergeten was. Hij hoorde bij de persoon die ze was voordat Paul was gestorven. Hij hoorde bij de persoon die van haar man had gehouden, die had gedacht dat ze een gelukkige toekomst zouden hebben, niet een vol met pijn.

'Liefste?' vroeg David.

Ze voelde een scheut van woede. Ze was niet zijn liefste. Hoe kon David dit doen? In het openbaar? Als een lafaard? Omdat hij precies wist wat ze gezegd zou hebben als hij haar dit op een privé-moment had gegeven?

Wat wilde hij? Doen alsof het de kerst van twee jaar geleden was? Terug te gaan in de tijd? Doen alsof de dood van Paul niet echt was? Of dat Paul nooit had bestaan? Doen alsof ze nog steeds een stel waren dat zomaar een weekendje naar de opera ging?

'Ben je niet blij?' vroeg hij. 'Zeg eens iets.'

'Ik denk niet dat we kunnen gaan,' zei Stephanie. Ze wreef over haar wenkbrauwen en gaf hem de kaartjes terug. Ze kon hem niet zeggen hoe ze zich werkelijk voelde. Niet nu. Niet tegenover iedereen. Ze wist niet of ze zichzelf wel in bedwang kon houden.

'Waarom niet?' David nam de kaartjes niet terug.

'Je weet toch dat dat niet gaat. We kunnen de kinderen niet achterlaten.'

'Why – why – why – why – why – ' zong Dean Martin verder.

'Maar dat kan toch best,' zei Isabelle. Ze maakte zich los uit Elliots armen en grijnsde naar David. 'We hebben er iets op bedacht. Nat en Simon kunnen bij ons komen logeren. Taylor is dan thuis van school, dus zij kan ook meehelpen.'

'Maar – '

'Jullie vliegen vanaf Heathrow, dus dat is makkelijk,' ging Isabelle snel verder. 'Het is allemaal geregeld. David en ik heb het erover gehad.'

'Why – why – why – why – ' schreeuwde Dean Martin in Stephanies oor. Ze marcheerde naar de cd-speler en duwde hard op de stopknop.

'Rustig, Steph,' zei Elliot.

'Waarom kan ik niet met jullie meekomen?' vroeg Simon aan David.

'Dat heb ik al gezegd. Het is een romantisch reisje voor twee, jongen, daarom,' zei David en bokste speels tegen zijn schouder.

'We hebben het er later wel over,' zei Stephanie kil.

Plotseling hoorden ze een kabaal. Taylor had de stapel cadeautjes omgestoten. Ze keken allemaal om.

'Gaat het goed met je, moppie?' vroeg Elliot. Hij hurkte naast Taylor neer. Hij reikte zijn hand uit om haar haar te strelen, maar ze trok zich snel van hem weg en raapte al haar cadeautjes op.

'Ik baal hiervan,' zei ze. 'Ik ga boven op bed liggen.'

'Ga nu nog niet,' zei Isabelle.

Taylor draaide zich om naar Isabelle. 'Waarom?'

'Luister, liefje,' zei Isabelle. Ze bedekte haar mond met haar handen. 'Ik wil graag dat je erbij bent. Ik was niet van plan om het zo te doen, maar aangezien iedereen er nu is, en in zo'n goede bui, kan ik net zo goed...'

'Wat?' vroeg Elliot.

Isabelle vouwde haar handen in elkaar. 'Ik moet jullie iets bekennen,' zei ze. 'Ik heb iets geheimgehouden.'

'Ach, lieverd,' grapte Elliot, 'ik had je nog gezegd dat je die Porsche niet voor me hoefde te kopen.'

'Nee, serieus,' zei Isabelle. 'Ik heb nieuws, lieverd. En ik heb het bewaard tot nu. Want ik heb het pas een paar dagen geleden ontdekt, en, nou ja, ik wilde het jullie allemaal tegelijk vertellen. Omdat het Kerstmis is. En Kerstmis is een familieaangelegenheid. En dit ook...'

Ze grijnsde ongemakkelijk en greep Taylors hand vast.

'Elliot... Taylor... samen. We krijgen er een nieuw familielid bij. Ik ben in verwachting.'

Hoofdstuk 16

'Kellie!' riep Ben onder aan de trap. 'Ben je boven?'

Het was net na enen en Ben zweette alsof hij op een Caribisch strand lag, hoewel hij net vanuit de ijzige kou het huisje was binnengekomen.

Hij had een snee in zijn wijsvinger die hij zojuist had verbonden met een stuk keukenrol en een reepje isolatietape er omheen gewikkeld, dat hij in de la had gevonden. Hij keek in de ovalen houten spiegel aan de muur en zag dat hij nerveus glimlachte, als een schooljongen. Het verbaasde hem niet, want zo voelde hij zich ook. Hij had zich geschoren. Zijn haar was nat waar hij het uit zijn gezicht had gekamd. Hij tuurde omhoog langs de goedkope, versleten dennenhouten trap die naar het slaapkamertje leidde waar Kellie vannacht in geslapen had.

Zou dat wat hij haar nu ging laten zien genoeg zijn om hem met andere ogen te zien? vroeg hij zich af. Zou ze hem er aardiger door vinden?

Hij moest bijna hardop om zichzelf lachen. Dit waren niet de gedachten van een volwassene maar wederom van een kleine jongen. Hij was directeur van een bedrijf – of beter *ex*-directeur – een manager. Het was zijn taak – geweest – om mensen aan te nemen en ze soms zelfs te ontslaan. Ook was hij nog maar net ontsnapt aan een ingewikkelde scheiding en het laatste wat hij nodig had, was om emotioneel bij iemand anders betrokken te raken. Vooral iemand die hij nauwelijks kende en die al met iemand anders samen was, ook al was het maar 'een soort vriendje'.

Of misschien was Kellie *precies* wat hij nodig had. Want vanaf het moment dat ze de kroeg had verlaten, had hij haar gemist. Hij voelde haar afwezigheid als een klap in het gezicht. Net toen hij dacht dat hij haar een beetje begon te leren kennen, was ze als los zand door zijn vingers geglipt.

'Eén stap vooruit, twee achteruit – zo voelde het om bij haar te zijn. Net als het sneeuwballengevecht vanmorgen. Precies op het moment dat ze zich begon te ontspannen, klapte ze weer dicht. Nou, hij zou zich niet zomaar aan de kant laten zetten. In de afgelopen vierentwintig uur had hij meer gelachen, meer gevoeld en meer angst gehad om het leven van iemand anders dan toen hij voor het eerst zijn ex-vrouw had ontmoet en verliefd op haar was geworden.

Maar zelfs met Marie had hij nooit de behoefte gehad om indruk op haar te maken als vandaag met Kellie. Misschien kwam het omdat hij werd genegeerd. Misschien was het het feit dat Kellie in staat was geweest om van hem weg te lopen in de kroeg – omdat ze iemand anders thuis had die op haar wachtte – dat hem nu zo opzweepte. Was het de concurrentie met een man die hij nog nooit gezien had, die Kellie alleen had gelaten met kerst, waardoor hij zo vastberaden was om haar aandacht te trekken, om haar tot stilstaan te brengen en hem te zien? Maar het ging dieper dan dat. Wat hem dreef had meer te maken met hoop dan met trots.

'Kellie!' riep hij weer naar boven.

Hij hoorde de overloop kraken. Daar stond ze. Ze wreef met de muis van haar hand in haar ogen en haalde haar vingers door haar golvende bruine haren. Ze had een veel te grote witte trui aan met V-hals, een lang grijs vest, vale spijkerbroek en dikke wollen sokken, allemaal geleend van Sally. Om haar hals glinsterde een ketting in het felle licht van de plafondlamp.

'Zeg maar niks,' zei ze gapend, 'ik weet het al...'

'Wat?'

'Dat ik eruitzie als een zwerver...of iemand uit een vaudeville-show.'

'Ik dacht meer Robin Williams in de *Fisher King*, of een presentatrice voor de kinder-tv. Misschien Sesamstraat, anno 1979.'

Ze glimlachte slaperig en waarschuwde hem: 'Als je maar niet het liedje begint te zingen, Ben. En, is het gelukt?' vroeg ze toen. Ze liep de trap af met haar lange vest achter zich aan als een bruidssluier.

Hij keek haar niet-begrijpend aan.

'Met de computer van Jacks vader.'

'O,' zei hij, 'dat. Ja, weer helemaal in orde.'

Ze ging tegen de radiator staan en keek door de kleine ronde deuropening onder de trap, die naar het keukentje leidde. Er lag een brood en een blik witte bonen in tomatensaus op het aanrecht.

'Lunch?' vroeg ze.

'Ik kon niets anders krijgen.'

'Beter dan niets. Ik weet hoe je dat heel lekker klaar kunt maken.'

'En als je nou iets anders kon hebben?' vroeg hij.

'Zoals?'

'Wat je wilt. Als je nu met je vingers kon knippen, als een tovenaar, en het plotseling voor je zou staan... Wat zou dan jouw ideale kerstlunch zijn?'

'Met dit weer? Iets uit de oven. Zeker weten. Rundvlees, of kip, of kalkoen. Wat dan ook.'

'Met aardappelen,' zei hij, 'en jus...'

'Boontjes...'

'En erwtjes en worteltjes...'

Ze lachte. 'Hou op. Het water loopt me in de mond.' Ze veerde op van de radiator en liep door de keuken. Ze tilde het blikje op. 'Witte bonen in tomatensaus op geroosterd brood voor twee,' zei ze. 'Komt eraan.'

Hij zei: 'Wacht.'

'Wat?'

'Het fornuis... het is stuk. We hebben een nieuwe gasfles nodig. Sally zei dat we de volle gasfles van het huisje hiernaast maar moesten nemen. Maar het is zwaar, dus ik heb je hulp nodig.

'Geen probleem,' zei ze en zette het blikje weer neer.

De wind sloeg om hen heen toen ze buiten kwamen. Ze had nu een versleten jas aan van Harris-tweed en een paar met verfspatten bedekte gymschoenen die een paar maten te groot waren. De deur naar het andere vakantiehuisje was al open en Ben liet haar voorgaan.

Dit huisje was identiek qua grootte en inrichting aan dat waar zij gisteren in geslapen hadden, maar het zag er niet erg onbewoond uit. De lichten en radiatoren waren aan. Het was er veel warmer dan in het andere huisje doordat er een groot vuur brandde in de haard. Ben deed de deur achter hen dicht. Ze stonden naast elkaar en zwegen.

Ben wachtte tot ze iets zou zeggen, maar ze deed haar mond niet open. Hij voelde overal kriebel van zenuwachtigheid. Waarom was hij juist nu opgehouden met roken? vroeg hij zich voor de vijftigste keer af vandaag.

'Zeg nou niet dat je net dat meisje bent uit *Gremlins*,' zei hij. 'Weet je wel, dat meisje dat een hekel had aan Kerstmis, omdat haar vader, toen hij met zijn kerstmanpak door de schoorsteen probeerde te klimmen, was uitgegleden en zijn nek had gebroken?'

'Eh...'

'Of dat je een beëdigd lid bent van de *Grinch*, of een aanhanger van een fundamenteel christelijke sekte die gelooft dat de kerstlunch een ketters vraatfestijn is dat ons wordt voorgezet door de duivel?'

'Nou... nee, maar...'

'In dat geval,' zei hij, 'kan ik slechts concluderen dat de afwezigheid van een glimlach op je gezicht een indicatie is dat je een advocaat bent, en als zodanig een instinctieve en overweldigende aversie hebt tegen verrassingen in het algemeen...'

Ze ging voor hem staan en sloeg haar armen om hem heen.

Het gebaar verraste hem zozeer dat zijn armen nutteloos naast hem hingen. Tegen de tijd dat hij op het idee kwam om ze te bewegen en haar ook te omarmen, was het moment verdwenen.

Ze liet hem los en draaide zich naar de kamer toe. Langs de zwarte houten balken die het lage plafond in tweeën deelde, zaten A-4tjes geplakt, op elk van hen was een letter gekrabbeld met een blauwe balpen. Tezamen vormden ze de tekst:

VROLIJK KERSTFEEST!

In de haard gloeiden kolen onder de dansende vlammen. De geur van gebraden vlees hing in de lucht. Het kwam uit de keuken, waar de tafel was gedekt met twee gehavende theekopjes, een paar borden en een geopende fles witte wijn.

'Kip uit de oven,' kondigde Ben aan met een theatrale arm-

zwaai. 'Aardappelen, erwtjes, worteltjes en bloemkool met kaas-
saus. Over tien minuten moet het klaar zijn. En ik wil me nu alvast
verontschuldigen voor de vulling, want die komt uit een pakje.
En het bestek, twee kromme vorken en één mes voor ons allebei,
want dat was alles wat er in de la lag...'

Deze keer was hij blij met haar zwijgen. Het was precies de reactie waarop hij gehoopt had toen hij hier druk bezig was de afgelopen paar uur.

'Maar hoe?' vroeg ze uiteindelijk.

'Denk je dat David Blaine zou prijsgeven hoe hij het zo lang
heeft uitgehouden zonder eten in die glazen kooi boven de Tha-
mes?'

'Nee...'

'Of Houdini, hoe hij de olifant plotseling liet verdwijnen?'

'Nee.'

'Precies. Een goede goochelaar geeft nooit zijn geheimen prijs.
Laten we gewoon zeggen dat ik een betere stroper ben dan een
zeeman.'

'Net als Tom Hanks in *Cast away*,' zei ze.

Hij glimlachte. Hij moest denken aan de film en ook aan het
feit dat ze gisteren Hanks genoemd had in *Splash* als een van haar
meest favoriete films.

'Precies,' zei hij. Toen herinnerde hij zich de volleybal die het
personage van Hanks in *Cast away* had gebruikt om mee te kletsen, alsof hij een echt mens was, om te voorkomen dat hij gek zou
worden. 'Ik hoop alleen dat je een beter gesprek oplevert dan...'

'Die bal,' zei ze. Ze had duidelijk hetzelfde in gedachten als hij.
'Hoe heette hij – '

'Wilson,' zei hij.

'Precies, Wilson.'

Ze pakte een hulsttakje van het hoektafeltje en draaide het om
en om in haar handen.

'Dit is fantastisch,' zei ze. '*Jij* bent – ' Maar ze maakte haar zin
niet af. In plaats daarvan draaide ze zich van hem weg. 'Dank je,
Ben,' zei ze tegen hem. 'Dit is vreselijk aardig van je.'

Hij volgde haar de keuken in. Ze liet haar vingers langs de rand
van de tafel glijden. Ze keek naar de goedkope, gedeukte pannen

op de flakkerende blauwe gasvlammen, en de oude plastic snij-plank en het kapotte aardappelschilmesje op het formica aanrecht vol vlekken. De geverniste keukenkastjes stonden allemaal open, alsof ze geplunderd waren door een inbreker, maar alles wat erin zat was een bonte verzameling theekopjes en stoffige schoteltjes en borden. Naast de achterdeur stond een gele koelkast die zacht-jes zoemde en eruitzag alsof hij van de schroothoop was gered. Er stond een kleine klokradio op die leek op een tijdontsteker voor een primitieve bom. Met tussenpozen waren er kerstliedjes door de ruis heen te horen. Er zaten spinnenwebben tegen het raam en er stond een oranje pedaalemmer in de hoek van de kamer met een flinke hoop aardappelschillen erbovenop. Aan de muur hing een vale kalender met een foto van Fleet Town. De datum stond op juni 1986.

'Het is helaas nogal een tijdsverschuiving,' zei Ben. 'Alsof we in een aflevering van *Doctor Who* zitten.'

Kellie duwde haar handpalm tegen de muur. 'Alleen is het decor niet zo wankel...' Ze keek omhoog naar de beige gestreepte gor-dijnval boven het raam. 'Sommige spullen zijn zo ouderwets dat ze weer in zijn,' zei ze. 'Maar wat maakt het uit, hè?' Ze ademde diep in en ging voor de donkere, vettige, glazen ovendeur op haar knieën zitten en gluurde naar de kip die daarbinnen aan het bra-den was. 'En die kip ruikt geweldig. Maar hoe heb je het in gods-naam klaar gekregen om –'

'Michael,' legde Ben uit, 'de jongen van de kroeg. Hij heeft hem voor mij gehaald. Sally en Roddy wilden ons uitnodigen voor de lunch, maar ik heb ze gezegd dat ik liever zelf voor je wilde ko-ken.'

'Maar waarom?'

'Omdat ik dat wilde. Als excuus voor het verknallen van je kerst.'

'Genoeg excuses nu,' zei ze tegen hem. 'Goed?' Ze stak haar hand uit. 'Laten we er een streep onder zetten.'

'Je laat me wel erg gemakkelijk gaan voor een advocaat.'

'En voor een zakenman weet je bar weinig over hoe je de dingen moet laten rollen als het goed gaat.'

Hij schudde haar hand.

'Je hebt het koud,' zei hij toen hij haar losliet.

Ze wreef haar handen tegen elkaar, op tafel lag iets dat haar aandacht trok. Ze boog voorover en pakte het kaartje dat hij voor haar had gemaakt van een stuk karton dat hij uit het doosje voor de vulling had geknipt. Zwijgend keek ze ernaar. Er stond: KELLIE ???

'Mijn geheimzinnige gast,' zei hij. 'Een mysterie verpakt in een raadsel, verpakt in een paar geleende gymschoenen en een door de motten aangevreten wollen jas. Nu we het daar toch over hebben,' zei hij.

Ze draaide haar rug naar hem toe en liet hem van haar schouders in zijn handen vallen.

'God,' zei ze, 'wat is het fijn om het eindelijk weer warm te hebben. Ongelooflijk hoe warm je het hier gestookt hebt.'

Toen ze zich weer omdraaide en hem aankeek, zag Ben de ketting van dichtbij. Het was onmogelijk om er niet naar te staren, zoals hij daar pronkte in de V van haar trui. Hij had wel wat verstand van sieraden, hij had door de jaren heen vaker iets voor Marie gekocht. Zelfs in het schelle licht van de tl-buis boven hun hoofd fonkelden de diamanten als ijs in de zon tegen haar hals.

'Wat een prachtige ketting,' zei hij.

Ze wreef er met haar vingers overheen, verlegen, alsof ze vergeten was dat zij hem om had.

'Een cadeautje. Van een vriend.'

Ze ging er niet verder op in, maar dat hoefde ook niet. Ben kon het horen aan de manier waarop ze het zei, aan de melancholie in haar stem: hij was van hem: van haar 'soort' vriendje. En ze dacht op dit moment aan hem. Ben hing haar jas over de leuning van een stoel.

Ze hield het naamkaartje in haar hand en staarde ernaar. 'Het is wel raar,' zei ze, 'dat zelfs de mensen die mij mijn gas- en elektriciteitsrekeningen toesturen mijn achternaam weten, en jij niet.'

'Zeg het dan,' zei hij. 'Als dan de volgende keer je boiler stukgaat, kan ik tenminste langskomen om hem te repareren.'

'Vaughan.'

'En jij dan? Laat me eens raden: Dover.'

'Dat is net zo stom als dat ik jou zou vragen of je achternaam Wiel is,' zei hij met een glimlach. 'Maar nee, trouwens, ik heet gewoon Ben Stone.'

'Dat past bij je,' zei ze.

'O ja?'

'Ja. Solide. Als een rots. Zoals je moest zijn om ons er gisteren doorheen te krijgen. Om ons veilig hierheen te brengen.'

'Ondanks dat we verdwaald zijn.'

'Ja, want daarna heb je de weg weer gevonden.'

Hij keek gegeneerd de andere kant op. Hij zette de radio wat harder. 'The little drummer boy' van Rolf Harris zweefde naar hen toe.

Ze lachte. 'Wauw,' zei ze. 'Je hebt zelfs Australische muziek gevonden. Wat wil een mens nog meer?'

'Wat dacht je van een kerstdronk?' zei hij. 'Ik sta niet in voor het jaar, het was de enige die de kroeg had.'

Hij schonk beiden een mok wijn in en ze gingen tegenover elkaar aan tafel zitten.

'Even proosten,' zei ze. 'Op jou. Voor alle moeite die je gedaan hebt. Omdat je er zo'n leuke dag van hebt gemaakt en omdat je dit meisje aan het lachen hebt gebracht.'

'Die lach is de moeite waard.'

Dat was het ook. Het was verslavend. Door Kellie wist hij weer hoe leuk het was om te flirten. Hoe meer hij haar aan het lachen maakte, hoe meer hij haar aan het lachen *wilde* maken. En hoe meer de vlam werd opgestookt die hij tussen hen voelde branden, zodat hij haar steeds aantrekkelijker vond. Hij wilde weten hoe het zou zijn, zij met z'n tweetjes. In zijn fantasie was het perfect. Maar of hij daar ooit achter zou komen, tja, Kellie was net een raadsel waar hij geen antwoord op had. Hij kon alleen maar zijn best doen en afwachten.

Ze draaide de wijn rond in haar mok, tot aan het randje, alsof ze in een restaurant was en hem aanstaarde door een helder kristallen glas.

'Grappig, hè?' zei ze.

'Wat?'

'Hoe snel wij – wij mensen, bedoel ik – ons aan kunnen passen. Net als hier nu met jou, in dit huisje, aan tafel voor de lunch... het voelt bijna normaal.'

'Misschien is dat wel wat normaal zijn is: je kunnen ontspannen.'

'Maar ik kan me normaal niet ontspannen met mensen die ik niet ken.'

'Misschien,' zei hij, 'ken je me beter dan je denkt.'

'We hebben elkaar gisteren pas ontmoet.'

'Maar het ligt er toch niet alleen aan hoeveel tijd je met elkaar doorbrengt om elkaar te leren kennen. Ik bedoel, met sommige mensen ga je jarenlang om en ken je ze eigenlijk helemaal niet. Maar je kan ook dik bevriend raken met iemand' – hij knipte met zijn vingers – 'zomaar ineens.'

'Zijn we dat nu dan?' vroeg ze. 'Vrienden?'

'Ik hoop van wel.'

'Ik maak normaal ook niet zo snel vrienden,' zei ze.

Hij zag haar weer voor zich, de ijskoningin, zoals ze hem voorbijliep op de kade in Fleet Town. Maar hij voelde dat er iets in haar veranderd was. Zelfs hier, in de afgelopen vijf minuten, leek het alsof ze eindelijk begon te ontdooien.

'Waarom niet?' vroeg hij.

'Omdat ik dat normaal gesproken niet nodig heb, omdat ik al oude vrienden heb.'

'Zoals je *soort* vriendje?'

'Ja,' zei ze nadenkend. Het verbaasde hem dat ze antwoord gaf. Hij had half verwacht dat ze eroverheen zou praten. 'Zo heb ik hem echt omschreven, hè? Gisteren... in de kroeg...'

'Ja...'

Het zoemertje van het gasfornuis ging af en ze glimlachte.

'Gered door de bel,' zei ze. Ze duwde haar stoel naar achteren en stond op. Ze ging voor de oven staan en wreef haar handen in elkaar. 'Goed,' zei ze, 'wat kan ik voor je doen?'

Hoofdstuk 17

Stephanie keek naar de klok op de schoorsteenmantel en rekende uit dat het maar drieëndertig minuten geduurd had om het kerstdiner op te eten. Drieëndertig minuten. Ze bekeek de ravage op de tafel: het karkas van de kalkoen, de laatste geroosterde aardappel, de druppels jus op het witte tafelkleed, de melksaus met broodkruimels waar alleen haar vader van had gegeten, de verbrande resten in bacon, de verlepte kool en de gestolde geglazuurde worteltjes. Het was allemaal zoveel werk geweest en het had maar drieëndertig minuten geduurd om het te verorberen. Wat een gigantische verspilling.

Ze keek naar haar familie, rode gezichten, volle buiken, en iedereen had een scheve papieren hoed op uit de Christmas crackers die ze hadden opengemaakt. Aan de andere kant van de tafel zat Elliot, die iedereen aan het lachen maakte met een anekdote over een van zijn rechtszaken. Dichterbij haar kraste Simon een groef in de tafelpoot met zijn setje mini-schroevendraaiers dat in zijn cracker had gezeten. Nat, die zich al net zo verveelde, probeerde de glinsterende pop die ze van Isabelle had gekregen in een van haar vaders beste wijnglazen te proppen.

Stephanie had zich nog nooit zo onfeestelijk gevoeld. Ze sloeg de rest van haar rode wijn naar binnen en vulde haar glas weer bij. Ze had al veel te veel gedronken, maar het verrassende vakantieaanbod van David en de schokkende aankondiging van Isabelle had te veel verwarrende emoties opgeroepen om te kunnen verwerken. Ze voelde zich vernederd, beledigd, schuldig en boos tegelijkertijd en ze had het aan niemand kunnen laten zien. In plaats daarvan had ze het allemaal ingehouden en Isabelle en Elliot gefeliciteerd. Naderhand was ze snel weggevlucht om een groot glas kookwijn achterover te slaan in de keuken om zich te kalmeren. Sindsdien had ze stug doorgedronken.

Stephanie boog voorover om haar servetje op te rapen van de

vloer. Onder de tafel lag Rufus te likken aan de laatste aardappel. Taylor was druk aan het prutsen met haar iPod op haar schoot. Toen Stephanie weer overeind ging zitten, zag ze dat Taylor één oortelefoontje in had, het witte snoertje handig verborgen achter haar haar. Geen wonder dat ze zo stil was geweest.

Simon drukte harder op de schroevendraaier. Stephanie hoorde een akelig schrapend geluid.

'Hou op, Simon,' zei ze.

David wendde zich van Elliot af. 'Zit toch niet steeds op hem te vitten,' zei hij met dringende fluisterstem. 'Wat is er nu weer?'

Ze haatte het dat hij niet aan haar kant stond. Waarom moest zij altijd de kwaaie zijn tegenover Simon? Waarom bracht David hem niet wat meer gehoorzaamheid bij? Ze probeerde alleen haar kinderen op zo'n manier op te voeden dat ze fatsoenlijke mensen werden en toch, elke keer weer, ondermijnde hij haar.

'Ook goed,' zei ze. 'Simon, je vader vind het best dat je een gat schraapt in de antieke tafel van opa. Ga gerust verder.'

'In godsnaam,' zei David.

Simon legde de schroevendraaiertjes terug op de tafel en ging op zijn handen zitten. 'Sorry, mam,' mompelde hij.

David aaide hem over zijn bol en draaide zich weer naar het gesprek met Elliot. Stephanie nam nog een slok wijn.

'Mag ik van tafel?' vroeg Simon.

'Nee.'

'Mama, denk je dat de kerstman bij McDonald's gaat lunchen?' vroeg Nat.

Stephanie voelde een sterke aandrang om Nat de waarheid te vertellen, haar te zeggen dat de kerstman niet bestond, dat Stephanie de kerstman was. Ze wilde uitleggen dat het allemaal één grote bedotterij was om mensen uit te kunnen buiten, om te zorgen dat ze meer geld uitgaven aan cadeautjes die niemand wilde. En dat de reden dat iedereen zijn kinderen voor de gek hield, was om de aandacht af te leiden van de onvermijdelijke waarheid die ze zouden ontdekken zodra ze volwassen werden: dat Kerstmis iets verschrikkelijks was – een griezelvoorstelling van gedwongen glimlachen en ongezond eten. En om haar verder te zeggen dat Nat, als ze verstandig was, het beste nu kon beginnen met zakgeld sparen, zodat ze de toekomstige kerstfeesten kon doorbrengen met vrienden op het strand. Want kerst zou nooit meer zo leuk zijn voor haar als nu.

'Ik geloof niet dat er een McDonald's is op de noordpool,' zei Stephanie in plaats daarvan.

'Ze zijn anders overal,' zei Simon.

'Ik denk dat hij luncht met al zijn helpers,' zei Nat. 'En misschien komen Sneeuwwitje en Tinkerbel ook wel eten.'

'Ach nee, stommerik.'

Nat jankte. 'Hij schopte mij.'

'Niet waar,' zei Simon.

'Wel waar.'

'Ik ga naar de wc,' zei Stephanie en ging van tafel.

In de badkamer ging ze op de rand van het bad zitten en begroef haar gezicht in haar handen. Wat was er met haar aan de hand? Waarom kon ze hier niet tegen? Het was allemaal de schuld van David. Als hij die kaartjes niet aan haar had gegeven, had ze deze kerst best uit kunnen houden tot ze weer veilig thuis waren. In plaats daarvan had hij met opzet druk op de ketel gezet. Hij had haar met opzet in het nauw gedreven. En nu had ze geen keus meer.

Want nu wist ze, met absolute zekerheid, dat ze geen toekomst samen hadden. Ze konden geen weekendje naar Wenen gaan. Ze konden niet eens vijf minuten samen in een kamer zijn zonder ruzie te krijgen. Nee, de toekomst was voor stelletjes als Elliot en Isabelle, die weer een baby'tje kregen. Niet voor haar en David. Ze kon hem niet eens aankijken zonder haatgevoelens te krijgen.

Ze haalde diep adem. Ze moest zichzelf in bedwang houden. Een paar uurtjes nog. En dan zou Kerstmis min of meer voorbij zijn. Ze zou kunnen zeggen dat ze doodmoe was, en naar bed gaan. Ze zou kunnen wegzakken met wat slaappillen en als ze wakker werd, zou het bijna tijd zijn om naar huis te gaan. En dan?

En dan zou ze het rechtuit tegen David zeggen. Ze zou hem uit zijn dromen helpen. Maar tot die tijd mocht ze niet de controle verliezen. Dit was de kerst van haar vader. De kerst van Simon. De kerst van Nat. Zelfs de kerst van Stephanie en Elliot en Taylor. Dit ging niet alleen over haar en haar huwelijkscrisis. Dat moest ze niet vergeten.

Ze ging weer naar beneden. Ze hield zich stevig vast aan de trapleuning. Ze had het heet, ze was dronken en stond wankel op haar benen. Ze wilde juist de eetkamer binnengaan toen ze door de kier in de deur van de studeerkamer zag dat Isabelle en Elliot bezig waren de vaatwasser in te laden.

'Het was van Lidgates en hartstikke duur,' zei Isabelle. 'Ik had het zes weken geleden al besteld.'

'Ze heeft het veel te gaar gemaakt,' zei Elliot.

'Ik zei al tegen haar dat ze het te lang in de oven liet zitten, maar ze luisterde niet. Ik heb het meeste aan Rufus gegeven. Die vond het tenminste wel lekker.'

Stephanies gezicht begon te gloeien. Haar hart bonkte.

'Ik wilde er iets van zeggen, maar ze is zo vreselijk overgevoelig,' zei Elliot.

'Vertel mij wat. Ik kon niet geloven hoe ze reageerde op het reisje naar Wenen. Die arme David had zoveel moeite gedaan. Ik bedoel, ik weet wel dat ik het voor hem geboekt heb, maar het was zijn idee. Weet je, hij is zo'n aardige man en zij is zo gemeen tegen hem...'

'Daar hebben we niets mee te maken,' zei Elliot. 'Ze is nog steeds erg overstuur vanwege Paul. Misschien had je niets over de baby moeten zeggen.'

'Ik heb geprobeerd om met haar te praten gisteravond, maar het zou toch niets uit hebben gemaakt. Ze zit gewoon opgesloten in die afschuwelijke negativiteit. Ze moet er uitkomen. Voor zichzelf. Voor iedereen. Ze doet zo vreselijk tegen de kinderen. Simon mag geen vin verroeren en ze negeert die arme Natascha, die zo'n enorme behoefte heeft aan aandacht. Zelfs je vader is het daarmee eens.'

'Wanneer heb je het er met hem over gehad?'

'Dat heb ik nog niet. Maar ik kan wel zien hoe hij erover denkt. De manier waarop hij naar haar kijkt als ze uitvalt tegen David of de kinderen. Dat voelen we toch allemaal aan, of niet?'

'We moeten niet te snel conclusies trekken. We moeten ons er niet mee bemoeien.'

'Weet je, als ik zie hoe ongelukkig zij zijn en hoe vreselijk ze eruitziet, ben ik zo dankbaar dat wij elkaar hebben.'

'Weet je, Izzy, ik wou dat je me het eerder had gezegd. Dat je zwanger bent.'

'Ik dacht dat het de perfecte kerstverrassing was.'

'Nou, dat was het zeker.'

'Goed zo.'

'Maar je had het me moeten zeggen. En Taylor. Zag je die blik op haar gezicht?'

'Ze zal er wel aan wennen. Ze wilde altijd al een broertje of zusje.'

'Maar ze had nooit gedacht dat ze er een zou krijgen,' zei hij. 'Ik dacht dat we geen kinderen meer konden krijgen. Ik dacht dat je daarom had gezegd dat het veilig was om op te houden met de pil.'

'Ja, maar ik had het mis, liefje, en is het geen fantastisch nieuws? Stel je voor. Jij en ik weer ouders samen. De eerste keer waren we nog zo jong. En nu weten we zoveel meer. Ik zie het al voor me. Een klein baby'tje. Het zal zo leuk zijn...'

Stephanie liep terug naar de eetkamer en ging op haar stoel zitten. Ze was geschokt, ze voelde zich helemaal verdoofd, alsof ze zichzelf vanuit de hoek van de kamer zag zitten. Ze vulde haar glas opnieuw.

Elliot kwam binnen met het kerstdessert. Hij liep snel naar de tafel en zette het op de placemat voor Stephanie.

'Wil jij het aansnijden?' zei hij en glimlachte naar haar.

Hij pakte de stapel porseleinen kommetjes die Isabelle hem aanreikte en zette ze naast Stephanie neer. Stephanie moest zich vreselijk inhouden om ze niet naar zijn hoofd te slingeren. In plaats daarvan stond ze op en greep zich vast aan de tafel ter ondersteuning. Ze pakte haar glas wijn en nam een slok.

'Steph. Heb je nog niet genoeg gehad? Misschien kun je beter een glas water nemen,' zei Isabelle lachend om het luchtig te houden.

Stephanie zette haar glas met een klap op tafel en sloeg daarbij per ongeluk tegen de schotel met het kerstdessert. De steel brak af. De wijn sijpelde door het tafelkleed heen, als bloed door de sneeuw. Iedereen werd stil.

'Waag het niet om mij te vertellen wat ik moet doen,' zei Stephanie, elk woord benadrukkend. Ze wist dat ze een heilige, onuitgesproken familieregel doorbrak. Met kerst werd er geen ruziegemaakt. Het was de gouden regel van haar moeder geweest. Maar na alles wat ze had opgevangen in de keuken, had Stephanie het gevoel dat de oorlog was verklaard. Plotseling was de sfeer in de kamer totaal veranderd.

Isabelle liet haar tong over haar tanden glijden. Nadrukkelijk haalde ze diep adem. 'Weet je, Stephanie, ik heb er genoeg van dat je zo onbeschoft tegen me bent vandaag. Je zit daar aan het eind van de tafel met een grote zwarte wolk om je heen. Wat het ook moge zijn dat je dwarszit... hou het maar gewoon voor jezelf, oké?'

'Laten we allemaal even tot bedaren komen,' zei David. 'Ik denk –'

'Kop dicht! Hou alsjeblieft je kop dicht!'

Het kwam uit Stephanies mond voordat ze er erg in had. Als een onwillekeurige schreeuw.

Er hing een afschuwelijke stilte.

Gerald schoof luidruchtig zijn stoel naar achteren. 'Stephanie, ik wil niet dat je je zo gedraagt aan tafel. Niet in de buurt van de kinderen.'

'Je begrijpt het niet,' zei ze. 'Jullie allemaal niet.'

'Mama, niet doen!' zei Nat. Haar stem klonk huilerig. Stephanie kon haar niet aankijken. Ze staarde naar het kerstdessert, ze werd wazig voor de ogen.

'Geeft niet, lieveling,' zei David tegen Nat. 'Er is niets aan de hand.'

De deurbel ging.

'Dat zal Michael zijn,' zei Taylor, ze vloog overeind en gooide haar servetje op de stoel. 'Ik ga wel.'

'Kom op, jongens. Laten we met z'n allen de deur open gaan doen?' zei Gerald. Hij stond op en pakte Nat bij de hand. Hij knikte naar de deur en vervolgens naar Simon. Hij had een ijzige blik in zijn ogen toen hij Stephanie aankeek. 'En daarna gaan we kijken of we wat cognac kunnen vinden om op het kerstdessert te doen,' zei hij. 'En tegen de tijd dat we terugkomen, weten de volwassenen zich hopelijk weer te gedragen.'

Stephanie staarde hem na. Ze had haar belofte verbroken en hem teleurgesteld. Ze had zichzelf niet tegen kunnen houden. Ze wist dat ze zich moest verontschuldigen en beter kon gaan zitten en haar mond houden, maar ze kon zichzelf er niet toe brengen.

'Goed gedaan, Steph,' zei Elliot en klapte langzaam in zijn handen. 'De kerstlunch bederven, toe maar.'

'Je bent echt een schijnheilige klootzak,' zei ze. 'Wat doet het ertoe dat ik de kerstlunch heb bedorven? Het was toch al bedorven. Ik weet best wat jullie twee denken. Ik heb jullie net gehoord in de keuken.'

Elliot keek in paniek naar Isabelle. Maar Isabelle was niet bang.

'Nou... goed zo. Misschien doet het je goed om de waarheid eens te horen,' zei ze.

'Stephanie,' begon David, 'laat Elliot en Isabelle er buiten. Ik weet dat je je wat emotioneel voelt – '

'Je weet helemaal niet hoe ik me voel.'

'Jawel.'

'Niet waar. Je weet niet eens wat gevoelens zijn. Jij hebt er geen.'

'Wat bedoel je daar nou weer mee?'

Begreep hij het echt niet?

'Als je wel gevoelens zou hebben, of een greintje intuïtie, dan zou je hier niet zitten, schaterlachend terwijl..'

'Terwijl wat?'

'Terwijl Paul er niet bij is.' Stephanie schreeuwde. Ze keerde zich tot Isabelle. 'O ja hoor,' zei ze, haar opmerking uit de keuken citerend, 'jij denkt dat ik er overheen moet zijn, hè? Dat ik er uit moet komen? Of heb ik het verkeerd gehoord?'

'Probeer dit niet op mij te schuiven,' zei Isabelle. 'Dit gaat niet over mij.'

Stephanie had er genoeg van. 'Sodemieter toch op, slijmerig, bemoeizuchtig kreng dat je bent. Ik ben het zat dat je het altijd beter denkt te weten dan ik, met je stomme perfecte huwelijk en je stomme perfecte leven. Nou, weet je wat? Stop het allemaal maar in je reet!'

Isabelle zoog haar wangen naar binnen. 'Ik zie wel dat je niet zo rationeel bent momenteel,' zei ze. 'Dus in plaats van je woede op mij te richten, kunnen jij en David beter even wat tijd nemen om dit op te lossen. Kom, Elliot.' Ze stond op om te vertrekken. Elliot stond ook op.

'Toe nou,' zei David. 'Kunnen we niet gewoon – '

Stephanie trok zich niets van hem aan. Ze trilde helemaal. 'En wat ik je ook nog wilde vertellen, Isabelle,' ging ze verder. 'Ik hou wel degelijk van mijn kinderen. Heel veel zelfs. En ik ben een verdomd goeie moeder. Ik stuur ze tenminste niet naar een kostschool en betaal niet iemand anders om voor ze te zorgen. Je zou eens naar je eigen moederlijke talenten moeten kijken voordat je die van mij veroordeelt.'

Isabelle was rood aangelopen. 'Laat Taylor hierbuiten. Je bent gewoon jaloers.'

'Waarop? Op het feit dat je je eigen dochter niet onder controle hebt? Ik bén er tenminste voor mijn kinderen. Wat ga je met deze baby doen, Isabelle? Gebruiken als accessoire in één van je ontwerpen? Doorgeven aan een kindermeisje, zoals je dat bij Taylor hebt gedaan? Zo ben je toch geen moeder – '

'Jij – ' begon Isabelle, maar Elliot had haar arm vast en nam haar vlug mee de kamer uit.

'Kom,' zei hij. Hij wierp Stephanie een donkere, boze blik toe.

Alleen met David, begonnen tranen van verontwaardiging naar boven te komen. Ze wachtte tot hij iets zou zeggen. Ze was bereid alles wat hij zei tegen te spreken. Ze wilde met hem vechten. Ze wilde hem de waarheid vertellen. Over wat ze dacht over Isabelle en Elliot. En hem.

David liep naar haar toe. Even dacht ze dat hij haar een klap in het gezicht zou geven, niet dat hij dat ooit had gedaan. Maar toen hij begon te spreken, was zijn stem zacht.

'Ik vind het ook moeilijk.'

Ze liet een onderdrukte snik ontsnappen. 'Niet waar.'

'Ik mis hem net zozeer als jij, maar daarmee krijgen we hem niet terug.'

Stephanie wilde al zo lang met David over de dood van Paul praten, maar nu ze eindelijk dat moment hadden bereikt, besefte ze dat het geen zin zou hebben. Ze was het punt voorbij waarop ze er samen met hem nog iets van zou kunnen proberen te snappen. De sympathie in zijn stem vond ze onverdraaglijk. De tranen die zo dichtbij waren geweest, verdwenen weer en werden vervangen door keiharde vastberadenheid.

'Ik kan er niet uitkomen,' zei ze.

'Hij was ook mijn zoon. Maar we kunnen niet veranderen wat er gebeurd is.'

'Je had het gekund.'

Haar opmerking hing tussen hen in als een kogel. Ze wist dat het woorden waren die ze nooit meer zou kunnen terugnemen. David staarde haar aan, zijn mond open.

Ze keerde zich van hem weg, doodsbang om wat ze net had gezegd. Haar maag voelde vreemd aan, alsof ze net van een hoog gebouw was gestapt en naar beneden viel.

David draaide haar met een ruk naar zich toe.

'Besef je wel wat je zojuist gezegd hebt? Nou?' schreeuwde hij.

Ze staarde hem aan, ze kon niets meer zeggen...

Een traan rolde over zijn gezicht. 'Neem het terug.'

Maar dat kon ze niet. 'Het is waar.'

'Je meent het niet. Dat kan niet. Ik ken jou – '

'Niet waar. Je weet niet wat ik voel. Over wat dan ook.'

'Maar – '

'Ik kan je niet meer aankijken.'

'Omdat je vindt dat ik verantwoordelijk ben,' zei hij.

Haar ogen kwamen langzaam omhoog en keken hem aan.

'Denk je dat ik verantwoordelijk ben?' herhaalde hij.

David ging dichter bij haar staan en hield allebei haar armen vast.

'Doe dit alsjeblieft niet, Stephanie. Toe nou. Ik hou van je.'

'Je snapt het niet, hè?' zei ze en schudde haar armen los.

'Wat bedoel je daarmee?'

'Ik wil scheiden.'

Hij deinsde terug alsof ze hem in zijn maag had gestompt. Toen draaide hij zich om, liep de eetkamer uit en sloeg de deur achter zich dicht. Onder de tafel begon de hond te kokhalzen.

Hoofdstuk 18

'Ik ga wel eerst,' zei Michael. Hij staarde de duistere vluchttunnel in.

'Nee.'

Taylor knipte haar zaklamp aan en liep langs hem heen. Ze nam een slok uit een van de miniatuurflesjes sterkedrank die ze had gestolen uit het huis van haar opa, en smeet het hard tegen de tunnelwand. Ze keek toe hoe het uit elkaar spatte. De glasscherven glinsterden als kattenogen.

Hadden ze Simon net zo goed kunnen laten weten dat ze drank bij zich hadden, dacht Michael.

Taylor had bijna geen woord gezegd tegen Michael en Simon sinds ze er met z'n drieën op uit waren getrokken twintig minuten geleden.

Michael was er na de lunch heen gegaan om hen af te halen, zoals afgesproken. Taylor en Simon hadden de deur opengedaan met hun opa en hij had hun gezegd dat het prima was dat ze buiten gingen wandelen. Pas toen ze wegliepen van het huis viel het Michael op dat de ogen van Simon opgezet waren van het huilen en die van Taylor hard als staal.

'Wat is er gebeurd?' had Michael gevraagd. Taylor was al de richting van Solace Hill in gelopen en had niet eens hallo gezegd.

Simon had tegen hem gezegd: 'Mijn ouders hebben ruzie en tante Izzy krijgt een baby'tje. Ik weet niet waarom tante Izzy – '

'Het zijn klootzakken,' had Taylor over haar schouder geschreeuwd. 'Stuk voor stuk. Maar de grootste klootzak van allemaal is mijn vader.' Ze draaide zich om en schreeuwde de heuvel af naar het huis van haar opa. 'Elliot Thorne is de grootste klootzak van allemaal!'

Nu gedroeg Taylor zich of het haar allemaal niets kon schelen. Ze marcheerde de duistere tunnel in zonder om te kijken. Ze was dronken. Dat laatste miniatuurflesje, whisky, was haar vierde ge-

220

weest. Ze had al een wodka, een Drambuie en een Bailey's achterover geslagen op weg hiernaartoe.

Maar Michael had niet het recht om kritisch te zijn. Zijn eigen maag stond in vuur en vlam. Hij had net een paar minuten een wodka en een schnapps gehad, allebei achterovergeslagen in het bijzijn van Taylor. Hij stelde zich zijn moeder en Roddy voor, die nu waarschijnlijk de kroeg aan het openen waren. Hij wou dat hij bij hen was. Hij wou dat hij ergens anders was dan hier.

Hij schudde zijn hoofd en probeerde nuchter te worden. Een baby? Isabelle was in verwachting. Hij haalde haar voor de geest zoals hij haar gisteren in de slaapkamer had gezien, haar buik bestuderend in de spiegel. Maar waarom had ze moeten huilen? Waarom was ze niet blij geweest?

'Blijf bij mij,' zei hij tegen Simon. 'En als je bang wordt, of als het te gevaarlijk wordt, gaan we terug. Allemaal,' riep hij achter Taylor aan, maar de duisternis had haar al verzwolgen.

Hij kon alleen haar natte voetstappen horen die in de verte vervaagden. Michael knipte zijn zaklamp aan en baande zich een weg door het donker, een tunnel in een tunnel, waar hij en Simon vlug doorheen liepen.

De bodem van de tunnel was plakkerig en nat. Het voelde en klonk alsof ze over kauwgum liepen. Hun adem hoorden ze zo snel en luid dat het net leek of ze in een marcherende menigte meeliepen. De tunnel rook vreemd, niet naar niets, zoals hij zich had voorgesteld, maar buitenaards, en levend.

'Ik ben niet bang,' fluisterde Simon. 'Ik ben niet bang. Echt niet, echt niet, echt niet...'

Michaels ogen en oren zoomden in op de details: scheuren en uitsteeksels; echo's en druppels. De gladde, door water gepolijste stenen om hen heen glansden alsof ze waren afgelikt door een reuzentong, en Michael moest eraan denken hoe hij de eerste keer had gedacht dat de ingang van de tunnel eruitzag als een keel. Tja, en nu waren ze naar binnen gegaan en werden levend opgeslokt.

De tunnel begon naar links te buigen. 'Wacht even,' riep Michael Taylor na.

Het enige antwoord dat hij kreeg waren zijn eigen woorden die terug kwamen stuiteren als een spottende echo. Toen hoorde hij een krassend geluid voor hen, alsof iemand een doos met zand heen en weer schudde. De bodem werd ongelijk. De lichtstraal van zijn zaklamp zwaaide van links naar rechts alsof het aan een touw hing.

Hij bleef steken bij Taylor. Ze had geen gezicht, ze stond met de rug naar hen toe, slechts een silhouet. Ze was gestopt en toen ze dichterbij kwamen, zagen ze waarom. De tunnel was hier veel breder maar ook lager, zodat Michael moest bukken. Hij scheen met zijn zaklamp naast die van Taylor en verlichtte de bodem. Er zat een kloof in de bodem van de tunnel voor hen van ongeveer anderhalve meter breed – alsof de gang was opengereten. Het gat was te groot om overheen te springen omdat de tunnel zo laag was. Michael boog naar voren en tuurde naar beneden.

Het eerste waar hij aan moest denken was de dood. Als ze hier gisteren waren gelopen zonder zaklamp, dan zou de eerste die tot hier gekomen was erin zijn gevallen en nu dood zijn geweest. Het gat ging de diepte in als een put, en verdween in het niets.

Michael kon een meter of zeven, hoogstens tien zien. Daarachter was het zwart alsof het helemaal geen bodem had. Taylor scheen met haar zaklamp naar de overkant, waar de tunnel verder naar links en omhoog ging. Toen richtte ze de lichtstraal precies op de rechterkant van het gat, waar een nog geen halve meter brede richel de ene kant van de tunnel met de andere verbond.

'Geen denken aan,' zei Michael, die begreep wat er door haar hoofd ging.

'Waarom niet?' lachte Taylor. 'Mama krijgt toch een nieuw kindje. Ik ben nu vervangbaar.'

Ze liep er recht op af. Michael wilde roepen dat ze moest stoppen. Maar het was te laat. Ze was al weg. Ze duwde haar handen, waarvan er één nog steeds de zaklamp vasthield, tegen de tunnelwand. Ze schoof zijwaarts over de richel. Hij scheen met zijn zaklamp op de grond voor haar uit, om haar de weg te wijzen. Het glinsterde van nattigheid. Haar gymschoenen gaven wit licht af, als sneeuw op steenkool. Eén verkeerde beweging en ze zou als een steen naar beneden vallen.

'Makkelijk,' zei ze toen ze er aan de andere kant afstapte. Het lantaarnlicht van Michael scheen even over haar grijnzende gezicht. 'Oké,' zei ze, 'wie is er nu aan de beurt?'

'Wauw!' juichte Simon. 'Wauw-ie, wauw-wauw!'

Michael wilde Taylor weer naast zich hebben. Zou het ook zo zijn als ze over een paar dagen afscheid namen? Hij die haar nastaarde en zij die spottend terugkeek? Hij moest haar binnenkort vertellen dat hij weg zou gaan van Brayner. Hij moest erachter komen hoe ze dat vond.

'Kom terug,' zei hij tegen haar.

'Nee.'

Michael vloekte stilletjes. Hij had gewoon tegen haar moeten liegen, moeten zeggen dat de zaklampen stuk waren, of zelf stiekem kapot moeten maken en dan aan haar laten zien. Dan hadden ze vandaag niet kunnen komen. Dan zouden ze nu bij haar thuis zijn, of bij hem, misschien alleen samen, en Simon ergens anders. En dan...

Maar er was geen dan. Daar ging het toch om? Daarom was hij toch meegekomen? Omdat er geen volgende week was voor hen, geen volgend jaar, niet nu zijn moeder en Roddy hem mee zouden nemen. Als hij vandaag niet met Taylor de tunnel exploreerde, zou ze het de volgende keer dat ze naar het eiland terugkwam gewoon zonder hem doen. En hij wilde niet dat deze plek van *haar* was. Hij wilde dat ze aan hem zou denken elke keer als ze hierheen kwam of hieraan dacht. Hij wilde dat het *hun* plek werd.

'We kunnen Simon niet meenemen,' zei hij.

'Waarom niet?' vroeg Simon.

Zijn stem klonk boos en uitdagend. Michael herkende het van andere keren dat Simon kwaad was geworden. Michael wachtte tot Taylor er wat van zou zeggen, want zij moest toch ook het waarschuwingsbordje hebben gezien. Maar ze zei niets.

'Omdat je je nek breekt als je hierin valt,' zei Michael tegen Simon. 'En omdat je niet eens bij ons zou moeten zijn, omdat je – '

'Vertel me niet dat ik te jong ben,' onderbrak Simon hem, 'want dat ben ik niet. Ik ben geen baby'tje meer, en je moet niet tegen mij zeggen dat – laat maar zitten, kijk maar eens!'

Simon rende naar de richel. En voordat Michael hem tegen kon houden, was hij al bezig aan de oversteek.

'Kom op Simon, je kunt het best,' riep Taylor vanaf de andere kant.

Er schraapte iets, alsof er een klauw over de rotsen kraste. Simons voet gleed uit. Maar Taylor was erbij, greep hem bij de schouders en zette hem weer overeind. Michael zuchtte van verlichting, nog twee stappen en Simon zou in veiligheid zijn.

'Ha!' riep Simon. 'Het is me gelukt. Het is me gelukt. Zag je dat, Michael? Ik heb het helemaal alleen gedaan. En jij zei dat ik het niet kon, maar kijk dan: het is me gelukt!'

'Kom je nou, of niet?' vroeg Taylor.

Michael liep naar de richel en keek naar het glinsterende, gepolijste oppervlak. Zou het hem houden? Hij was zwaarder dan Simon, ook zwaarder dan Taylor. Hij staarde het gat in. Het was hier alleen omdat de grond eronder weggezakt was. Dat betekende dat de hele tunnel onveilig was.

Niemand wist dat ze hier waren. Als er iets gebeurde, stonden ze er alleen voor.

Maar zijn verlangen om bij Taylor te zijn was sterker dan zijn angst, sterker dan zijn verlangen om buiten te zijn. En hij wilde haar beschermen. Als hij niet achter haar aan zou gaan, zou er niemand zijn om voor haar te zorgen als er iets misging.

Hij zette een voet op de richel, toen de andere. Hij leunde tegen de tunnelwand ter ondersteuning, zoals hij de anderen had zien doen. De lichtstraal van zijn zaklamp flikkerde over het plafond van de tunnel. De rotsen waren koud en glibberig. Hij bewoog zich langzaam naar de andere kant.

'Zie je wel,' zei Taylor. 'Stelt niks voor.'

*

Ze liepen verder door de tunnel. Taylor voorop, daarna Simon, en Michael sloot de rij. Hij draaide zich een keer om en zwiepte zijn lantaarnlicht naar achteren. De tunnel was niet recht meer, en hij zag alleen rotsgesteente. De bodem liep geleidelijk omhoog in de richting waar ze vandaan waren gekomen. Hij vroeg zich af hoe ver ze onder de grond waren. Je kon het nergens aan zien. Hoe lang zou het geleden zijn dat iemand hier gelopen had? Jaren, tientallen jaren?

Toen zei Taylor plotseling: 'Jezus Christus!'

Hij botste tegen Simon op, die stokstijf stil was blijven staan.

'Wat?' vroeg hij. Maar toen zag hij wat ze bedoelde. 'Doe je zaklamp uit,' zei hij.

Op het moment dat ze dat deden, slaakten ze een kreet van bewondering. Duizenden lichtgevende speldenprikjes in strepen en flarden overal om hen heen, fosforescerend en helder als sterren, als een mini-melkwegstelsel. Het was net of ze naar de nachthemel keken door een telescoop, met dat verschil dat het zo dichtbij was dat je het aan kon raken.

'Wat zijn dat?' vroeg Simon.

'Weet ik niet,' zei Michael. 'Een soort mos, neem ik aan...'

'Ongelooflijk,' zei Taylor.

'Fantastisch,' voegde Simon eraan toe.

Taylor liep dicht naar Michael toe. 'Verbazingwekkend,' fluisterde ze in zijn oor.

Toen voelde hij haar koude vingers op zijn gezicht en rook de alcohol van haar adem. Haar lippen raakten heel even de zijne aan.

'Mooi, hè?' zei ze.

Toen zette ze snel weer een stap terug.

'Wat was dat?'

Wat was *wat*? Michael had niets gehoord... Of toch wel? Hij hoorde een zacht geweeklaag – treurig en ver weg.

'Ik ben bang,' zei Simon. 'Nu ben ik bang. Nu ben ik bang. Nu ben ik bang.'

Michael schrok van zijn stem; hij was compleet vergeten dat het kleine neefje van Taylor er was.

'Het is niets,' zei Michael. 'Waarschijnlijk gewoon de wind.'

'Maar hoe weet je dat? Het kan van alles – '

'Michael heeft gelijk,' zei Taylor. 'Kom op, we gaan door.'

Michael was nog helemaal draaierig toen ze weer verder liepen. Niet door het geluid dat ze net gehoord hadden, maar door wat er daarvoor gebeurd was. Gedachten ratelden door zijn hoofd als de tellers op de gokmachine in de kroeg, allemaal zo wazig en snel dat zijn hersens er geen touw aan vast konden knopen.

Wat betekende dat wat ze zojuist gedaan had? Die kus. Was het een kus geweest? Had Taylor hem echt net op zijn mond gekust? De duisternis had haar gezichtsuitdrukking verhuld. Was het per ongeluk gegaan? Hadden hun lippen elkaar alleen geraakt omdat het donker was en hij niet had kunnen zien waar hij stond? Maar toen herinnerde hij zich haar vingers die over zijn gezicht streelden alsof ze de contouren onderzochten. Kon het dan wel per ongeluk zijn geweest? Na zoiets? Zijn hart bonkte luid in zijn oren, zo luid dat hij zich afvroeg of Taylor en Simon het konden horen.

Vóór hen splitste de tunnel zich plotseling.

'Welke kant nu op?' vroeg Simon. 'We zijn verdwaald, hè? – Zijn we – Zijn we verdwaald?'

Michael antwoordde: 'Ik weet het niet.'

'Hierheen,' zei Taylor. Ze stapte de linkertunnel in. Ze scheen met haar zaklamp. Hij boog omhoog en naar rechts. 'Voel je dat?' vroeg ze aan hen. 'Het is net...'

Ze hoorden het geweeklaag weer, luider deze keer, alsof het dichterbij was, alsof het uit de mond was gekomen van een van hen. Simon jammerde en greep de jas van Michael vast. Maar deze keer wist Michael het zeker dat ze niets te vrezen hadden.

'Ik weet zeker dat het de wind is,' zei hij. 'Vanaf de zee,' zei hij. 'Ik kan het zout ruiken.'

Pas nu hij iets had om mee te vergelijken, besefte hij hoe verstikkend en oud de lucht die zij tot nu toe hadden ingeademd was geweest. Hij veegde met zijn hand over zijn voorhoofd. Hij was helemaal bezweet.

Hij ging vooroplopen en de bries werd met elke stap sterker en gleed als door een trechter langs hem heen totdat het net was alsof hij met zijn gezicht onder de koude kraan stond. Langzaam kwam er verandering in de duisternis. Het zwart waar zijn zaklamp doorheen sneed begon minder solide te worden. Het werd grijzer, transparanter. Michaels hart sprong bijna uit zijn borstkas, toen hij besefte hoe dat kwam.

'Het is een uitgang!' schreeuwde hij over zijn schouder naar de anderen. 'Kijk. Daar. Daar vóór ons is daglicht.'

Hij bleek gelijk en ongelijk te hebben. De tunnel leidde inderdaad naar het daglicht toe, maar het was geen uitgang, tenminste niet als je geen vijfenzeventig meter lang touw had, of kon vliegen.

De tunnel eindigde in een diepe, brede grot in de zijkant van de rotsen. Het was zeker tien keer zo breed als de tunnel, en de wind huilde er doorheen als een troep boze wolven.

Dicht over de grond kroop Michael naar de voorkant van de grot. Een enorme hemel ontvouwde zich voor hem. Hij lag plat op zijn buik en tuurde naar buiten. Hij ademde de ijzige lucht in en was blij om eindelijk verlost te zijn uit de enge tunnel.

Hij voelde een golf van opluchting toen hij het uitzicht herkende. Hell Bay strekte zich beneden uit, naar links en naar rechts. Het zee-ijs kwam ook hier tot aan het land, het leek wel een geplaveide weg die uit de ruimte was gevallen. Wat verder in zee rolden woeste witte golven. Het strand was niet meer te zien, het was bedolven onder de sneeuw en het ijs.

Taylor kroop naast hem. 'Niet te geloven hoe hoog we zitten,' schreeuwde ze boven de brullende wind uit.

Het was de eerste keer sinds ze hem had gekust dat hij haar gezicht zag. Hij kon nergens aan zien of hij zich het hele voorval slechts had voorgesteld of niet.

'We kunnen hier niet naar beneden,' schreeuwde hij terug.

'Hoe lang hebben we nog, denk je, voordat het donker wordt?'

Hij keek op zijn horloge en vervolgens naar de staalachtige namiddaglucht. 'We kunnen beter terug – '

'Moet je zien, wat is dat?'

Ze wees naar beneden naar de oude vissershut op de rotsen achter op het strand. In de sneeuw ernaast zaten rode plekken.

'Lijkt wel bloed,' riep ze. 'Alsof iemand hiervan afgesprongen is. Morsdood.'

'Of *iets*,' riep Simon. Hij wrong zich tussen hen in.

De kragen en mouwen van hun jassen flapten als zweepslagen in de wind.

'Wat dan?' plaagde Taylor. 'Geesten?'

Simon schudde vurig zijn hoofd. 'Geesten kunnen niet bloeden,' riep hij. 'Die zijn al dood. Het is vast een schaap, of een hond... Ha! Of een schaapshond...'

'Volgens mij – '

Maar Michael kon het antwoord van Taylor niet horen. Het werd door de wind van haar lippen weggerukt. Hij seinde naar de anderen dat hij terugging en ze schoven achter hem aan naar het midden van de grot, op veilige afstand van de rand. Ze kwamen overeind. Hij ging hen voor naar het zwarte gat achter in de grot, naar het begin van de tunnel waaruit ze tevoorschijn waren gekomen. Hij ging op zijn hurken zitten en de anderen kropen naast hem. Hier waaide het minder hard en konden ze elkaar horen als ze iets zeiden.

'Het is geen bloed,' zei hij tegen hen. 'Dat rode spul in de sneeuw. Het is een boot. Het zal die van Ben wel zijn, waarmee hij met Kellie hierheen gekomen is.'

'Die trut,' zei Taylor. Ze spuugde op de grond. 'Die vieze, vuile, smerige trut...'

'Wie is Kellie?' vroeg Simon. 'Waarom is ze een – '

'Bemoei je er niet mee,' waarschuwde Taylor hem.

Een windvlaag suisde door de grot, Taylor stond op en liep langs de achterkant van de grot naar een plat uitsteeksel in de hoek. Simon keek vragend naar Michael, maar Michael haalde alleen zijn schouders op. Het was niet aan hem om Simon te vertellen wat Taylor en hij die ochtend hadden gezien in de haven. En trouwens, wat was er te vertellen? Kellie en Elliot waren hetzelfde boothuisje binnengegaan en hadden de deur achter zich dichtgedaan. Meer wist Michael niet. Wat er binnen tussen hen was gebeurd, mocht Joost weten.

'Blijf hier,' zei Michael tegen Simon. 'Hier, neem deze maar,' zei hij. Hij raapte een scherp stuk steen op tussen zijn schoenen, 'probeer maar je naam, of nee, al onze namen, in de rotsen te krassen.'

Simon pakte de steen. 'Waarom?' vroeg hij.

'Ik weet niet,' zei Michael twijfelend. 'Ik denk omdat het dan onze plek wordt, en iedereen die hier komt kan dan zien dat wij er het eerst waren.'

'Dan zijn wij de winnaars,' zei Simon.

'Precies. Net als dat je met voetballen hebt gewonnen op school.'

Simon woog de steen in zijn handen, toen keek hij verlegen op. 'Je wilt gewoon met haar praten, hè?' zei hij. 'En je wil liever dat ik er niet bij ben... zodat jullie alleen met z'n tweeën zijn, zodat – '

'Nee,' zei Michael, 'het is geen – '

'Is oké, hoor,' zei Simon tegen hem. 'Ik vind het niet erg.' Hij draaide zijn rug naar Michael toe en begon met de steen langs de rotsmuur te schrapen.

'Net een echte holbewoner, hè?' zei Michael tegen Taylor een paar seconden later, toen hij naast haar ging zitten.

'Holbewonertje,' zei ze tegen hem.

Zelfs hierachter was de wind nog steeds hard genoeg om haar haar overeind te blazen als de veren van een vogel. Michael had een droge keel van de drank en de inspanning.

'Ik ben zo ontzettend kwaad,' zei ze.

'Bedoel je je moeder, de baby...'

'Nee, ik bedoel *haar*. Ik bedoel, wat doet ze hier, verdomme?'

'Kellie...' raadde hij.

'Ik bedoel, wie *is* zij? Waarom is ze hier? En vertel me niet dat ze hier is omdat Ben haar hierheen heeft gebracht. Dat weten we al.'

Maar ik ken haar net zomin als jij. Het feit dat ze in een van onze huisjes logeert, betekent nog niet dat ik – '

'*Jij* kent haar misschien niet, maar mijn vader wel...'

'Dat weet je niet zeker.'

'Ach, kom op, zeg. Je hebt het zelf gezien. Met z'n tweeën. Daarbinnen. Wat? Denk je dat het toeval was? Dat ze allebei in dat boothuisje moesten zijn, met één minuut ertussen?'

Nee, dat dacht hij niet. Maar hij kon het ook niet verklaren.

'Ze *kennen* elkaar,' zei Taylor tegen hem. 'Dat moet wel. En hij heeft tegen ons allemaal gelogen. Tegen mij. Tegen mijn moeder. Tegen opa. Hij heeft gelogen over waarom hij vanmorgen naar het dorp moest. Hij zei dat hij naar de ijzerwinkel ging. En dat deed hij niet. Hij had opa's cadeautje allang. Ik heb gezien hoe hij het pakje – dat met opa's cadeautje erin – in zijn jaszak deed voordat we weggingen. Ze moeten een afspraak hebben gehad om elkaar hier te ontmoeten. Hij en die trut. Ik snap alleen niet hoe?'

Plotseling schoot het Michael te binnen. 'De kroeg,' zei hij. 'Misschien hebben ze elkaar gisteren in de kroeg ontmoet. Zij was er en je vader ook, nadat hij me naar huis had gebracht.'

Haar ogen lichtten op. 'Zo zit het dus.'

'Maar dan weten we nog niet *waarom* ze elkaar wilden ontmoeten.'

Maar zij wel. 'Er is maar één reden waarom je iemand in het donker wilt ontmoeten,' zei ze.

Bedoelde ze daarmee ook zichzelf en Michael? Hij wist dat het een egoïstische vraag was en dat hij nu waarschijnlijk wel de laatste was aan wie ze dacht. Maar hij kon het toch niet laten om erover na te denken.

Taylor staarde Michael aan. 'Ze zou het niet overleven, weet je. Mijn moeder. Ze houdt zoveel van hem... Ik bedoel, ze heeft me zelfs naar een kostschool gestuurd zodat ze meer bij hem kon zijn... en nu ze weer een kindje krijgt – Jezus, je had het gezicht van mijn vader moeten zien, trouwens, toen ze het aan hem vertelde – ze zou het niet overleven, ik weet het zeker, als het waar is wat ik denk – dat, ik weet niet, dat pap en Kellie op de een of andere manier...'

'Je *weet* helemaal niks,' zei Michael tegen haar. 'Alleen dat ze elkaar ontmoet hebben. En het *kan* toeval geweest zijn. Het *is* mogelijk. Misschien is ze hem achternagelopen om te kijken wat hij daar aan het doen was.'

'Maar waarom heeft hij dan gelogen over het cadeautje?'

Daar wist Michael geen antwoord op.

'Ze huilt, weet je. Mijn moeder. Ik heb het gezien. Als ze denkt dat ik niet kijk. En weet je wanneer ze huilt?'

'Nou?'

''s Nachts. Tijdens de schoolvakantie, als ik thuis ben, en hij niet. En ook in het weekend. Als hij over moet werken...'

Michael had haar ook zien huilen toen ze dacht dat ze alleen was. Hij moest er ook aan denken hoe zijn vader op het laatst geweest was. Hij had zijn moeder alleen gelaten. Hij had haar huilend achtergelaten.

Michael zei alleen: 'En jij denkt dat hij een affaire heeft...'

'Ja.'

'Met Kellie...'

'Ja.'

'Maar ze is hier met Ben heen gekomen. Het was een ongeluk. Daar klopt iets niet.'

'Weet ik. Maar ze komt wel uit Londen. En pap is na ons gekomen. Het klinkt misschien gek, maar hij had kunnen – '

Maar plotseling keek ze langs hem heen en hij volgde haar blik. In grote koeienletters had Simon op de wand van de grot geschreven:

SIMON EN TAYLOR EN MAIKEL

4 EVER

Simon staarde naar Michael en Taylor. Tranen stroomden langs zijn gezicht.

Michael schrok toen Simon op de rand van de grot afrende. Hij had de steen in zijn hand waarmee hij hun namen had gekrast. Hij gooide hem zo hard hij kon de grot uit naar de boot. Michael greep hem vast en trok hem naar beneden uit de wind.

'Ben je belazerd,' schreeuwde hij naar hem. 'Je had er zo af kunnen vallen.'

Simon probeerde hem van zich af te schudden. 'Laat me los,' schreeuwde hij.

Michael worstelde met Simon en trok hem met geweld terug in de richting van de donkere tunnel.

Half slepend, half dragend nam hij hem verder mee de tunnel in, terug in de duisternis. Hier was geen wind meer en Michael kon alleen Simon horen, die blies als een kat.

'Wat is er? Wat is er aan de hand?'

'Niets,' schreeuwde Simon. Hij trok één hand vrij en wreef boos en beschaamd zijn tranen weg.

'Wil je naar huis toe?'

Nieuwe tranen vloeiden over zijn gezicht. 'Ze haten me. Ze willen me daar niet.'

'Dat is niet waar,' zei Michael.

'Wel waar. Ik wou dat ik dood was. Ik wou dat ik het geweest was.'

Paul. Hij had het over zijn dode broer Paul.

Taylor wrikte Simon los van Michael en sloeg haar armen om hem heen. Simon sidderde tegen haar aan en Michael keek hulpeloos toe.

'Ze denken dat het mijn schuld was,' zei hij.

'Niet waar. Dat denkt niemand.'

'Wel waar! Dat zullen ze altijd denken.'

'Nee, Simon. Echt niet.'

'Wel waar! En het zal altijd mijn schuld zijn. En de dokter waar ze me heen sturen zegt dat het niet waar is, maar het is *wel* zo. En ze zegt dat straks alles anders zal zijn, maar dat is niet waar. En ze stelt me steeds dezelfde vragen en ik vertel haar steeds weer hetzelfde, en het wordt nooit beter, en nou haat mijn moeder mijn vader net zo erg als mij – '

'Nee,' zei Taylor weer tegen hem. 'Ze houden van je, Simon. Ze houden ontzettend veel van je.'

'Ik wilde hem alleen maar redden,' snikte Simon. 'Dat was alles.' Een draadje spuug rekte zich uit tussen zijn lippen en knapte. Hij kneep zijn ogen dicht. 'Ik zou er alles voor overhebben om zijn leven te redden. Ik zou er alles voor overhebben om het weer goed te maken.'

'Het komt allemaal in orde, Simon,' zei Taylor tegen hem. 'Heus waar.'

'Ik wil niet dat ze gaan scheiden.'

'Niemand heeft gezegd – '

'Dat wil ik niet,' schreeuwde Simon en trok zich terug.

Taylor hield hem vast aan zijn polsen en keek diep in zijn ogen. 'Kijk me eens aan, Simon,' zei ze tegen hem. 'Er gaat niemand scheiden. Hoor je dat? Niemand.'

Toen ze Michael aankeek – en hij dat vonkje zag, dat diamantje, dat zich nu op hem richtte – moest ook hij haar wel geloven.

'Goed zo,' fluisterde ze in het oor van Simon. 'Laat het er maar uit. Laat het er maar uit en dan gaan we samen naar huis, voordat het donker wordt...'

Hoofdstuk 19

'Hij is op,' zei Ben. Hij draaide de fles om en de laatste paar druppels wijn vielen in het glas van Kellie.

Ze zaten in de piepkleine woonkamer van het vakantiehuisje, op een versleten tweezitsbankje dat ze voor het haardvuur hadden geschoven. Potten en pannen staken uit de gootsteen in de keuken te wachten op de afwas. De overblijfselen van het kippenkarkas stonden op de keukentafel, naast een zeshoekige glazen vaas die Kellie en Ben hadden gebruikt als juskom en een verroeste ijsschep die als opscheplepel had gediend.

Ben staarde naar het vuur. Normaal gesproken, dacht hij, zou hij na een goede maaltijd en in zulk goed gezelschap een sigaret opsteken, om de perfectie van het moment af te ronden. Maar de behoefte aan nicotine die hem de hele dag achtervolgd had, was opgelost in het niets. Dat kwam door haar, door Kellie, want zij rookte niet en hij was blij dat hij in staat was om hier te zitten zonder rook in haar gezicht te blazen – hij voelde zich sterk.

'God, wat heerlijk,' verzuchtte Kellie. Ze nam de laatste slok uit haar mok. Ze zette het op de rand van zwart-witte tegels die de afscheiding vormde tussen het haardvuur en het vale blauwe tapijt. 'Het is zo raar om te bedenken wat we gisteren aan het doen waren rond deze tijd.'

'Bijna dood aan het gaan, bedoel je.'

'Precies, en toch zitten we nu hier, goed uitgerust, goed onderdak, goed eten.'

'Het is nou niet bepaald de Dorchester...'

'Nee, maar we zitten ook niet in een krot. En eigenlijk is het zelfs beter dan een chic hotel.'

'Hoezo?'

'Nou,' zei ze, 'als je in de Dorchester zou zijn, zou je willen dat alles fantastisch was, toch? Je wilt het beste eten, de beste wijn, een geweldige kamer, met een supermooie badkamer, met rijen heerlijk badschuim en bodylotion. Het moet allemaal perfect zijn, niet waar? Want daar heb je voor betaald.'

'Ja...'

'En je zou balen als het niet zo was. Want je hebt torenhoge verwachtingen. Maar hier. Vandaag. Toen ik wakker werd en je me hierheen lokte, nou ja, had ik nul verwachtingen. Ik dacht dat het enige wat die dag me te bieden had een blikje witte bonen en tomatensaus was, met wat toast, gevolgd door een middagje bibberen bij dat ouwe oliekacheltje op mijn kamer.' Ze staarde naar de letters die Ben tegen de balk had geplakt. 'Maar ik had het mis. Het bleek duizenden keren beter te zijn dan ik ooit had verwacht. Dus ja,' zei ze tegen hem. 'De Dorchester kan de pot op. Want vandaag, nu, zou ik nergens liever willen zijn dan hier.'

'Volgens mij,' zei hij, 'zou je nu behoorlijk hard aan het spinnen zijn, als je een poes was.'

'Volgens mij ook.'

Ze kamde langzaam met haar vingers door haar haar. Hij wou dat hij deze dag eeuwig kon laten duren. Hij voelde iedere seconde die voorbijging als een hartslag. Maar er *zou* een einde komen aan vandaag. Kellie zou weer weggaan – morgen, of de dag erna. Zodra het zeeijs weg was, was zij ook weg.

Ben zou blij moeten zijn, blij om de tijd die hij met haar door had gebracht, blij dat hij uit het gat van zelfobservatie was gekomen waar hij de afgelopen maanden in had gezeten, blij dat hij het zo goed had kunnen vinden met een vreemdeling, en blij om dezelfde reden als zij: het was hier warm en lekker warm en ze hadden goed gegeten.

Maar hij wilde nu zoveel meer. In Londen zouden hun levens nooit zo op elkaar zijn gebotst. Ze zouden nooit zo snel een intieme band hebben gekregen. Hij wilde dat deze dag in een volgende zou overgaan, en dan weer een dag, en dan een toekomst voor hen samen. Hij wilde iets bijzonders maken van deze reeks toevalligheden die hen hiernaar toe had gebracht.

'Geen spijt dus?' vroeg hij.

'Absoluut niet.'

Ze stond op en trok haar vest uit en meteen ook maar haar trui. Ze had een versleten zwart hemdje eronder aan, en het schoof langs haar rug omhoog toen ze de trui over haar hoofd trok. Hij ving een glimp op van een plat, zwart moedervlekje net boven haar heuplijn, een piepkleine onvolkomenheid op haar huid. Ze gooide haar trui in een leunstoel en ging weer zitten. De vorm van haar borsten was door het hemdje heen te zien. Ze keek hem aan en hij wendde zijn blik af en staarde naar het vuur.

'Weet je wat ik nu ga doen?' vroeg ze.

'Wat dan?'

Ze rolde haar spijkerbroek omhoog en trok haar sokken uit. Ze strekte haar benen uit naar het haardvuur en wiebelde met haar tenen.

Ze ging liggen en deed haar ogen dicht. 'Doen alsof ik op het strand lig... alsof er een warme Caribische wind over me heen waait...'

'Hé,' klaagde hij, 'je zei net nog dat je nergens anders liever wilde zijn dan hier.'

Haar ogen bleven dicht. 'Ik bedoelde in de werkelijkheid,' zei ze. 'Dit is alleen maar fantasie. Trouwens,' voegde ze eraan toe, 'jij mag ook mee. De vlucht is gratis en je hoeft alleen je verbeeldingskracht mee te nemen.'

'Vliegen we businessclass?'

'Nee, het is een droom. We vliegen eerste klas.'

Hij liet zijn ogen van haar kuiten naar haar enkels glijden. Toen deed ook hij zijn ogen dicht.

'Weet je wat ik het allerliefste doe?' vroeg ze. 'Het allerliefste in de hele wereld?'

'Nou,' zei hij, 'gezien jouw akelige hoeveelheid kennis over films en acteurs, zou ik denken dat je het liefst lekker op de bank onderuitgaat met een hele goeie film. Deze tijd van het jaar is dat waarschijnlijk *It's a wonderful life*, of *Merry Christmas Mr Lawrence*.'

'Nee. Niet het allerliefste wat ik doe. Hoewel je gelijk hebt dat dat de twee films zouden zijn die ik nu het liefst zou kijken...'

'Wat doe je dan het allerliefste?'

'Naar niets kijken. Gewoon zijn. Gewoon op het zand liggen en met mijn vingers er doorheen woelen, luisteren naar de golven die zachtjes het strand oprollen...'

Hij stelde zich voor dat ze op hun imaginaire strand lagen, zij met z'n tweeën, naast elkaar. Hij had een korte broek aan en zij een groene bikini. Ze had een ketting met donkere kralen om haar nek en hij kon de kokosolie in haar haar ruiken. Het strand strekte zich kilometers ver aan beide kanten van hen uit en was verlaten op hen twee na. Palmbomen bogen hoog over hen heen. Hun schaduw reikte over het witte zand tot aan de azuurblauwe zee.

'Ik zou gaan zwemmen,' zei hij. 'Ik zou langzaam de zee in lopen, steeds dieper, totdat een golf me van de bodem zou tillen.'

'En mij alleen op het strand achterlaten?' protesteerde ze.

Hij glimlachte. Dus ze zag hem daar ook...

'Ik zou weer terugkomen,' zei hij, 'na een poosje... misschien heb ik zelfs wel een vis gevangen.'

'Met je blote handen?'

'Waarom niet? Dit is toch fantasie? Ik zou de snelste zwemmer zijn, en de vlugste handen hebben in de hele wereld...'

Ze giechelde. 'Lijkt wel een combinatie van *De Man van Atlantis* en Bruce Lee...'

'Bruce Atlantis. Goed idee voor een tv-serie... Wat dacht je van *Fighting Nemo*?'

'En ondertussen, terug op het strand,' vroeg ze, 'wat zouden we daarna doen?'

'Daarna? We zouden – '

Hij zag zichzelf op een handdoek naast haar gaan liggen. Hij nam haar hand en rolde boven op haar met zijn volle gewicht. Druppeltjes glinsterend water vielen van zijn gezicht op het hare...

'We zouden wachten tot zonsondergang en dan een kampvuur maken,' zei hij.

Hij vroeg zich af hoe het zou zijn om haar lippen op die van hem te voelen, en hoe het zou zijn om haar tegen hem aan te voelen bewegen. Wat zou ze in zijn oor fluisteren?

'En dan zouden we – '

Plotseling kwam ze overeind en ging naast hem op de bank zitten.

'Wat een stom spelletje,' zei ze. Ze rolde haar broekspijpen naar beneden. Ze pakte haar sokken en begon ze aan te trekken.

'Sorry,' zei hij, 'heb ik iets verkeerds – '

'Nee.' Ze klonk geagiteerd. 'Het ligt aan mij. Kunnen we niet gewoon over iets anders praten?'

'Natuurlijk.' Maar voor het eerst sinds hij haar ontmoet had, was hij met stomheid geslagen. 'Waarover dan?' vroeg hij uiteindelijk.

'Maakt niet uit,' zei ze. Ze keek hem glimlachend en hoopvol aan. 'Eten?'

Ze begon hem te vertellen over de beste maaltijd die ze ooit had gehad, in een restaurant in Sydney dat The Bather's Pavilion heette.

En daarmee waren ze beiden weer op veilige bodem geland. Net als tijdens de maaltijd, toen ze gekletst hadden over theater en muziek en reizen, waar ze overal geweest waren en wat ze allemaal hadden gezien. Dat ze allebei in een appartement woonden in verschillende delen van Londen, hij in Kentish Town en zij in Chancery Lane. Hoe hun appartementen eruitzagen. Dat ze nooit de tijd hadden of de moeite namen om hun bloembakken te beplanten, of hun keuken net zo leuk in te richten als hun vrienden hadden gedaan. Neutrale onderwerpen dus, het soort gesprek dat je met iedere willekeurige vreemdeling op een feestje zou aanknopen.

'... en ik kan je wel vertellen,' zei ze, 'die chef zou een ridderorde moeten krijgen. Hé!' Ze stak haar vingers uit en porde hem tussen de ribben. 'Je luistert helemaal niet. Ik raad het al,' zei ze, 'je bent jaloers, hè?'

'Wat?'

'Omdat je zelf ook niet zo'n beroerde kok bent. Dat heeft me wel verrast, dat je zo uit het niets een lunch te voorschijn toverde. Je bent duidelijk een man met verborgen talenten.'

'Ik verberg helemaal niets,' zei hij. 'Ik heb geen geheimen. Niet voor jou tenminste.'

Het was niet zijn bedoeling geweest om het gesprek zo abrupt terug te brengen naar het persoonlijke vlak, maar nu het was gebeurd, was hij er blij om. Hij wilde niet over ditjes en datjes praten. Niet met haar. Niet vandaag.

Ze keek hem nieuwsgierig aan. 'Waarom niet voor mij?' vroeg ze.

'Ik weet het niet. Omdat ik je vertrouw. En ik weet,' zei hij, 'ik weet dat ik daar geen reden voor heb, maar toch doe ik het.' Hij glimlachte. 'En trouwens,' voegde hij eraan toe, 'jij kent niemand die ik ken. Jij bent veilig. Ik zou je al mijn wensen en angsten kunnen verklappen en het zou niets uitmaken, omdat we niet dezelfde vrienden hebben, dus kun je het aan niemand doorvertellen.'

'Net als dat je iemand in vertrouwen neemt op een onbewoond eiland...'

'Precies,' zei hij. 'Dat past eigenlijk ook wel. We hebben immers schipbreuk geleden, zou je kunnen zeggen.'

'Net als Crusoë en Vrijdag, bedoel je? Of Hanks en zijn volleybal...'

'Wilson.'

'Net als Hanks en Wilson...'

'Twee volslagen vreemden die het prima met elkaar kunnen vinden...'

'Ik denk dat het inderdaad soms makkelijker is om met iemand te praten die je niet kent,' zei ze. 'En soms ook interessanter.' Ze staarde hem aan. 'Maar even serieus, heb je echt geen geheimen voor mij? Want ik waarschuw je, ik ben iemand die overal zijn neus insteekt...'

'Vraag maar wat je wilt.'

Ze vouwde haar armen over elkaar en keek hem onderzoekend aan. 'Ik weet niet precies waar ik moet beginnen. Je vrouw?' vroeg ze. 'Je ex-vrouw. Marie. Waarom zijn jullie niet meer bij elkaar...'

Hij deed zijn mond open om iets te zeggen, maar ze drukte haar wijsvinger op haar lippen.

'Zullen we dit gesprek buiten voortzetten?' stelde ze voor. 'Alleen omdat ik zo in slaap ga vallen als ik hier nog langer bij het vuur blijf zitten.' Als om het te bewijzen, gaapte ze uitgebreid. 'En ik wil niet dat je denkt dat ik me verveel,' zei ze tegen hem. 'Want dat is niet zo.'

*

Ze wandelden naar de haven en langs de bontgekleurde boothuisjes. De sneeuw knarste als piepschuim onder hun voeten. Het was nog steeds ijskoud. Binnen een paar seconden was Ben klaarwakker. Ze stopten bij een houten bankje en keken uit over de haven. Er lagen een paar vissersbootjes aangemeerd, vastgeklonken in het ijs, in onnatuurlijke hoeken, alsof ze aan de grond waren gelopen.

'Het lijkt wel een scène uit *Whisky Galore!*' zei ze. 'Of *Scott of the Antarctic.*'

'We hebben allebei veel te veel filmtrivialiteiten in ons hoofd zitten, weet je dat,' zei hij. 'Dat kan niet gezond zijn.'

'Misschien hebben we allebei wel veel te veel tijd over gehad.'

Daar had ze gelijk in. Wat hem betrof wel, in elk geval. De reden dat hij zoveel films had gekeken in z'n eentje, was omdat hij zoveel alleen was geweest. Hij vroeg zich af of dat voor haar ook zo was.

'Misschien bestaat er een verband tussen eenzaamheid en films kijken,' zei hij.

'Misschien wel.'

In de verte blafte een hond. Ben zette zijn kraag op, hij dacht weer aan gisteren, hoe Kellie en hij tegen elkaar waren gekropen voor de warmte, tijdens hun zwoegtocht van Hell Bay naar het dorp.

Hij had nu zijn arm om haar heen kunnen slaan. Dat zou het meest natuurlijke gebaar ter wereld zijn geweest. Maar het zou anders zijn, onpraktisch, te intiem, om haar nu aan te raken. Hij herinnerde zich hoe vlug ze overeind was gaan zitten op de bank, hoe abrupt ze hun spelletje had afgebroken.

Hij besloot hun gesprek terug te brengen naar waar ze waren gebleven in het huisje. 'Marie en ik dus,' zei hij. 'De reden dat we niet langer samen zijn is omdat... omdat zij met iemand anders is. Iemand die ik kende.'

'Een vriend?'

'Een ex-vriend.'

Danny. Zo heette de ex-vriend. Ben was erachter gekomen via de vrouw van Danny. Ze had Danny ervan verdacht dat hij een verhouding had en een detective in gehuurd om te achterhalen met wie. Ze had Ben foto's laten zien van Marie en Danny, kussend bij het standbeeld van Peter Pan in Regent's Park. Het beeld maakte hem nog steeds misselijk. Ze zagen eruit alsof ze al jaren samen waren.

'Dat verbaast me,' zei Kellie.

'Wat?'

'Ik had gedacht dat het andersom zou zijn. Ik dacht dat jij haar verlaten had.'

'Hoczo?' grapte hij. 'Zie ik eruit alsof ik een wilde rokkenjager ben, of zo?'

'Het tegenovergestelde, eigenlijk.'

'Bedoel je dat ik er betrouwbaar uitzie?' vroeg hij. Hij wist niet precies hoe hij moest reageren.

'Nee. Je ziet er zelfverzekerd en beheerst uit. Ik geloof dat ik me je gewoon moeilijk kan voorstellen in een situatie die boven je macht is, dat is alles.'

Ben lachte.

'Wat is er?'

'Ach, je had me vorig jaar moeten zien...'

'Heb je het moeilijk gehad?'

'Nogal, en ik zag er niet uit. Totaal machteloos, kan je wel zeggen.'

'Nou, je ziet eruit alsof je er weer bovenop gekomen bent.'

'Dank je,' zei Ben. 'En, ja, daar ben ik het wel mee eens, geloof ik.' Ze liepen verder. Hij zei tegen haar: 'Het was nooit de bedoeling dat het over macht zou gaan met Marie en mij. We zouden partners zijn, op gelijke voet, vanaf het begin.'

'Streeft daar niet iedereen naar?'

'Ja, maar bij ons gebeurde het echt. Tenminste, een poosje. Toen we thuiskwamen van onze huwelijksreis zegden we allebei onze baan op, ik bij een filmbedrijf, zij bij een reclamebureau. We zetten ons eigen bedrijf op en noemden het De Draaimolen. Het idee was om genoeg geld te verdienen met iets wat we leuk vonden, zodat we in staat zouden zijn om van de rest van ons leven te genieten. Zodat we nooit loonslaven hoefden te zijn. Of in het weekend hoefden te werken. Of al dat soort dingen doen die we in onze oorspronkelijke carrières hadden moeten doen.' Hij glimlachte. 'Marie liet een logo ontwerpen van een groepje mensen die elkaars hand vasthielden. Daar moest het over gaan, verbinding, harmonie, samenwerking... We zouden een hoop lol hebben. We zouden mensen gelukkig maken door hun herinneringen op film te zetten, en daardoor zouden we zelf ook gelukkig worden.'

'Maar dat gebeurde niet?'

'Nee. Het pakte allemaal heel anders uit. We hadden het bedrijf beter De Wip kunnen noemen, want zo ging het. Marie en ik vochten als een kat en een hond over elke zakelijke beslissing die we maakten.'

'Ik raad het al,' zei Kellie. 'Uiteindelijk begon het ook jullie thuissituatie te beïnvloeden.'

'Dat krijg je met werk, vooral als je samenwerkt. Denk je niet?'

Ze haalde haar schouders op. 'Ik weet het niet. Het zal voor iedereen wel anders zijn. Ik denk dat samenwerken soms ook tot een fantastische relatie kan leiden.'

'Wellicht.'

Ze zag hoe een meeuw op het ijs landde en eroverheen gleed, tot hij verward tot stilstand kwam.

'Wat er tussen Danny en Marie gebeurde...' zei Ben. 'Dat deed erg veel pijn. Het feit dat ik hem kende maakte het twee keer zo moeilijk.'

'Dat kan ik me voorstellen.'

'Ik begon mezelf een heleboel vragen te stellen. Over wie mijn vrienden waren. Maar ook over mezelf. Over wie ik was en wat ik wilde.'

'En tot welke conclusies ben je gekomen?'

'Dat ik eigenlijk al een hele tijd ongelukkig was geweest. Hoewel het Marie was die wegging, om bij Danny te zijn, was niet zij degene die er een eind aan maakte. Het was al voorbij – met *ons* – lang voordat Marie en Danny iets met elkaar kregen. En weet je wat?'

'Wat?'

'Zoiets laat ik nooit meer gebeuren. Ik ga nooit meer achteroverleunend zitten toekijken hoe iets doodbloedt dat heel mooi had kunnen zijn. Dat heb ik gedaan. En nu ben ik er eindelijk achter – dat is waar ik zo depressief van ben geweest. Ik werd een lafaard. Ik werd iets wat ik nooit had gedacht dat ik zou zijn.'

'Zo zie ik je niet.'

'Goed zo,' zei hij, 'want ik ben het niet meer. Ik laat het allemaal achter me. Ik ga weer verder. En als ik ooit weer met iemand samenkom,' zei hij tegen haar, 'zal ik haar alles geven wat ik in huis heb.'

Ze waren aan de andere kant van de haven gekomen en stonden met hun rug naar de havenmuur en keken naar het dorp.

'Je schijnt het behoorlijk goed te hebben verwerkt,' zei ze. 'Voor iemand die...'

Hij glimlachte. 'Ik heb veel tijd gehad om erover na te denken. Het was een langdurige scheiding. Je weet toch hoe advocaten zoals jij dit soort dingen zo lang mogelijk rekken,' grapte hij.

'Hé.' Ze stompte zijn arm. 'Het is maar een baan. En trouwens, ik houd me niet bezig met scheidingen.' Ze keek hem scherp in de ogen. 'Is er sindsdien een ander geweest?' vroeg ze. 'Ik bedoel sinds Marie en jij uit elkaar zijn?'

De laatste keer dat hij met iemand naar bed was geweest, was bijna drie maanden geleden. Zij was de tweede geweest sinds Marie en hij uit elkaar waren en het was een ramp geweest, onbeholpen en gênant. De volgende dag was hij wakker geworden in het bed van een ex-collega, met een kater en haar hand in de zijne. Hij had hun vingers uit elkaar gehaald en tegen de tijd dat ze wakker werd, had hij zich al aangekleed.

'Een paar,' zei hij. 'Losse flodders. Een vroeger vriendinnetje van langgeleden en een vrouw met wie ik gewerkt had. Met geen van beiden was het serieus. Ik heb maar wat rond gestommeld, geloof ik, geprobeerd om vaste grond onder de voeten te krijgen.'

'Heb je een foto?' vroeg Kellie. 'Van Marie?'

Hij verbaasde zich over de directheid van die vraag. 'Wat, in mijn portemonnee, of zo? Hoezo?'

'Nou, dat is altijd een goede manier om te kunnen zeggen...'

'Om wat te kunnen zeggen?'

'Of iemand echt over de ander heen is... Of dat ze nog steeds een beetje hoop hebben, na alle...'

Ben trok zijn portemonnee uit de zak van zijn spijkerbroek. Hij peuterde een paspoortfoto van Marie achter een stapel creditcards vandaan. Ze was blond, glimlachend op zo'n gemaakte manier als mensen dat altijd op pasfoto's deden waarvan ze wisten

242

dat hij nog jaren mee moest.

'Bewijsstuk A,' zei hij en gaf het aan haar.

'Ze ziet er jong uit,' merkte Kellie op.

'Dat was ze ook. En ik ook. Hij is van jaren geleden. In Australië. Ze moest een nieuw paspoort laten maken, nadat haar tas was gestolen op het strand.'

'Ze is mooi,' zei Kellie. 'Maar dat verbaast me niks. Jij ziet er ook goed uit.'

Het was het eerste compliment dat ze hem gegeven had en ze fronste haar wenkbrauwen. Ze gaf hem de foto terug.

'Dank je,' zei hij. Hij strekte zijn arm uit en de wind zwiepte de foto weg.

Kellies adem stokte. Ze keek de foto na die om en om door de lucht draaide. Hij kwam terecht op de ijzige vlakte in de haven. 'Waarom deed je dat?'

'Omdat ik me pas weer herinnerde dat ik een foto van haar bij me had toen jij ernaar vroeg. En omdat er waarschijnlijk niets beters is om een oude vlam mee te doven dan een paar honderd ton bevroren zeewater.'

Ze zagen hoe de foto een paar salto's maakte in de wind en vervolgens aan het ijs bleef plakken. Ben knipperde met zijn ogen. Daarna kon hij niet meer zien waar het was. En hij was er blij om.

'En zo eindigt mijn verhaal over de perikelen van mijn scheiding à la *Kramer vs Kramer*,' zei hij. 'En hier ben ik, best jong nog, vrij en alleen. Met één ex-vrouw, één ex-beste vriend, een te grote videocollectie, en geen noemenswaardig vriendinnetje. Zelfs geen,' voegde hij eraan toe, zorgvuldig zijn woorden kiezend, '*soort* vriendinnetje...'

Ze rolde met haar ogen alsof hij haar zojuist een hele slechte mop had verteld. 'En zo komen we precies uit bij mij... bij mijn soort vriendje,' zei ze. 'Je bent ook niet erg subtiel.'

'Dat is nooit mijn sterkste kant geweest.'

Ze zat met haar rug tegen een steen van de havenkant geleund en sloeg haar armen om zich heen. Ze staarde naar het doorzichtige mozaïek van water en ijs.

'De man met wie ik ben,' zei ze. 'Hij is getrouwd.'

Ben knikte met zijn hoofd. Alles viel op zijn plaats. Dat zij hier alleen was... omdat haar 'soort' vriendje bij zijn vrouw was. Kellie die niets met kerst te maken wilde hebben... omdat haar geliefde ervoor had gekozen om het met iemand anders door te brengen. Ben had al vermoed dat er complicaties waren tussen haar en de man met wie ze iets had, maar hij had aangenomen dat het te maken had met *waar* hij werkte, of woonde – niet met *wie* hij woonde.

'Daarom is hij dus een soort vriendje,' zei ze. 'Omdat hij niet helemaal van mij is. Nog niet.'

'Binnenkort wel?'

'Dat hoop ik toch. Hij houdt van mij. En ik heb lang genoeg gewacht.'

'Hoe lang?'

'Een jaar.'

Ben zei: 'Als hij zoveel van je houdt, waarom heeft hij zijn vrouw dan nog niet verlaten?' Maar meteen toen hij het gezegd had, wist hij het antwoord. 'Ik raad het al,' zei hij. 'Kinderen.'

'Eentje. Een dochter.'

'Die hij niet in verwarring wil brengen, niet waar? Daarom heeft hij het zo lang uit moeten stellen om bij zijn vrouw weg te gaan...' Bens stem klonk sarcastischer dan hij had bedoeld. Maar hij meende wat hij zei. Plotseling was hij kwaad, niet op haar, op *hem* – op die man die hij nog nooit had gezien en die Kellie aan het lijntje hield.

Ze zei tegen hem: 'Ik vind het ook niet leuk, weet je, dus je hoeft niet zo moralistisch te doen.'

'Maar is dat niet de bedoeling als je met iemand samen bent, dat je het *leuk* vindt?'

'Ik bedoel dat ik de omstandigheden niet leuk vind. Ik wou dat hij geen vader was en ik wou dat hij niet getrouwd was. Ik wou dat hij vrijgezel was geweest toen we elkaar ontmoetten, net als ik. Maar hij en zijn vrouw zouden sowieso uit elkaar gaan. Ze zouden ook zonder mij zijn gescheiden.'

Was het zo ook voor Marie en Danny geweest, vroeg Ben zich plotseling af. Hadden ze het toen over hem gehad, op dezelfde manier als Kellie nu over de vrouw van haar geliefde sprak, als een bron van overlast, als iemand die uit de weg moest?

'Hoe komt het dan dat ze niet allang uit elkaar waren? Dat ze *nog steeds* niet uit elkaar zijn? Hoe komt het dat hij je aan het lijntje houdt?'

'Waar haal je het lef vandaan,' zei ze plotseling boos. 'Je hebt geen idee hoe dit allemaal in elkaar zit. Hij houdt van mij, Ben. We houden van elkaar.'

Het leek niet erg op 'houden van', vond Ben.

'Ik weet dat het naar klinkt,' zei ze, 'maar – '

Woorden stroomden zijn gedachten binnen en hij begon te spreken voordat hij de kans had om erover na te denken hoe het over zou komen.

'Als jij van mij was,' zei hij, 'zou ik je niet zo laten hangen, nog geen seconde.'

Ze staarde hem zwijgend aan.

'Maar ik ben niet van jou, Ben,' zei ze.

'Nee,' zei hij, 'maar als ik je zou – '

'Wat?'

Ja, wat wilde hij eigenlijk precies zeggen, dacht hij. Het begon harder te waaien en hij keek haar aan. Want wat viel er eigenlijk te zeggen? Ze had het allemaal al gezegd. *We houden van elkaar.* Dat had ze gezegd. Ze had hem gezegd dat ze van een andere man hield.

Dat was de reden dat de woorden: *Maar als ik je nu zou kussen, dan weet ik dat je me terug zou kussen*, stierven op zijn lippen.

Hij staarde over het water, het dorpje erachter werd wazig. Wat wist hij nou over de liefde? Hij, die al gescheiden was. Hij, die alleen tijd doorbracht met deze vrouw vanwege een gril van het lot.

Maar ik ben niet van jou, Ben.

Hij had gevoel dat hij een trap in zijn maag had gehad.

'Het doet er niet toe,' zei hij. 'We kunnen beter teruggaan. Het begint koud te worden.'

Ze begonnen te lopen, zij aan zij, terug langs de boothuisjes naar het vakantiehuisje van *The Windcheater*. Het begon de regenen, koud en miezerig. Ben opende de felrode paraplu die hij had meegenomen en hield hem boven hun hoofd. Ze kropen eronder, als forenzen in een krappe lift.

Hij moest eraan denken hoe hij gisteren naar haar had gekeken in de kroeg. Hij was trots op haar geweest, en trots om bij haar te horen, en door anderen gezien te worden als haar vriendje. Hij herinnerde zich hoe charmant ze was geweest tegenover Jack en Toni en de anderen, en hoe makkelijk ze ertussen had gepast. Misschien was hij daarom in de war geraakt. Misschien was ze ook tegenover hem alleen maar charmant geweest, en misschien was het wel te lang geleden dat een nieuw iemand hem zomaar direct aardig vond, en had hij het voor meer aangezien.

Hij voelde dat ze naar hem keek. Hij wist dat het niet goed was om deze onaangename situatie lang te laten voortduren. Het was een prachtige middag geweest. Hij wilde niet dat het zuur eindigde. Hij forceerde een lach op zijn gezicht.

'Heb je weleens die flauwe mop gehoord,' vroeg hij, 'over de opblaasbare leraar van de opblaasbare school, en wat hij zei tegen de opblaasbare jongen met een speld in zijn hand?'

'Nee?'

Met gemaakt autoritaire stem zei hij: 'Zo laat je mij in de steek, jezelf in de steek, en de hele school in de steek.'

Maar toen ze lachte om de clou, wist hij dat ze eigenlijk het hardst om hemzelf zouden moeten lachen.

Hoofdstuk 20

In de keuken van het huisje stond Kellie de afwas te doen van de lunch met lauw water en shampoo. Haar hoofd was druk bezig met Ben. Het was allemaal misgegaan tussen hen. Sinds ze had toegegeven dat ze een verhouding had, was alles veranderd. Er was een muur tussen hen opgetrokken. Het vrolijke geplaag over en weer was verdwenen.

Ze schaamde zich, nu ze open was geweest over Elliot, want het was wel duidelijk dat Ben het afkeurde. Dat was ook geen wonder. Het was vast moeilijk om over elke buitenechtelijke relatie te horen, als je vrouw je verlaten had voor je beste vriend. Maar toch, dacht ze, het was niet juist van hem om haar zo te beoordelen, en ze was blij dat ze voor zichzelf was opgekomen. Hij had niet het recht om het allemaal op zichzelf te betrekken.

Toch moest ze er steeds aan denken dat Ben het misschien begrepen had als ze meer over haar relatie met Elliot had uitgelegd. Ze had beter haar best moeten doen om hem te overtuigen dat Elliot en zij *echt* van elkaar hielden. Ze had de thuissituatie van Elliot moeten schetsen zodat Ben niet zou denken dat ze uit puur egoïsme een vredig thuis verwoestte.

Maar nu was het te laat. En misschien was het zo wel veilig om deze muur tussen Ben en haar te hebben staan, zodat ze niet nog intiemer konden worden dan ze al waren. Want ze moest toegeven, het was een fantastische dag geweest, vandaag. Nog nooit had iemand zoiets... zoiets romantisch voor haar gedaan.

Dat was het probleem. Het woord romantisch. Onwillekeurig, instinctief, was het door haar hoofd geschoten. En als het in haar opkwam, dan waarschijnlijk ook in Ben.

Was dat wat hij had willen zeggen, toen ze tegen hem gezegd had dat ze niet van hem was? Wilde hij iets zeggen over hun relatie? Had hij op het punt gestaan om toe te geven dat hij iets voor haar voelde? Ze wist het niet en nu zou ze er nooit meer achter komen.

Ze schudde haar hoofd. Ze ergerde zich dat ze er überhaupt over nadacht. Ze ergerde zich dat ze zo in de war was. Wat deed het ertoe wat Ben over haar dacht? Ze was met Elliot samen en het zou haar niets moeten schelen of Ben haar aantrekkelijk vond of niet.

'Met wie ben je aan het praten?'

Ze schrok. Ze draaide zich om en zag Ben in de deuropening staan. Ze voelde dat ze begon te blozen.

'Was ik hardop aan het praten?'

'Meer aan het mompelen eigenlijk.'

Ze haalde haar schouders op, verlegen, maar ook wel opgelucht. Hij zou zich rot schrikken als hij wist wat er in haar hoofd omging. 'Ik ben zeker gek aan het worden.'

'Weet je zeker dat je geen hulp nodig hebt?'

'Er is niet echt genoeg plek voor twee mensen,' zei ze. 'En jij hebt al zoveel gedaan. Het lukt me wel.'

Hij knikte en deed zijn handen weer terug in zijn achterzakken. 'Dan laat ik je maar je gang gaan. Ik ga naar de kroeg.'

'O, oké,' zei ze. Ze beet op haar lip. Hij bleef dus niet om haar gezelschap te houden.

Hij maakte aanstalten om te gaan.

'Ben,' begon ze.

Hij draaide zich om. 'Ja?'

Zijn ogen waren hard. Niet onvriendelijk. Alleen hard.

'Niets,' zei ze.

Zodra hij weg was, voelde ze zich meer eenzaam dan alleen. Maar het was beter zo, zei ze tegen zichzelf, beter dat ze ieder weer hun eigen ruimte creëerden. Ze was klaar met de afwas en ruimde alles op. Ze haalde de blaadjes met Gelukkig Kerstfeest naar beneden, propte ze op en gooide ze in het haardvuur. Ze keek hoe het brandde. Het had niets te betekenen, daar zou ze wel voor zorgen.

Ze stond bij de deur met haar jas aan en keek naar het lege huisje. Ze probeerde zich te herinneren hoe het was om met Ben bij het haardvuur te zitten. Een paar uur geleden had ze zich nog tevreden en gelukkig gevoeld. Het leek wel een droom.

Terug in hun eigen huisje bladerde ze door een oud tijdschrift,

Country Life, verveeld en geïrriteerd. Maar wat kon ze anders doen? Ze kon niet naar de kroeg, want daar was Ben. En zelfs al zou ze zich bij hem willen voegen – en dat wilde ze niet – hij had behoorlijk duidelijk gemaakt dat hij alleen wilde zijn. Voor het eerst sinds ze op het eiland was, voelde ze zich werkelijk gestrand.

Ze dacht aan Elliot en zijn verdomde kerst met de familie. Ze probeerde hem voor te stellen, thuis, iedereen lachend bij het warme haardvuur. Ze waren waarschijnlijk allemaal sherry aan het drinken en spelletjes aan het spelen. Nu wilde ze meer dan ooit dat ze daar gewoon binnen kon lopen om iedereen te vertellen over Elliot en haar, en een einde kon maken aan deze belachelijke vertoning. Maar Elliot had haar beloofd dat hij het op zijn eigen manier wilde doen en dat ze hem moest vertrouwen.

Ze stond op en legde haar hand op de achterkant van de bank. Het dekbed dat Ben had gebruikt lag op een hoop en de trui die hij gisteren had gedragen op de vloer. Het zag er hier hetzelfde uit als in de kamer van Kellie boven. Ze moest denken aan een opmerking die hij tijdens de lunch had gemaakt, over dat het leven te kort was om te flossen. Ze had erom moeten lachen en was het met hem eens geweest. Ze vond het leuk dat hij zo spontaan was en bewonderde hem erom dat hij zijn uiterlijk minder belangrijk vond dan zijn gevoel. En dat was het 'm nou net met Ben, mijmerde ze. Hij had gevoel. Over allerlei dingen. En hij was niet bang om die gevoelens onder woorden te brengen. Hij had geen pretenties, geen manier om te verbergen wie hij werkelijk was.

Plotseling moest ze eraan denken hoe Elliot altijd zijn neusharen bijknipte met een nagelschaartje, de broekpers in de hal van zijn appartement in Londen, en zijn hemden die wekelijks bezorgd werden, netjes verpakt in plastic. Ze dacht aan de haren op zijn schouders die ze altijd probeerde te negeren. Ze dacht aan de manier waarop hij danste en dat het dan leek alsof hij te hard zijn best deed om er jong uit te zien.

Hou op, zei ze tegen zichzelf, in paniek draaide ze zich om. Ze moest niet te negatief over Elliot gaan denken. Ze hield van hem. Maar toch kwamen de woorden van Ben steeds weer terug.

Als jij van mij was, zou ik je niet zo laten hangen, nog geen seconde. Het ging maar niet weg. Ze speelde met de ketting om haar hals en ging bij het raam staan. Ze tuurde het donker in. Ze wou dat Elliot naar haar toe zou komen. Ze wou dat hij liet zien dat Ben ongelijk had. Ze wou dat hij alles weer goedmaakte. Ze wou dat hij ervoor zorgde dat ze niet zo in de war was.

Het had echter geen zin om het onmogelijke te wensen. Elliot nam waarschijnlijk aan dat ze bij Ben was. En zo te zien aan zijn gezicht, eerder die dag, nam hij nog veel meer aan. Hij zou zeker niet naar haar toe komen. Ze zou moeten wachten tot ze allebei weer in Fleet Town waren, waar ze alles zou kunnen uitleggen.

Fleet Town en hun penthouse appartement leken duizenden kilometers van hen verwijderd. Hoe had ze dit in godsnaam in haar hoofd gehaald, vroeg Kellie zich nu af. Waarom had ze ooit toegestemd om met Elliot naar de eilanden te komen? Ze stelde zich hun lege hotelkamer voor. Was ze gek geweest? Hoe had ze daar drie dagen alleen kunnen doorbrengen?

Plotseling begonnen boven haar de lichten te flikkeren. Ze liep naar de deur en pakte een zaklamp van de plank. Net op dat moment viel de stroom helemaal uit. Ze gilde, geschrokken van het donker.

Ze zei tegen zichzelf dat ze niet idioot moest doen. Dat het stom was om bang te zijn, maar toch, haar handen trilden toen ze de zaklamp aandeed, en er een klap op gaf om de straal licht stabiel te maken.

Het was griezelig in het huisje, in het donker. Nu moest ze wel naar de kroeg, concludeerde ze, en doen alsof haar neus bloedde tegenover Ben. Er was immers geen rede om zich ergens over op te winden. En het was ook niet zo dat ze terugkwam op haar beslissing om de zaak te laten bekoelen met hem, want ze had gewoon geen keus.

De voordeur werd uit haar hand gerukt door de wind. Kellie hield haar capuchon stevig vast, het haar eronder zwiepte in haar gezicht. Voor haar uit lag het pad naar de kroeg en het zag er verraderlijk uit in het zwakke licht van de zaklamp. Het was belachelijk, maar zonder Ben naast haar voelde ze zich kwetsbaar en alleen.

Binnen in de kroeg was Sally bezig kaarsen aan te steken. Het grote haardvuur wierp een warme gloed. De wind gierde door de schoorsteen. Zonder de jukebox was het akelig stil in de kroeg. In de hoek was een man bezig een gitaar te stemmen.

'Dit is een ernstige situatie,' legde Sally uit. 'Als de stroom zo helemaal uitvalt, duurt het altijd een poos voordat het weer terugkomt. Roddy is weg om de generator te controleren, maar als hij nog steeds defect is, denk ik niet dat we vanavond nog stroom zullen hebben.'

Kellie zag Ben zitten aan een tafel in de hoek bij het haardvuur. Hij zwaaide naar haar.

'Daar ben je. Ik wilde net komen kijken of alles goed met je was. We zaten hier wat te kletsen,' zei Ben en wees naar de man tegenover hem.

Het was vast weer een vriend van Ben van het eiland. Kellie liep naar hen toe en bleef onhandig naast de tafel staan.

'Hoi,' zei de vreemdeling. Hij was een knappe man, voor in de veertig, maar hij zag er een beetje droevig uit. Hij wierp haar een scheve glimlach toe.

'Mag ik erbij komen zitten?' vroeg ze aan Ben. 'Hiernaast is ook geen stroom.'

'Ik vind het prima,' zei Ben.

De man dronk zijn glas whisky leeg. Kellie ging zitten en trok haar jas uit. Er viel een lange stilte. Ben keek hoe ze haar haar opnieuw in een staart bond, zijn glas bleef halverwege steken op weg naar zijn mond.

'Misschien willen jullie – ' begon ze, onzeker of ze ergens tussen gekomen was.

'Nee, nee, blijf zitten,' zei Ben. 'Misschien kun je ons helpen. Een vrouwelijk perspectief is misschien precies wat onze vriend hier nodig heeft.'

'Ik vind het geweldig van je dat je naar me geluisterd hebt. Je staat vast stijf van verveling.'

Kellie zag nu dat Ben de man ook niet kende.

'Helemaal niet. Jij nog een?' vroeg Ben. Hij stond op en pakte het glas van de man. Hij keek Kellie vragend aan en ze kon zien dat Ben vast had gezeten in het gesprek met de man. 'Wat drink jij, Kellie?'

Ze had veel eerder naar de kroeg moeten komen, realiseerde ze zich nu. De rare sfeer tussen haar en Ben was helemaal verdwenen. Wat het ook was geweest dat hem dwars had gezeten, hij was er blijkbaar overheen.

'Rum cola, denk ik,' zei ze.

'Dat kan,' zei Ben. Hij boog zich naar haar toe en fluisterde: 'Ik heb het gevoel dat het wel eens een lange avond zou kunnen worden.'

Kellie glimlachte naar Ben en hij knipoogde. Wat een idioot was ze geweest om zich zo op te winden over niets. Ben en zij waren vrienden en dat was prima zo. Er was geen enkele reden om geen leuke tijd samen te hebben. Nu ze hier was, kreeg ze het gevoel dat ze weer een team waren en dat ze hem ondersteunde.

'Misschien heb je wat wijze woorden voor onze vriend hier. Ze heeft het hem gezegd vandaag, snap je. Zijn vrouw,' zei hij. Hij gebaarde naar de man dat hij Kellie even uit moest leggen hoe het zat.

'Je vrouw heeft je gezegd...?' vroeg ze. Ze wist niet zeker of ze zoiets intiems wel aan een wildvreemde man kon vragen.

'Dat ze wil scheiden,' zei de man. In het flikkerende kaarslicht kon ze zien dat zijn ogen bloeddoorlopen waren van de emoties en de whisky.

'Och God. Wat vreselijk,' zei Kellie. Ze besefte dat ze per ongeluk in een crisis terecht was gekomen die veel groter was dan ze zich had voorgesteld.

'Ja. Het heeft nogal een domper gezet op de kerstvreugde. Dat kan ik je wel vertellen.'

Ze had eerst gedacht dat de man hier uit de buurt kwam, maar zijn manier van spreken en de manier waarop hij gekleed was, deden haar anders vermoeden. Hij leunde met zijn ellebogen op tafel en legde zijn hoofd in zijn handen. Zijn schouders begonnen te schokken.

Kellie keek hulpeloos toe. Ze leunde over de tafel en klopte hem bijna op de schouder, maar ze deed het niet.

'Sorry,' zei hij. Hij veegde de tranen uit zijn ogen. 'Het was gewoon zo'n enorme schok.'

'Geeft niks,' zei ze. Ze voelde met hem mee. Wat het verhaal ook was achter deze arme man, het maakte haar eigen problemen erg betrekkelijk.

'Ik kan goed luisteren,' zei ze met een zachte glimlach. 'Als je erover wilt praten.'

'Ze denkt dat het mijn schuld is,' zei hij.

'Dat wat jouw schuld is?'

'Onze zoon is gestorven, achttien maanden geleden. Hij is verdronken. Maar Stephanie, mijn vrouw, denkt dat het... dat het mijn schuld is. Maar ik heb alles geprobeerd. God, alles...'

Kellie kon niet geloven wat er hier gebeurde. Ze voelde haar wangen rood worden. Ze kon bijna niet meer ademen. Dit was David. *De* David. De man van Stephanie. De zwager van Elliot. En haar potentiële toekomstige zwager. Haar mond was kurkdroog geworden.

'Ik snap nu waarom er het afgelopen jaar zoveel mis is gegaan tussen ons. Ze haat me. Omdat ze denkt dat ik hem had moeten redden. Maar hoe durft ze dat te denken?' David keek haar smekend aan. 'Ik hield ook van hem.'

Kellie dacht vlug na. Ze moest overkomen als een bezorgde vreemdeling. En ze was ook bezorgd. Deze arme man had zoveel pijn. Maar ze moest niet verraden wie zij was.

'Het was waarschijnlijk gewoon de druk van Kerstmis,' zei ze. Ze schoof heen en weer op haar stoel. Haar hoofd sloeg op hol met de gedachte aan de implicaties van wat David haar vertelde. Hoe hadden de anderen gereageerd? Geen wonder dat Elliot erop uit was gegaan om haar te zoeken. Haar beeld van een gezellige kerst met de familie, van de Thornes die samen allerlei spelletjes deden, ging in rook op.

'Dan draaien mensen altijd een beetje door, toch? Steeds met je familie in één ruimte zijn. Wat heeft ze precies gezegd?'

David begon haar te vertellen over de ruzie en wat er met Paul gebeurd was. Tegelijkertijd begon de gitarist in de hoek zacht te zingen, en op zijn gitaar te spelen. Kellie dacht aan hun karaoke gisteren. Het leek wel een jaar geleden.

'Wat ontzettend vervelend,' zei ze. Ze raakte Davids hand aan toen hij uitverteld was over Stephanie. 'Wat vreselijk voor je. En dat met kerst. Hoe reageerden de anderen?' vroeg ze. 'Ik bedoel, was er nog meer familie bij je?' Ze probeerde het als een logische vraag te laten klinken.

'Alleen mijn zwager en zijn vrouw. Stephanie was ook woedend op hen. Dat ze zich ermee bemoeiden, zei ze. Ze noemde mijn schoonzus een bemoeizuchtig kreng. Ze zei tegen haar dat ze haar stomme perfecte huwelijk in haar stomme perfecte reet kon stoppen. Maar Isabelle probeerde alleen maar te helpen.'

'O?' zei Kellie. Het was zo overweldigend wat ze te horen kreeg dat ze het bijna niet kon verwerken.

'Maar Isabelle overleeft het wel. Die overleeft alles.'

'Hier, nog wat te drinken,' zei Ben. Hij zette de drankjes op tafel. Hij glimlachte naar Kellie en kneep David even in zijn schouder.

'Kom op, jongen, het komt vast allemaal goed.'

Kellie nam een flinke slok van haar rum-cola om haar hart tot rust te manen. Ze voelde zich onzeker, elke stap die ze maakte leek haar verder in het drijfzand te trekken. Ze had het gevoel dat ze onderging in alle leugens die ze verteld had. Ze wist niet meer welke kant ze op moest.

Heel zelfzuchtig vroeg ze zich af wat de gevolgen zouden zijn van de ruzie tussen David en Stephanie voor Elliot en haar. Hoe kon Elliot nu zijn eigen aankondiging doen, nu Stephanie en David op het randje van scheiden zaten? Het hele huis was vast in rep en roer.

En Isabelle had er ook van langs gekregen, volgens David. Omdat ze het voor hem op had genomen. Ze klonk bepaald niet als de Isabelle die Elliot altijd had beschreven. Kellie wilde het liefst duizend vragen op David afvuren, maar ze wist dat ze niets kon zeggen dat haar verdacht kon maken. Vooral niet met Ben in de buurt.

Maar het ergste van alles was dat hij het huwelijk van Isabelle en Elliot als perfect had omschreven. En wat bedoelde hij toen hij zei dat Isabelle het wel zou overleven – dat Isabelle alles overleefde? Wat betekende dat?

'Wat vind je dat hij moet doen, Kellie?' vroeg Ben.

Ze vond dat het haar volledig boven de pet ging.

'Ik weet het niet. Misschien geeft je vrouw je de schuld omdat ze zichzelf schuldig voelt,' zei ze tegen David. Ze herinnerde zich haar gesprek met Elliot. 'Je weet toch hoe dokters zijn?'

'Ik heb je toch niet verteld dat ze dokter was, of wel?' vroeg David.

Kellie nam haastig een slokje van haar rum-cola. Ze keek Ben en David over de rand aan. 'Dat zal toch wel. Eerder misschien.'

David zag er moe uit. 'Je zal wel gelijk hebben.'

'Iedereen wordt altijd een beetje emotioneel rond kerst,' stelde Ben hem gerust. Hij draaide zich naar Kellie. 'Iedereen zegt wel eens stomme dingen en zet zichzelf voor paal.'

Kellie vroeg zich af of hij verwees naar hun wandeling vanmiddag en naar wat hij tegen haar gezegd had.

'Ik weet niet waarom ik jullie dit allemaal vertel,' zei David.

'Het is makkelijker om het tegen vreemden te zeggen,' zei Ben, Kellies opmerking van eerder die dag citerend.

Ze wierp hem een vluchtige blik toe.

'Weet je, ik hou gewoon van Steph,' zei David. 'Altijd al. Niet op een of andere spectaculaire manier. Ik ben niet zo'n type die haar een ketting met diamantjes geeft, maar dat wil niet zeggen dat ik niet net zoveel van haar hou.'

Kellies hand ging automatisch naar de hals van haar dichtgeknoopte blouse, en voelde de ketting eronder die Elliot haar had gegeven.

'Dan moet je haar zeggen wat je voor haar voelt,' zei Ben.

David schudde zijn hoofd. 'Ik kan haar niet meer bereiken. Het is alsof er iets in ons is doodgegaan toen Paul doodging. Het is te laat. Als ze echt niet van me houdt, dan heeft het toch geen zin om bij elkaar te blijven?'

'En je andere kinderen dan?' vroeg Ben.

David wreef over zijn gezicht. Toen schudde hij zijn hoofd. 'Ik weet het niet. Ik weet het echt niet. Ik dacht dat alles goed ging. Dat we er wel doorheen zouden komen. Maar nu? Ik weet niet wat ik ga doen. Ik weet niet eens hoe dat moet om weer vrijgezel te zijn. Als ik jullie zo samen zie – '

'We zijn niet samen,' corrigeerde Kellie hem. Ze voelde de blik van Ben.

'We zijn alleen vrienden,' zei Ben.

'Maar ik had kunnen zweren... jullie lijken...' zei David, toen was hij stil. 'Stephanie heeft gelijk. Ik heb absoluut geen intuïtie. Ik heb het altijd bij het verkeerde eind.'

Hoofdstuk 21

Stephanie lag klaarwakker in het donker, in de slaapkamer van haar vaders huis, en luisterde naar het huilen van de wind. Elke spier in haar lichaam was gespannen. Ze had hoofdpijn van alle wijn die ze gisteren gedronken had. Haar keel was droog en haar huid voelde onaangenaam, alsof de schaamte over wat ze gedaan had haar een of andere huiduitslag had gegeven.

Doodmoe ging ze overeind zitten en draaide haar hoofd naar de deur. Haar zintuigen stonden al urenlang op scherp zodat ze de voordeur zou horen opengaan, of iets anders dat betekende dat David thuis was gekomen. Ze wilde niet eens echt dat hij terugkwam. Maar ze werd er langzaam gek van om niet te weten of hij thuis zou komen of niet, of waar hij was.

In het donker wist ze niet meer hoe laat het was, ze probeerde de minuten te tellen tussen de schaduwen die langs de kier onder de deur kwamen. Ze wist nu zeker dat iedereen naar bed was gegaan. Het zou wel erg laat zijn. Ze wist dat het makkelijker zou zijn om het licht aan te doen en op de wekker te kijken, in plaats van zichzelf zo te kwellen, maar als ze het licht aandeed, zou iemand misschien denken dat ze wakker was en met haar proberen te praten. En dat was wel het laatste wat ze wilde.

Ze hield haar hoofd in haar handen, en vroeg zich af wat ze in godsnaam moest doen. Het was zo'n puinhoop. Eerder op de avond, toen ze Nat naar bed had gebracht, was Nat ontroostbaar geweest, snikkend om David, totdat Stephanie boos was geworden. Daar had ze nu ook spijt van. Ze vroeg zich af wat voor impact zo'n dag als vandaag zou hebben op de toekomst van Nat. Zou het haar bijblijven dat ze alleen in het donker om David had gehuild? Zou ze vreselijk onzeker worden omdat ze dacht dat Stephanie niet van haar hield? Zou ze nu voor de rest van haar leven een hekel hebben aan kerst?

En Simon? Tja, Simon praatte niet meer met haar, hij strafte haar met zijn stilzwijgen en zijn gewonde blik. Ze wist niet waar hij geweest was vanmiddag, hij had het niet tegen haar willen zeggen. Hij was nog nooit zo opstandig geweest. Hij was pas acht, en ze had nu al voor altijd zijn respect verloren.

Taylor had het alleen maar erger gemaakt door hem angstvallig te beschermen, en niet toe te laten dat Stephanie met hem alleen praatte. Taylor had er geen twijfel over laten bestaan over wat ze van de situatie vond. Stephanie had er iets over willen zeggen, zodat Taylor wat gas terug zou nemen. Zoiets als dat het goed was dat haar tijd als verwend enig kind nu bijna voorbij was. Maar Gerald had Stephanie als een havik in de gaten gehouden en er had niets anders op gezeten dan het allemaal te slikken.

In elk geval lieten de kinderen hun gevoelens de vrije loop, dacht ze. Dat had ze liever dan de manier waarop alle anderen hadden gereageerd.

Toen ze uiteindelijk weg was gegaan uit de eetkamer, draaierig van haar gesprek met David, had ze verwacht dat ze ervan langs zou krijgen van Isabelle, of haar vader. Ze was er op voorbereid geweest dat iemand iets tegen haar zou zeggen, haar op het matje zou roepen, haar zou dwingen zich te verontschuldigen. Of zelfs haar zou vragen hoe het met haar ging. Het huis had dunne wanden. Ze hadden het toch zeker gehoord wat ze tegen David had gezegd? Ze vroegen zich toch zeker af hoe ze zich voelde?

Maar zoals haar familie het altijd deed, was haar kortstondige verval tot emotioneel onverantwoordelijk gedrag onmiddellijk afgedekt met het bekende laagje beleefdheid. Het 'onaangename' dat was voorgevallen tijdens de lunch, werd resoluut onder het tapijt geveegd.

Niemand had het erover gehad dat David weggegaan was. Niemand had zich afgevraagd waar hij heen was gegaan, hoewel het duidelijk was dat niemand dat wist. Isabelle was verdwenen om een dutje te doen, Gerald was met de hond gaan wandelen, Nat had een legpuzzel gemaakt met Elliot bij het haardvuur, en Stephanie had de keuken geschrobd, haar hoofd helemaal in de war.

En daarna, een paar uur geleden, toen Taylor en Simon thuis waren gekomen en Isabelle op was gestaan, hadden ze allemaal samen naar een DVD van *The Wizard of Oz* gekeken, alsof er niets abnormaals was gebeurd. Tijdens de thee met een stukje kerstcake was iedereen beleefd tegen elkaar geweest. Zelfs Stephanie had het spelletje meegespeeld. Ze had gedaan alsof ze geïnteresseerd was geweest in het boek dat ze van Isabelle had gekregen, in een poging om het weer een beetje goed te maken. Er werden zelfs een paar grapjes gemaakt. Maar de stiltes die tussendoor vielen, werden gevuld met de afwezigheid van David en onuitgesproken verwijten. De uren sleepten zich voort. Uiteindelijk had Stephanie al die huichelachtigheid niet meer uit kunnen staan en had ze zich beziggehouden met het naar bed brengen van de kinderen. Daarna had ze gezegd dat ze naar haar kamer ging onder het voorwendsel dat ze hoofdpijn had. Nu, in het donker, lag er een lange, uitgestrekte nacht voor haar waarin ze kon analyseren wat er was gebeurd.

Natuurlijk besefte ze dat ze allang tegen David had willen zeggen wat ze vandaag had gezegd. Sinds het ongeluk al. Het had zich langzaam opgebouwd en ze had zich vooral op de woorden geconcentreerd. De woorden hadden steeds meer aan kracht gewonnen. Uiteindelijk werden ze zo destructief dat ze wist dat als ze ze zou uitspreken, ze de sloopkogel zouden vormen die hun huwelijk tot op de grond zou afbreken. Maar nu ze tussen de brokken zat van wat ze net had gedaan, voelde ze zich niet gerechtvaardigd of opgelucht dat de woorden er eindelijk uit waren. Ze had juist het gevoel dat ze er nog een grotere puinhoop van gemaakt had. David pijn te doen was helemaal niet bevredigend geweest. Integendeel, zijn reactie had haar verbaasd. Ze had zichzelf wijsgemaakt dat hij het waarschijnlijk met haar eens zou zijn dat hun huwelijk voorbij was, als ze hem zou confronteren. Ze had niet verwacht dat hij zou zeggen dat hij van haar hield, tot het einde aan toe.

Ze huiverde in het donker. Ze was banger dan ooit tevoren. Ze had niet nagedacht over wat de gevolgen zouden zijn als ze echt van elkaar zouden scheiden. Ze had niet nagedacht over wat het voor de kinderen zou betekenen en hoe het hen zou beïnvloeden. Ze wist niet eens hoe ze het aan zou pakken. Er zouden advocaten aan te pas moeten komen. En makelaars. Er zouden vreemdelingen hun leven binnenkomen.

David drong haar gedachten binnen, beelden van hem flikkerden door haar hoofd als een eindeloze Rolodex van herinneringen. Zouden hun levens echt zo makkelijk uit elkaar te halen zijn?

Ze zag een schaduw voor het licht onder de deur verschijnen. Ze hield haar adem in.

'Steph. Ben je daar?'

De deur ging open en Stephanie schoot overeind. Haar vader vormde een silhouet in de deuropening tegen het licht in de hal. Ze wist niet of ze opgelucht of teleurgesteld moest zijn dat hij niet David was.

'Mag ik binnenkomen?'

Gerald wachtte niet op antwoord. Hij deed de deur achter zich dicht en liep naar haar bed. Stephanie schoof wat omhoog en deed het lampje op het nachtkastje aan. Hij ging naast haar zitten op het dekbed. Ze schaamde zich dat ze nog steeds al haar kleren aanhad.

'Het stormt flink daarbuiten,' zei hij.

Ze voelde zich net een klein meisje. Ze wist dat ze eerste kerstdag tot ontploffing had gebracht en iedereen gekwetst had. Ze vroeg zich af of haar vader haar de les zou lezen. Ze had niet de kracht om berouwvol te zijn.

'Sally van de kroeg heeft me gebeld,' zei hij. 'David blijft daar vannacht slapen.'

Stephanie knikte. 'O,' zei ze.

'Hij is blijkbaar nogal dronken. Ik bel morgen wel even om te kijken of het goed met hem gaat.'

Haar vader drukte zijn handpalmen op zijn knieën. Ze verwachtte dat hij weg zou gaan, maar hij bleef zitten.

'Wat is er precies gebeurd vandaag?' vroeg hij.

'Ik wil er niet over praten, pap.'

'O, dat denk ik wel. Ik denk dat het goed voor je zou zijn om erover te praten.'

Aan de toon van zijn stem hoorde ze dat ze geen keus had.

'We hebben ruzie gehad over Paul.'

'Paul?'

'Ik heb tegen David gezegd dat ik denk dat de dood van Paul zijn...' Ze stopte. Ze moest denken aan het gezicht van David.

'Zijn...?' souffleerde haar vader.

'Zijn schuld was.'

Nu ze ze voor de tweede keer uitsprak, klonken de woorden vreselijk wreed. De tranen sprongen in haar ogen.

'O. O, ik begrijp het,' zei hij. Hij legde zijn hand over die van haar. Hij was warm en kalm.

Nu kwamen de tranen alsof er een kraan was opengezet. Onbedwingbare, boze tranen volgeladen met verdriet.

'Ik weet alleen dat ik er niet overheen kan komen. Als ik aan Paul denk, moet ik ook aan hen op de boot denken.' Ze keek naar haar vader, smekend om begrip. 'Hoe kan dat nou dat David hem niet in het water heeft zien vallen? Het kan toch niet zo moeilijk zijn geweest om hem te redden?'

'Je was er niet bij. Het was een ongeluk.'

'Maar...'

Ze kon alleen nog maar het lichaam van Paul zien op het strand, waar ze hem in haar armen had gehouden. En de tranen die toen niet wilden komen, overvielen haar nu.

De stem van haar vader was kalm en zacht. 'Denk je niet dat David zichzelf al genoeg verwijten heeft gemaakt hierover? Denk je dat het hem niks kan schelen?'

'Nee, hij is eroverheen. Hij heeft gedaan wat ik nooit zou kunnen.'

'Ik vind het erg moedig van David zoals hij ermee om is gegaan. Er zijn genoeg zwakkere mannen die zouden zijn ingestort. Maar David heeft zichzelf uit het slop getrokken en besloten om een toegewijde vader te zijn voor Nat en Simon.'

'Het is net of Paul nooit bij ons is geweest. Weet je...' ze stopte. Tranen maakten het haar bijna onmogelijk om iets te zeggen. 'We hebben er nooit echt over gepraat. Ik was zo verdoofd al die tijd, maar nu...'

'Nu?'

Ze ademde diep in en sidderde. 'Nu is het te laat.'

Haar vader keek haar onderzoekend aan. 'Te laat?'

'Ik had hen tegen kunnen houden. Ik had hen niet op de boot moeten laten gaan.'

'Steph, lieveling, je moet jezelf niet de schuld geven. En David ook niet. Het was een samenloop van omstandigheden, waar je voor een groot deel geen controle over had.'

'Maar het had niet mogen gebeuren,' huilde ze.

'Maar het is wel gebeurd. En dat betekent niet dat het iemands schuld is.'

En daar kwam het. Een klaaglijke schreeuw, luid en niet te stoppen. Van ergens diep binnen in haar. Alsof er een kwade geest haar lichaam verliet. Haar tranen barsten los, eindelijk treurde ze om haar kleine jongen. Haar vader wiegde haar in zijn armen en streelde zacht over haar haar.

Ze huilde om het fantastische kleine mensje dat Paul was geweest en de volwassen man die hij nooit zou worden, ze huilde om de grote broer en het kleine broertje dat hij nooit zou zijn, en om het meisje dat hij nooit zou trouwen. Ze huilde om de vele lachbuien die hij nooit zou hebben, en de tranen die hij nooit zou huilen.

'Sorry,' fluisterde ze uiteindelijk met hese stem.

'Geeft niet. Weet je, David zou hier moeten zitten, niet ik. Je moet tegen hem zeggen hoe je je voelt.'

'Ik heb tegen hem gezegd dat ik wil scheiden.'

'Scheiden?'

Zoals hij het zei, klonk het wel heel drastisch. Stephanie schudde haar hoofd, leeg gewrongen.

'Ik kan zo niet meer verder,' zei ze.

'En jij denkt dat een scheiding de oplossing is?'

'Het is allemaal zo'n puinhoop, pa. Als ik alleen ben met de kinderen...'

'Als je die kinderen bij hem weghaalt, maak je hem kapot. Dat wil je toch niet?'

'Nee. Maar – '

'Wat er vandaag ook gebeurd is, dat hoeft nog niet te betekenen dat je een einde moet maken aan jullie huwelijk.'

'Het is hoe dan ook voorbij. We hebben alleen nog maar ruzie. Als ik Elliot en Isabelle zie en hoe perfect ze zijn. Hoe ze aan hun toekomst bouwen. Ik weet het niet... als ik hen zo zie, nu met kerst, bevestigd het alleen maar hoe ver David en ik uit elkaar zijn gegroeid. We vinden elkaar niet eens aardig, laat staan dat we van elkaar houden, zoals zij.'

'Hun huwelijk heeft niets met dat van jou te maken. Jij moet eens goed met David praten.'

'Het is te laat.'

'Slaap er een nachtje over. Alsjeblieft. Beloof me dat je dat tenminste doet.'

Stephanie kroop diep onder de dekens toen haar vader de kamer uit liep. Het huis was stil en buiten waaide de wind. Ze dacht aan David in de kroeg. Wat een verschrikkelijke manier om Kerstmis af te ronden.

Ze draaide zich om, maar ze wist dat ze niet zou kunnen slapen. Plots hoorde ze uit de kamer naast haar het doffe ritmische gebonk van een bed tegen de wand. Het kwam uit de kamer van Isabelle en Elliot.

Ze waren aan het vrijen. Zij was aan het instorten en zij waren aan het vrijen.

Hoofdstuk 22

Ben kon geen hand voor ogen zien. De nacht was zo zwart als de bodem van een put. De wind brulde en raasde langs de kroeg als een rivier, Ben en Kellie werden bijna meegesleurd. Het was alsof ze het dek opkwamen van een boot in de storm, dacht Ben.

'Jezus Christus!' riep Kellie. Ze greep zich vast aan Bens arm om op de been te blijven.

Ben voelde zich ook niet bepaald stabiel. Zijn geheelonthoudersleven van de afgelopen tijd was niet ten gunste gekomen aan de avond die ze zojuist hadden doorgebracht. Hij was de tel kwijtgeraakt hoeveel drankjes Kellie en David gezamenlijk hadden opgedronken. In één avond tijd was Ben van depressie naar euforie, naar fatalisme en weer terug naar euforie gegaan. En Kellie mee. Een paar minuten geleden had ze er een eind aan gemaakt met een laatste rondje tequila, en dat was maar goed ook, want ze stonden al bijna een heel uur te lallen, en niemand kon nog iets zinnigs zeggen.

Er viel een bundel flakkerend kaarslicht naar buiten toen de kroegdeur achter hen open ging waardoor hun zwarte schaduw over de besneeuwde straat viel. Net als twee poppetjes die uit een wit stuk papier waren gesneden. David strompelde naast hen de stoep op, en graaide dronken naar Ben. De lichtbundel achter hen verdween en het was weer donker.

'Weten jullie zeker dat het goed is dat ik bij jullie blijf?' vroeg David voor de tiende keer in tien minuten. Zijn brallende woorden hakten door de herrie van de wind.

'Zeker weten,' schreeuwde Ben terug. 'Je kunt bij mij in de woonkamer slapen.'

'Misschien kan ik beter teruglopen...?' zei David.

'Vergeet het maar,' zei Ben tegen hem.

Ben twijfelde of David het zou redden als hij het zou proberen. Niet met dit weer en niet in zijn toestand. En trouwens, wat David

werkelijk nodig had, was slapen, om weer nuchter te worden. Ben
had de vrouw van David maar heel eventjes ontmoet, maar hij
vermoedde dat als David in deze staat thuiskwam – stinkend naar
whisky en chips, met bloeddoorlopen ogen en een Guinnessvlek
op zijn hemd – het hun problemen alleen maar erger zou maken.

Ben haalde de zaklamp uit zijn zak en scheen ermee de straat af
in de richting van het rijtje vakantiehuisjes. Herinneringen aan de
dag die hij met Kellie had doorgebracht liepen voor hem uit, ge-
goten in de voetstappen in de sneeuw. Ben stak zijn armen door
die van David en Kellie en samen gingen ze op weg, voorovergе-
bogen in de wind, als de eerste rij van een rugbyteam in opstel-
ling.

Hij stelde zich zijn appartement in Londen voor: zijn retro
B&O-hifisysteem, de leunstoel en het bankje van de Smith Bro-
thers, en zijn Fuegotech-gaskachel met stalen deurtjes.

Hij was pas drie maanden geleden verhuisd, nadat zijn deel
van het huis waar hij met Marie in had gewoond eindelijk op zijn
bankrekening was gestort. Hij had er meteen een hoop geld tegenaan gesmeten om het wat huiselijker te maken – of in elk geval voor het oog. Hij voelde niet echt een band met zijn nieuwe
vreemde woonruimte, en dat compenseerde hij door er allerlei
luxe producten en hebbedingetjes neer te zetten. Hij had zich ermee omringd alsof het zijn krukken waren, om zichzelf enigszins
overeind te houden. En toen zijn vrienden langskwamen en rondkeken in zijn funky vrijgezellenflatje, hadden ze allemaal opgelucht gelachen en opgemerkt hoe goed en hoe snel hij zich had
weten aan te passen.

Toen hij gisteren een beetje wazig, een beetje dronken (veel
minder dronken dan vandaag), uit de kroeg kwam, had Ben gehoopt dat hij het ooit allemaal aan Kellie kon laten zien. Hij had
gehoopt dat zij dan ook zou lachen, en misschien wel wilde blijven.

Maar nu wist hij dat ze dat nooit zou doen. Hij was op de feiten
vooruitgelopen, had een toekomst voor hen beiden gedroomd.
Het was fantasie geweest en zij had het vanmiddag bij de haven
stukgetrapt. En hij had daar staan duizelen alsof ze het uitgemaakt had met hem.

Dat maakte het ook zo moeilijk, dat ze nu dicht tegen hem aan kroop om zichzelf met zijn lichaam tegen de wind te beschermen.

Idioot, zei hij tegen zichzelf. *Sukkel, loser, klootzak, halve zool...*
Hij haatte het van zichzelf dat hij niet terugweek en afstand nam. Hij haatte het dat hij haar nog steeds wilde. Hij wist dat dit lichamelijke contact alleen maar pragmatisch was, op zijn hoogst het gevolg van haar aangeschoten toestand, en toch kon hij het niet laten om te hopen dat het meer was dan dat.

Ze zou ondertussen verleden tijd moeten zijn. Hij had haar moeten afwijzen toen ze de kroeg binnen was gelopen eerder op de avond. Alleen om zijn ego in bescherming te nemen. Hij had wat van zijn verloren trots moeten terugwinnen, hij had haar de rug moeten toekeren en haar alleen aan de bar moeten laten zitten.

Maar dat had hij niet gedaan. Hij was weer gesmolten. Als een verliefde troubadour, gevangen in zijn eigen *Groundhog Day*, was hij weer helemaal warm voor haar geworden.

Waarom? Dat wilde hij weleens weten. Waarom martelde hij zichzelf zo? Waarom kon hij niet accepteren wat ze tegen hem had gezegd bij de haven? Waarom kon hij haar, en de mogelijkheid dat ze bij elkaar zouden zijn, niet uit zijn gedachten zetten? Waarom voelde hij nog steeds hoop?

Toen ze de deur van het huisje hadden bereikt, lieten ze elkaar los. Het plastic zeil flapperde en zwiepte in de wind, en plotseling schoot het met een schrille kreet omhoog, steigerend als een wezen met enorme vleugels. Ben dook weg onder de dakrand en tastte naar de deurklink.

Een bliksemschicht knipte de hemel aan als een lamp. Ben draaide zich om en keek omhoog. Opnieuw lichtte de hemel wit op, als een spiegelbeeld van het besneeuwde land. Hij zag Kellie, ze sprong op hem af.

'Ik voel me helemaal niet lekker,' zei ze tegen hem. 'Hartstikke dronken... Alles is aan het draaien...'

'Het komt wel goed – ' begon hij tegen haar te zeggen.

Maar plotseling, voordat hij haar op kon vangen, stond ze niet meer overeind. Haar benen zakten in elkaar en ze viel met een harde klap plat op haar rug.

Ze gilde niet en ze bewoog zich ook niet. Hij viel op zijn knieën en scheen met de zaklamp in haar gezicht. Ze had één oog gesloten, het andere was een half open spleetje, dat niets registreerde. Haar lippen bewogen alsof ze iets zei, maar hij kon geen woorden horen.

Adrenaline joeg door hem heen, met een schok was hij nuchter. Net had hij zich eveneens licht in het hoofd gevoeld, maar nu had hij het gevoel alsof hij in een diep zwembad met ijskoud water was gedoken. Zijn gedachten werden helder en zijn hele lichaam schakelde over naar een opperste staat van alertheid. Hij kneep hard in haar hand.

'Het komt allemaal goed met je,' zei hij.

Toen zag hij een straaltje bloed op haar nek, net achter haar linkeroor. En hij zag dat ze op iets lag wat op een metalen bordje leek. De wind suisde door zijn haren. Haar hoofd viel opzij en haar ogen sprongen open. Gedesoriënteerd keek ze om zich heen.

'Ik ben het,' zei hij. 'Ben.'

Hij hield de zaklamp dichtbij en betastte haar hoofd net boven het straaltje bloed. Daar zat de wond. Er was een zwelling opgekomen, rood en ruw, net onder de haarlijn achter op haar nek. Hij drukte er zijn vingertopjes op. Het voelde misselijkmakend zacht, en kwetsbaar als een eidooier, alsof hij elk moment kon barsten.

'Mijn hoofd...' zei ze. Ze probeerde met haar hand de wond aan te raken.

'Niet doen.'

Hij onderzocht haar gezicht nog eens. Ze staarde hem verward aan. Hij zou haar naar de dokter moeten brengen, dacht hij. En snel. Het kon zijn dat ze flauw was gevallen van de drank, maar hij wist niet hoe hard ze haar hoofd had gestoten, en hij was niet genoeg op de hoogte van Eerste Hulp om te weten of ze een hersenschudding had opgelopen. Haar oogleden vielen dicht. Voorzover hij wist, kon zelfs haar schedel beschadigd zijn en zou ze in shock kunnen raken. Dat risico wilde hij niet lopen.

'Help me even om haar naar binnen te dragen,' zei hij tegen David.

David knielde naast Ben neer en met z'n tweeën hielpen ze Kellie overeind. Toen pas zag Ben wat er op het bordje stond waar ze over gestruikeld was. Er stond 'GEVAAR'. Dat kan je wel zeggen, dacht hij. Hij scheen met de zaklamp op het dak van het huisje. Daar zal het bordje wel vanaf zijn gewaaid, vermoedde hij. De lucht erboven zag er dreigend uit, als een reusachtig blok kobalt dat elk moment naar beneden kon storten en hen zou verpletteren.

Ze droegen Kellie vlug naar binnen.

'Wat is er gebeurd?' vroeg ze.

'Je bent gestruikeld,' zei Ben tegen haar. 'Of flauwgevallen. Eén van de twee.'

'O, shit,' mompelde ze. 'Wat ben ik toch een idioot.'

Haar ogen vielen langzaam dicht. Haar hele gezicht leek zich te ontspannen en op dat moment besefte Ben dat hij nog nooit iemand gezien had die zo sereen en zo mooi was. Er was niets tussen hen gebeurd, zelfs geen kus, en toch was alles gebeurd. Haar leven was hem net zo dierbaar geworden als zijn eigen leven.

'Ze is weer weggezakt,' zei David.

'We moeten iemand naar haar laten kijken,' zei Ben tegen hem. 'Ik weet niet hoe hard ze haar hoofd heeft gestoten en je weet maar nooit.'

'Vind ik ook.'

'Kun jij naar de kroeg gaan en Sally en Roddy vertellen wat er is gebeurd? Zeg dat ze hun auto hierheen brengen.'

'En dan?' vroeg David.

'Dan moeten we haar naar de dokter brengen,' zei Ben. 'Of een verpleegster. En wel zo snel mogelijk.'

Dag 3

Tweede kerstdag

Hoofdstuk 23

Waar was ze in godsnaam? Kellie wreef in haar ogen. Ze lag op een smal eenpersoonsbed. Er hing een donker rolgordijn voor het raam, maar langs de randjes kon ze het daglicht zien dat het eenpersoonskamertje verlichtte. Haar ogen deden intens pijn, en haar hoofd ook. Toen ze probeerde rechtop te zitten, werd ze duizelig.

Ze tuurde door de spleetjes van haar toegeknepen ogen, vertrokken van de pijn. Ze zag Ben ingedommeld in een leunstoel die naast het bed stond. Hij had al zijn kleren aan. Waar was ze? Wat deed hij hier? Ze had het gevoel alsof haar gedachten door troebel water zwommen.

Ze staarde naar zijn gezicht, en plotseling sloeg haar hart een slag over. Gisteravond...

Allerlei losse beelden flitsten door haar hoofd, als een stroboscoop. De kroeg... David... drinken... buiten. Toen niets meer.

Ze tastte door het donker van haar gedachten, probeerde zich te herinneren wat er was gebeurd. Ze was buiten geweest met Ben. Ze herinnerde zich dat ze dronken was. Door de pijn heen, begon ze helemaal te gloeien, totdat haar wangen er rood van werden.

Was er iets gebeurd? Hadden zij en Ben...?

'O God,' zei ze hardop. Haar stem was schor.

Ben werd met een ruk wakker en leunde voorover. Hij zag er moe uit, een zorgelijke frons op zijn gerimpelde voorhoofd.

'Hoe voel je je?' vroeg hij.

Schaamte, angst, zenuwachtig, ze kon de woorden niet uit haar mond krijgen.

Ben boog over haar heen en legde haar weer achterover. Zijn aanraking baarde haar nog meer zorgen. Het kwam bekend voor.

'Hé, niet zo snel.'

'Mijn hoofd doet zeer,' zei ze.

'Wacht even.'

Hij legde haar terug op het kussen en liep snel naar de deur. Hij tilde de ouderwetse klink op.

'Heel even,' herhaalde hij en verdween.

Kellie bleef liggen en keek naar het plafond. Ze raakte voorzichtig haar hoofd aan. Er zat iets diks en zachts vlak bij haar oor. Ze voelde over het verband, het knisperde als plakband. Ze draaide haar polsen en zag dat haar handen smerig waren en haar nagels onder het bloed zaten.

Wat was er gebeurd? Ze raakte in paniek. Dit is vast serieuzer dan ze dacht.

Toen kwam Ben weer de kamer binnen met een vrouw. Ze was lang, had bruin haar en een sterk, intelligent gezicht. Ze liep naar Kellie toe.

'Je bent wakker, dat is goed,' zei ze. Ze stond naast het bed en legde haar hand op Kellies voorhoofd. 'Hoe voel je je?' vroeg ze. 'Beroerd, neem ik aan?'

'Dat kan je wel zeggen,' zei Kellie. Dit was de ergste kater die ze ooit had meegemaakt. 'Ik weet niet precies wat er aan de hand is.'

'Heeft Ben je niets verteld?' zei de vrouw. Ze keek naar Ben.

'Ze is net wakker geworden,' zei Ben.

'Je bent gisteravond gevallen in de storm.'

'Over een bordje met gevaar,' zei Ben.

Kellie staarde hem verward aan. 'Gevaar? Wat voor gevaar?'

Ben glimlachte. 'Een gevarenbordje. Het was van het dak afgewaaid en jij bent erover gevallen en hebt je hoofd gestoten. Weet je dat niet meer?'

'Nee.' Ze kon het zich helemaal niet herinneren. Maar nu hij haar erover vertelde, voelde ze zich een volslagen idioot. Hoe heeft dat kunnen gebeuren?

'Mag ik even?' De vrouw tilde Kellies arm op en kneep erin. Ze nam haar pols.

'Je bent flauwgevallen. Je had een dokter nodig,' legde Ben uit. Hij stond naast de vrouw. 'En een paar hechtingen. Stephanie heeft dat voor je gedaan.'

Stephanie? Deze vrouw hier naast haar was Stephanie? Plotseling was de slaapverwekkende mist die haar steeds probeerde te overmannen, verdwenen uit het hoofd van Kellie.

'Maar... maar jij bent de zus van Elliot,' flapte Kellie eruit, voor-

272

dat ze de kans had om zichzelf te censureren.

Stephanie fronste haar wenkbrauwen en keek naar Ben en toen weer naar Kellie alsof ze niet begreep wat daar het belang van was.

'Ik wist niet dat je mijn broer kende.'

'Ik... Ik ken hem niet... Ik – '

'David heeft gisteravond met ons gepraat,' legde Ben uit. Kellie merkte dat ze vreselijk bloosde. Ze herinnerde zich de kroeg, zij en Ben en David...

'Ik weet alleen nog dat David aan het praten was en... ik hoop dat alles...' Ze dwaalde af, ze durfde niets meer te zeggen. Ben zou Stephanie wel naar de kroeg hebben gehaald. Dit was waarschijnlijk de kamer van Michael. Ze kon niet geloven dat ze Stephanie op deze manier leerde kennen. Ze had Stephanie op gelijke voet willen ontmoeten. Ze had indruk willen maken op Stephanie, als iemand die de toekomst van haar broer gelukkig zou maken. Nu was ze op haar lelijkst, onder het bloed, liggend in bed.

'Je hebt alleen wat rust nodig. David heeft het een en ander te verantwoorden, dat hij je zo dronken heeft gevoerd. Maar goed, het had allemaal veel erger kunnen zijn. Je hebt geluk gehad,' zei Stephanie.

O ja? dacht Kellie. Vanuit haar gezien was dit een ramp. Ze staarde onwillekeurig naar Stephanie. Ze was zo anders dan Kellie zich had voorgesteld. In het beeld dat zij van Stephanie had, was ze veel ouder dan Elliot, misschien met haar haar in een knotje. Een serieus iemand, een beetje truttig en oud. Kellie herinnerde zich wat David gisteren had verteld over de ruzie die ze hadden gehad, maar er was niets aan Stephanie te zien van de innerlijke verwarring die ze moest voelen. Ze leek stabiel en efficiënt en sterk. En heel erg nuchter.

'Het gaat best, echt,' zei Kellie. Ze sloeg de dekens terug. 'Ik wil jullie niet langer lastigvallen.'

'Nee,' zei Stephanie. 'Je blijft nu nog mooi liggen.'

'Stephanie, alsjeblieft, ik – '

'Nee. Dat moet van de dokter. Ik wil niet dat je ervandoor gaat.

'Ik ben zo blij dat alles in orde is met je,' zei Ben. Hij onderdrukte een geeuw. 'Sorry.'

'Jij moet ook wat gaan slapen,' zei Stephanie tegen hem. 'Wij houden Kellie wel in de gaten. Zo te zien, ben je kapot.'

'Oké, als dat echt kan, ga ik even terug naar het dorp.'

'Het dorp? Wat bedoel je?' zei Kellie.

'Het is niet ver. Ik ga gewoon terug naar de kroeg. Weet je nog wel?' zei Ben.

'Maar we zijn toch in de kroeg?'

'Nee, nee,' zei Stephanie. 'Weet je dat niet meer? Ben en David hebben je gisteravond hierheen gebracht. Dit is het huis van mijn vader.'

Kellie dacht dat ze moest overgeven.

'Mam? Mag ik nu binnenkomen?'

Kellie keek op en zag een kleine jongen de deur openduwen.

'Dit is mijn zoon, Simon,' zei Stephanie.

Simon glimlachte niet. Hij staarde naar Kellie. 'Wanneer krijg ik mijn kamer weer terug?' zei hij nadrukkelijk.

'O, sorry,' zei Kellie. 'Ben, wacht. Ik ga met je mee.'

'Hoe staat het hierbinnen?' Een kleine, mooie blonde vrouw duwde met haar voet de deur open en kwam binnen met een dienblad. 'Hé! Je bent wakker. Wat geweldig.'

Ze had een Amerikaans accent.

Ze had een Amerikaans accent.

Kellie staarde haar aan, ze wist al precies wie ze was, toen Stephanie haar voorstelde: 'Dit is Isabelle, mijn schoonzus.'

'Hoi,' zei Isabelle.

Ze zag er fantastisch uit. Beter nog. Ze was perfect. Alles aan haar. Ze had een strak zittende designspijkerbroek aan en een babyblauwe trui van kasjmier losjes om haar schouders geknoopt, als een geretoucheerd model van Tommy Hilfiger.

'Nou, het wordt hier een beetje druk, of niet,' zei Stephanie. 'Kom, Simon.'

'Dank je,' kon Kellie er nog net uitkrijgen. Ze kon haar ogen niet van Isabelle afhouden, terwijl die het dienblad op de lege stoel naast het bed zette.

'Ik heb wat ontbijt voor je meegebracht, als je daar zin in hebt,' zei Isabelle.

'Nou, dan ga ik maar,' zei Stephanie.

'Ik blijf wel bij je, als je dat wilt,' zei Ben. Hij voelde aan dat Kellie in paniek was.

'Nee, ga jij maar slapen,' zei Stephanie. 'Kom op. Laten we Kellie even wat ruimte geven. Neem de tijd,' zei ze tegen Kellie. 'Isabelle wil vast wel een bad voor je klaarmaken.' Ze maande Simon en Ben mee te gaan, de deur uit.

'Tot straks,' zei Ben. Kellie wilde hem naroepen om hem tegen te houden. Hem te smeken om haar mee te nemen. Hij mocht alles doen behalve haar hier alleen met Isabelle achterlaten, maar van de schok kon ze niets uitbrengen.

Met een zachte klik viel de deur dicht. Kellies hart joeg door haar keel.

'Daar heb je het goed mee getroffen. Geluksvogel,' zei Isabelle. 'David heeft me alles over hem verteld. Ben heeft de hele nacht naast je bed gezeten. Zei dat hij het zichzelf niet zou vergeven als er iets mis met je was.'

Kellie kon niets zeggen. Als ze dat zou doen, zou ze misschien in huilen uitbarsten.

'Wil je niet even overeind gaan zitten om hier wat van te eten?' zei Isabelle. Ze pakte het dienblad op en schoof het op het bed. Een paar sneetjes toast, een glas jus d'orange en een kopje thee.

Waar was het kankerwijf van een kreng dat het leven van Elliot tot een hel maakte? Waar was de stijve topvrouw uit het bedrijfsleven die het altijd te druk had om beleefd te zijn. Zeker niet hier. Kellie vond Isabelle alleen maar *normaal*.

'Je hoeft niet zo aardig voor me te zijn.' Ze wilde uit haar huid kruipen, net als de slang die ze was.

'Je hebt ons allemaal een genoegen gedaan. Nu is David tenminste terug.' Isabelle keek naar Kellie en wapperde met haar hand. 'Het doet er niet toe. Dat interesseert je niet. Allemaal familiegedoe.'

'O.'

'Nou, dus jij hebt nogal wat meegemaakt deze kerst, begrijp ik?'

Kellie voelde hoe haar keel dicht kwam te zitten. Haar neus kriebelde van de tranen.

'Dat zou je zo kunnen zeggen.' Wat wist zij allemaal? Wat had

Ben haar verteld? Over het feit dat ze in haar eentje naar het eiland gekomen was?

'Hé, ik heb wat kleren voor je meegebracht. We hebben waarschijnlijk ongeveer dezelfde maat. Je zult wel toe zijn aan schone kleren,' zei Isabelle. Ze wees naar een stapel kleren op de ladekast. Ze waren zo netjes gevouwen dat ze nieuw leken.

'Dank je. Dat is erg aardig van u.'

Isabelle leunde over Kellie heen om het glas water van het nachtkastje te pakken. En daar, recht voor haar gezicht, zag Kellie het hartvormige hangertje hangen, aan de gave hals van Isabelle.

'Die ketting...?'

'Is hij niet mooi?' Isabelle glimlachte. Ze friemelde aan het hangertje en ging overeind staan. 'Heb ik van mijn man gekregen met kerst. Hij is zo romantisch. Ik ben ook een geluksvogel. Weet je, Ben heeft me verteld dat je advocaat bent. Ik weet dat de advocatenkringen in Londen erg klein zijn. Mijn man heet Elliot Thorne. Hij is een partner van WDG & Partners. Je zult hem wel kennen. Of in elk geval van hem gehoord hebben. Maar goed, je zult hem wel ontmoeten als je naar beneden komt.'

Hoofdstuk 24

Taylor was als een cobra die een muis op het oog had, wachtend op het optimale moment om aan te vallen.

Bewijs. Dat was wat ze wilde. Ze wilde een bewijs voor haar verdenkingen dat er iets gaande was tussen haar vader en Kellie. En Michael wilde ook een bewijs: een bewijs dat ze ernaast zat. Want hoe geobsedeerder Taylor over haar idee raakte, hoe minder ze zich met hem bezighield. En hij wilde haar aandacht weer terug. Voor honderd procent.

Taylor was Michael vanmorgen om acht uur komen opzoeken in de kroeg. 'Die trut,' waren de eerste woorden geweest die uit haar mond kwamen. 'Die trut is bij ons in huis.'

Michael had niets kunnen zeggen om haar ervan te overtuigen dat de overplaatsing van Kellie naar het huis van Thorne allesbehalve opzet was geweest, en ook geen bedrog. Maar de storm of de verwonding konden Taylor niets schelen. Ze wist alleen dat Kellie zich weer verder had opgedrongen, verder haar leven in.

'Ik word er misselijk van,' had Taylor gezegd, 'als ik eraan denk dat ze daar is. In ons huis. Bij mijn moeder. Bij mijn familie en bij mij. Hij is bijna oud genoeg om haar vader te zijn.'

Michael en Taylor zaten nu aan de tafel in de zitkamer van de Thornes. Ze deden alsof ze poker speelden, maar eigenlijk hadden ze allebei niet een keer goed naar de kaarten gekeken die Taylor gestaag en verveeld had uitgedeeld.

Kellie zat schuin naast hen, naast de oude Thorne voor het haardvuur. Er zat een klein vierkant stukje verband achter op haar nek geplakt. Tien minuten geleden was Stephanie binnengekomen om haar een pijnstiller te geven en te kijken of alles goed met haar was. Kellie had gezegd dat ze terug wilde naar het dorp, maar Stephanie had erop gestaan: ze wilde haar hier houden ter observatie, een paar uurtjes nog, voor de zekerheid.

Observatie: daar was Taylor ook mee bezig. Hoewel, in haar

geval was toezicht, of zelfs spioneren, misschien een betere om-schrijving. Ze had Kellie niet meer uit haar blikveld gelaten, niet meer sinds de indringer voor het eerst uit haar kamer was geko-men, in de kleren van haar *moeder* nota bene, en bij Stephanie en Thorne in de keuken was gaan zitten voor een kop koffie.

Met Michael als stroman, had Taylor Kellie achtervolgd van de keuken naar de hal naar de tv-kamer en uiteindelijk hiernaartoe, de zitkamer. In al die tijd had Taylor het bestaan van Kellie nau-welijks erkend. Zelfs toen Stephanie had geprobeerd om Taylor en Michael aan Kellie voor te stellen, had Taylor alleen gezegd: 'We kennen elkaar al.'

Het voelde raar hierbinnen, vond Michael, alsof het tegelij-kertijd koud en heet was. Door het besneeuwde raam kwam een koud, bleek licht naar binnen, alsof ze in een iglo waren op de Noordpool.

'Ik heb nooit begrepen waarom iemand uit Australië hier op bezoek wil komen. Laat staan hier wil blijven,' zei Thorne. 'Ik ben een keer naar het Opera House geweest in Sydney. Met Emma. Mijn vrouw. Dat was een van de beste avondjes uit die ik ooit heb gehad.'

Elliot kwam binnen en liep naar de boekenkast. Hij deed alsof hij iets aan het zoeken was om te lezen.

'Ja, een geweldig land,' ging Thorne verder. 'Wist je, Elliot, dat je moeder ooit overwogen heeft om naar Australië te emigreren? Dat was voordat Stephanie geboren werd. In de tijd dat de rege-ring van Australië zo verlegen zat om nieuwe inwoners dat ze je bootreis betaalden om ernaartoe te gaan.'

'Stel je voor,' zei Elliot, hij draaide zich glimlachend naar Kel-lie. 'Jij en ik hadden buren kunnen zijn, Kellie. Maar ach, eigen-lijk zijn we dat al, als je het goed bekijkt. Aangezien we nu beiden Londenaren zijn.'

Kellie staarde recht voor zich uit. 'Ja,' zei ze.

'En ook nog allebei advocaat...' zei Thorne. 'Hoe heette je bu-reau ook al weer, zei je, Kellie?'

'Ik zei niks,' antwoordde ze. 'Ik bedoel,' zei ze wat milder, 'het is heel klein. Ik denk niet dat je zoon ervan gehoord heeft.'

'O, hij kent iedereen. Of niet, Elliot?'

'Absoluut.' Elliot glimlachte weer naar haar. 'We zullen elkaar ongetwijfeld tegen het lijf lopen op een gegeven moment. Het is zo'n kleine wereld. Dan komen we er waarschijnlijk achter dat we vreselijk veel gemeen hebben.' Hij liep weg van de kast, zonder een boek gekozen te hebben. Hij liep nonchalant voor zijn vader en Kellie langs en keek uit het raam, over het witte landschap.

Taylor greep de pols van Michael vast. Maar dat hoefde niet. Hij had het ook gezien, de oude Thorne blijkbaar niet. Daar, op het tapijt bij het vuur, een papiertje, opgepropt, heel terloops daar neergegooid door Elliot twee seconden geleden. Alsof hij het op het vuur had willen gooien om in rook op te laten gaan. Dat had ook gekund, dacht Michael. Want Taylor kon het nog steeds mis hebben.

'Ik ga met Rufus wandelen,' kondigde Elliot heel algemeen aan. Elliot ging weg en Kellie en Thorne praatten verder. Thorne vroeg haar naar de Barrier Reef en vertelde haar hoe jammer hij het vond dat hij er nooit was geweest.

De ogen van Michael en Taylor waren op het papiertje gericht. Michael moest toegeven dat ze nu op het punt stonden om te ontdekken of Taylor gelijk had. Op een zieke manier begon hij er een beetje een kick van te krijgen.

Dat had hij ook gehad als hij ging jagen met zijn vader. Er waren geiten op het eiland, geiten die ooit uit de boerderij waren ontsnapt, en zich voortgeplant hadden en wild waren geworden. Ze ruïneerden achtertuinen en moestuintjes, en van tijd tot tijd werd er door Michaels vader en de andere eilandbewoners die een geweer hadden een jacht georganiseerd, en werd de geitenpopulatie in een paar dagen gedecimeerd. Michael wist nog goed hoe spannend het allemaal was, het volgen van de sporen door de bossen, over beekjes heen, totdat...

Nou, daar waren Taylor en hij nu: het moment van de waarheid. Zat hun prooi vlakbij? Had Kellie het papiertje gezien? Was het voor haar bedoeld en zou ze het echt oprapen? Ze zouden er zo achter komen.

Michael keek en wachtte. Hij telde zijn hartslag... een... twee... drie... vier... vijf...

Toen wees Kellie op een foto op de schoorsteenmantel.

'Wie is dat?' vroeg ze. 'De vrouw op die foto...'

'Mijn vrouw,' zei Thorne. Hij stond op om het te pakken. 'Emma...'

Daar, op dat moment, verdween elke twijfel die Michael nog had gehad. Want op het moment dat Thorne met zijn rug naar haar toe stond, bukte ze snel naar de grond en pikte heimelijk het opgefrommelde papiertje op. Ze vouwde het open in haar vuist.

Even later stond ze op en ging met haar rug naar het vuur staan, alsof ze haar handen warmde. Michael zag hoe ze het papiertje in de vlammen liet vallen. Het krulde op als een herfstblad en verviel tot as.

Michael hoorde het smoesje dat Kellie Thorne gaf over dat ze iets uit haar kamer moest halen maar half. Hij stond op om haar te volgen, maar Taylor greep hem weer bij zijn pols. Ze luisterden naar Kellies voetstappen, die weerklonken in de hal. En toen hoorden ze allebei wat ze hadden verwacht: het geluid van de achterdeur die openging, en weer dicht.

Ze renden snel door de hal achter haar aan. 'Wat heb ik je gezegd?' siste Taylor. 'En ze is verdomme ook nog een advocaat. Ik wist het verdomme.'

Taylor gooide Michael zijn jas toe vanaf de kapstok, en doorzocht de rest van de jassen om die van haar te vinden. Ze trok hem aan, opende de deur op een kier en gluurde erdoor, voordat ze naar buiten stapte.

Michael volgde haar en sloot de deur achter zich. Eerst dacht hij dat Taylor toch nog ongelijk kon krijgen. Kellie was twintig meter van hen vandaan. Ze liep langs de zuidkant van het huis, krakend over de half begraven bloemperkjes, en onder een rij gietijzeren bogen waar rozen bloeiden in de lente. Ze ging verder naar de oprijlaan, die haar naar de weg zou leiden en vanaf daar terug naar het dorp.

Elliot stond echter achter in de tuin met de hond en zijn rug naar hen toe. Hij leek zich niet bewust te zijn van hun of Kellies bestaan. Hij stond stil, en keek uitgebreid naar een beukenboom die zijn takken uitspreidde als een spinnenweb tegen de stille witte lucht. De glazen ruiten van de lange groene kas naast hem waren beslagen als een verzameling voorruiten in een file in de winter.

Toen begon Elliot te lopen. Hij kwam bij het houten hek achter in de tuin dat, vanwege de sneeuw die daar was blijven liggen, er- uitzag alsof er een grote witte golf tegenaan was gerold. Hij kniel- de neer en maakte de riem van Rufus los. De hond rende blaffend voor hem uit, tot hij niet meer te zien was, de bosjes in. Drie hout- duiven klapwiekten zichzelf de lucht in. Een buizerd cirkelde door de lucht in een perfecte boog, als een papieren vlieger strak aan het touw.

'Hierheen,' zei Taylor, ze rende Kellie achterna zodra Elliot tus- sen de bomen verdween. 'We moeten zo ver mogelijk bij Rufus uit de buurt blijven, anders ruikt hij ons.'

Het scheen haar niet te kunnen schelen of Michael haar volgde of niet. Maar nu voelde hij zich betrokken, of ze hem erbij wil- de of niet. De opwinding van de jacht vloeide door hem heen. Hij kon alleen het *krrr-krrr-krrr* horen van zijn schoenen in de sneeuw. In zijn oren klonk het zo luid als een trommel. Hij pakte Taylor vast bij de schouder.

'Hoe meer afstand we houden, hoe beter,' zei hij tegen haar. 'Ik beloof je dat ik haar niet zal laten ontglippen.'

Kellie stopte aan het einde van de oprijlaan, waar de weg be- gon. Michael en Taylor bleven ook staan. Ze doken weg onder de lage takken van een spar. Er kwam een regen van sneeuw over hen heen, het gleed langs de rug van Michael, via het kiertje tussen de boord van zijn jas en zijn nek. Taylor vertrok geen spier.

Ze zagen hoe Kellie om zich heen keek, alsof ze probeerde te beoordelen waar ze was. Hun prooi draaide zich om en keek de oprijlaan af. Even trok Michael zich geschokt terug, omdat hij dacht dat ze hen gezien had, of terug zou komen lopen. In dat ge- val zouden ze betrapt worden. Maar ze stampte nog een meter of tien verder over de weg in de richting van het dorp. En stopte. En wachtte.

Een minuut ging voorbij.

Twee minuten.

En toen bevestigde Kellie waarvoor ze hier zaten. Ze draaide zich om, liep vlug het einde van de oprijlaan voorbij en het voet- pad op dat naar dezelfde bosjes ging waar Elliot vijf minuten geleden nog de hond aan het uitlaten was.

Michael en Taylor volgden.

Hun route was dichtbegroeid met nieskruid en varens. Dikke takken hulst en braamstruiken staken door de sneeuw. IJspegels hingen aan de takken boven in de bomen. Er hing een geur in de lucht die Michael niet kon thuisbrengen. Het was zwaar, scherp als paddestoelen, maar het had ook iets bitters, het bleef steken in zijn keel, hij moest er bijna van kokhalzen.

Het was niet moeilijk om hen te vinden, Kellie, Elliot en de hond. Ze waren in het bos, halverwege de helling, beschermd door een groepje eiken. Rufus was vastgebonden aan een boom.

Het geblaf en gejank van de hond, samen met het zachte briesje dat door de takken en de bladeren van de bomen en struiken ritselde, zorgde nu en dan voor dekking terwijl Michael en Taylor dichterbij kwamen. Maar ze liepen voorzichtig en langzaam, de ene stap na de andere. De bevroren bladeren kraakten onder de schoenen van Michael als chips die in de kroeg op de grond lagen.

Zijn spieren spanden zich. Hij voelde zich net als gisteren, toen hij naar beneden tuurde van de grot naar het strand. Het was adrenaline, de kans om in de diepte te vallen. Het was de geur van gevaar die zijn gedachten aanscherpte.

Ze waren nog twintig meter bij de vader van Taylor en Kellie vandaan. Michael en Taylor schakelden over van bukken naar kruipen. Langzaam gingen ze op handen en knieën vooruit. Michael stopte het eerst. Zijn handpalmen waren blauw van de sneeuw. Zijn knieën en enkels deden pijn van de prikkende takken en stenen.

Taylor had blijkbaar ook pijn. Ze hurkte naast hem neer in een puntig bosje varens, de bladeren stijf en bedekt met vliesjes doorzichtig ijs, als de vinnen van een of andere exotische vis.

Het was alsof Michael en Taylor ook bevroren waren. Ze bleven gehurkt zitten en luisterden. De hond blafte en flarden van het gesprek werden aan hen doorgegeven door de wind.

'- Ik wilde niet dat het – ' Het was een vrouwenstem, de stem van *Kellie*, verheven, emotioneel. '- op deze manier-'

Toen zei Taylors vader er iets doorheen, en er was niets meer van te verstaan.

Taylor begon naar voren te kruipen, dieper in de ijssculptuur van varens. Michael stak zijn arm uit om haar tegen te houden, maar ze duwde hem weg. Als een slang gleed ze bij hem vandaan en liet een ijzige groene tunnel achter zich.

'- je luistert niet naar wat ik zeg – ' Dat was Kellie weer, luider dan de vorige keer.

De hond begon te janken. Elliot schreeuwde naar hem dat hij op moest houden. Een kort gekef en daarna was de hond stil. Elliot was aan het praten, zachter nu, dwingender. Maar Michael kon niet ontcijferen wat hij te zeggen had. Michael schoof naar rechts en duwde zich tegen een rottend stuk hout aan. Een trompetvormige paddestoel zat tegen zijn gezicht. Hij zag Elliot en Kellie door het kriskrassende gebladerte heen, alsof hij door tralies keek.

'- verliefd – '

De woorden waren onmiskenbaar. Maar Michael wist niet met zekerheid wie het gezegd had. Rufus blafte en sprong op. Hij trok wild aan de riem waarmee hij aan de boom was vastgemaakt. Hij had iets geroken. Hij wist dat er zich iets in de buurt verstopte. Als Elliot hem los zou maken, zou hij hen onmiddellijk vinden.

Maar Elliot en Kellie letten niet op de hond. Hun gezichten waren maar een paar centimeter van elkaar vandaan. Ze praatten weer tegelijkertijd. Elliot gebaarde met zijn hand, onderbrak haar, het zag eruit of hij het er goed in hamerde wat hij te zeggen had. Als een advocaat in een rechtszaakfilm, dacht Michael, maakte hij zijn punt volkomen duidelijk. Plotseling waren de woorden van Elliot, hartstochtelijk geschreeuwd, weer duidelijk te horen.

'– en afgelopen zomer, al die tijd, de baai over en weer terug. Omdat ik bij je wilde zijn. Omdat we van elkaar houden – ' Zijn stem viel weer even weg, net als de ontvangst van de radio van Michael, thuis in zijn kamer. Toen was het weer luid en duidelijk terug. 'Morgen. Op het vasteland. Dan zeg ik het tegen Isabelle. Haar en Taylor... dat ik ze ga verlaten... dat – '

Er knapte een tak. Rufus blafte, hij stond helemaal stijf, zijn snuit stak in de richting van Michael en Taylor. Michael bukte snel. Hadden ze hem gezien? Of Taylor? Voetstappen kwamen dichterbij. Michael rolde zo langzaam op zijn zij dat hij zijn lichaam hoorde kraken als een tak. Hij rolde nog een keer om, dieper het gebladerte in, centimeter voor centimeter.

Een bundel zonlicht straalde door de boomtoppen heen en raakte zijn gezicht. Hij zag Taylors gymschoen, links voor hem tussen de struiken. Haar onderarm was een knoop van pezen. Er zaten strepen modder overheen.

Michael stond doodstil. Een laatste voetstap kwam naast hem neer. Hij hield zijn gezicht boven de grond, zijn rug gespannen en recht. Een glinsterende tong van klimop likte over zijn voorhoofd. Hij had het gevoel dat hij stoomde als een paard dat hard had moeten rennen. Hij weigerde uit te ademen. Hij voelde Elliot achter zich, zo dichtbij dat Michael wist dat als hij nu zijn been uit zou steken, hij Elliot zou raken.

Michael sloot zijn ogen.

Elliot en Kellie hadden een verhouding gehad. Die gedachte werd steeds groter in Michaels hoofd, groter dan zijn angst om ontdekt te worden. *Elliot* zou Isabelle en Taylor in de steek laten, zodat hij bij Kellie kon zijn. De vader van Taylor was van plan om haar voor altijd te verlaten.

Een windvlaag. De hond begon te janken.

'Hier is niets te zien,' riep Elliot.

Zijn voetstappen gingen achteruit. Michael ademde uit. Hij liet zijn hoofd achterovervallen en zakte doodmoe op de grond.

Hij hoorde het ijs kraken naast hem en hij zag Taylor. Haar gezicht was helemaal rood, alsof ze door kokend water had gezwommen. Ze gleed naar achteren, bij hem vandaan. Ze keek niet eens naar hem. Hij volgde haar, steeds verder weg van Elliot, twee meter, vijf...

Tien.

Ze kwam overeind achter de brede stam van een plataan. En toen rende ze terug naar het Thorne-huis. Ze rende alsof ze nooit meer wilde stoppen.

Michael haalde haar in bij de achterdeur van het huis. Ze was buiten adem. Haar gezicht was zo roze als een stuk kauwgom.

'Wat vreselijk –' begon hij te zeggen.

Ze kuste hem, hard, ze duwde hem tegen de deur. Deze keer bestond er geen twijfel over wat ze bedoelde, niet zoals in de mijn.

Ze praatte tegen zijn gezicht aan. 'Jij helpt me, hè?' zei ze tegen hem. 'Echt, jij helpt me om het weer goed te krijgen.'

Ze kuste hem nog harder. Haar lippen bevroren tegen de zijne, haar tong nat en sterk binnen in zijn mond. Hij sloot zijn ogen en voelde hoe haar hele lichaam tegen hem aan spande, alsof het één enkele spier was. Ze duwde haar heupen hard tegen de zijne.

De deur rammelde achter hen. Iemand schreeuwde iets. Ze gingen opzij en de deur sprong open. Daar stond Simon. Michael moest gaan zitten. Hij zakte in elkaar tegen de muur naast de deur.

'Waar waren jullie?' vroeg Simon. 'Ik heb jullie overal gez – '

Michael en Taylor negeerden hem. Ze staarden in elkaars ogen.

'Wat is er aan de hand?' vroeg Simon weer. 'Wat hebben jullie gedaan?'

'Die vrouw,' zei Taylor. 'Ze heeft gevreeën met mijn vader, met hem *geneukt*,' zei ze. 'Ze heeft hem geneukt, achter mijn moeders rug om.'

'Maar – '

'Hou je kop, Simon,' zei Taylor.

Simon keek wild van de een naar de ander.

'Ik ga het aan mijn moeder vertellen,' zei hij. 'Nu meteen. Let maar op. En ik ga – '

Taylor pakte hem bij beide armen beet. 'Als je het tegen iemand zegt,' zei ze tegen hem, 'ben je dood.'

Simon zag er doodsbenauwd uit. Hij bewoog zich niet.

'Wat dan?' vroeg Michael.

Taylor liet Simon los en trok Michael overeind. Ze greep hem zo stevig vast dat hij het bijna uitschreeuwde.

'Wij gaan dit zelf oplossen,' zei ze.

Hij keek weer in haar ogen, zag opnieuw dat vuur branden, en hij wist dat hij op dat moment alles voor haar gedaan zou hebben, alles.

Hoofdstuk 25

Kellie kon niet geloven dat ze in een bos stond, in de ijzige kou, en al twee keer bijna dood was geweest in de afgelopen drie dagen. Nou, misschien was het nodig geweest om een klap op haar kop te krijgen om haar tot bezinning te brengen. Het was alsof Kellie Elliot Thorne voor het eerst zag.

En te bedenken dat ze zich had voorgesteld tegen deze tijd zover te zijn om voortaan elke dag met hem door te brengen voor de rest van haar leven. Het was bijna lachwekkend nu. Haar droom om bij Elliot te zijn was een kaartenhuis geweest. Vanaf het moment dat ze besloten had om het tochtje met Ben te maken, had ze het gevoel dat ze er één kaart te veel op had gelegd. Maar toch, ze had geloofd dat het zou lukken met Elliot en haar, dat hun liefde voor elkaar zou overwinnen. Maar toen ze gisteravond David ontmoette, had ze de hele stapel voelen wankelen. En toen ze vanochtend wakker was geworden in Simons kamer, was hij gaan overhellen. En nadat ze Isabelle had ontmoet was haar droom volledig ingestort, en was het laatste restje hoop dat haar relatie met Elliot iets zou worden, ook verdwenen.

Want ze had iets ontdekt dat ze nooit had verwacht. Dat Elliot Thorne een leugenaar en een bedrieger was.

'Nee, Elliot,' zei ze.

'Maar – '

'Nee, zeg ik. Ik kan dit niet.'

'Wat niet? Kellie... liefste.'

'Dit is gewoon een spelletje voor jou, of niet?'

Hij zag er verward uit, in paniek zelfs. De hond begon te janken. 'Bek dicht, verdomme!' schreeuwde Elliot naar hem.

Ze staarde hem aan. Wat was erger? Dat ze niet meer verliefd was op Elliot, of dat ze zichzelf zo voor de gek had gehouden? Hoe had ze zich zo makkelijk in kunnen laten palmen? Hoe was het mogelijk dat ze zich door Elliot had laten charmeren? Ze had het voor elkaar gekregen om van de andere kant van de wereld hierheen te komen en een topbaan te bemachtigen en een nieuw leven op te zetten in Londen. Hoe had ze zo'n enorme fout kunnen maken? Ze moest denken aan wat haar vriendin Jane had gezegd over Elliot. Dat hij van twee walletjes wilde neuken. Ze had het woedend ontkend, ze had al haar vrienden aan de kant gezet om bij Elliot te kunnen zijn, maar Jane had gelijk gehad. Dat was precies wat Elliot had gedaan.

Ze schudde haar hoofd. 'Elliot, ik sta hier in de kleren van je vrouw.'

'Ik weet het. Staat je goed.'

Kellie staarde hem aan. Ze vond hem zielig.

'Nee,' zei hij, 'dat bedoelde ik niet. Ik bedoel dat ze jou nog *beter* staan dan haar.'

Ze gaf een gil van frustratie. 'Je snapt er niks van, hè? Het gaat er niet om wie er het mooiste uitziet. Of misschien gaat het daar juist wel om voor jou. Maar voor mij gaat het over vernedering, Elliot. Want zo voel ik me. Je familie heeft me opgenomen,' ging ze verder. 'En alles wat ik doe is tegen hen liegen. En wat was dat voor onzin die je uitkraamde tegenover je vader?' Ze herhaalde bits zijn eigen woorden: *We komen er waarschijnlijk achter dat we vreselijk veel gemeen hebben.* Vond je dat grappig, of zo? Vond je het wel amusant om zo te grinniken achter de rug om van je vader? Heb je enig idee hoe verschrikkelijk dat voor *mij* was?'

Ze dacht weer aan Gerald, en hoe aardig hij was geweest. Hoe ze hem aan had gekeken en alleen had kunnen denken wat een ideale schoonvader hij was en wat een leugenachtige bedriegster ze zelf was.

'Hij zou me zo haten als hij wist waarom ik hier was,' zei ze. 'En Stephanie? Jezus Christus, jouw *zus* heeft me ingestopt als een klein kind. Zie je dan niet in wat voor positie ik terecht ben gekomen?'

'Het is toch maar familie. Die doen er toch niet toe?'

'Dat doen ze wel. Snap je dat niet? Ik haat het dat ik dankzij jou nu een leugenaar ben.'

'Liefste, je maakt je alleen maar druk omdat je je hoofd hebt gestoten.'

Hij legde zijn handen op haar armen. Ze schudde hem van zich af.

'Raak me niet aan.'

'Kellie, hou op. Ik wil jou. We hebben zo iets bijzonders – '

'Hoe kan je dat nou zeggen? Je hebt gelogen. Je kunt niet anders. Je doet het zelfs nu. Ik heb je vrouw ontmoet.'

'Ik lieg niet. Ik zweer het je. Isabelle. Ze... je snapt niet hoe moeilijk het is. Je denkt dat je haar ziet zoals ze is, maar zo is ze helemaal niet...'

'Het grappige is dat ik je trouw ben gebleven,' ging ze verder. 'Al die tijd dat jij een dubbelleven hebt geleid. Wat voor een vent geeft zijn vrouw en zijn geliefde dezelfde ketting met kerst? Hoe kwam dat, Elliot? Kreeg je er twee voor de prijs van één?'

Elliot zette een stap terug. 'O, o, ik snap het al. Ik weet waarom je dit doet,' zei hij. 'Het komt door hem, of niet? Die Ben.'

'Waag het niet om dit op mij af te wenden. Er is niets tussen Ben en mij, idioot.'

'Waarom doet hij dan of het wel zo is?'

'Ik hoef mezelf of Ben niet te rechtvaardigen tegenover jou.'

Maar Elliot keek haar verdacht aan. Hij gooide het plotseling over een andere boeg. 'Dus dit was gewoon een plannetje van jou om mij te betrappen?' zei hij. Hij knikte traag, alsof hij zo sluw was geweest om de waarheid te ontdekken.

'Wat?'

'Nou, is het niet een beetje toevallig dat je zo dronken werd en viel. En dat de enige dokter in de buurt Stephanie was? Heb je ervoor gezorgd dat David en Ben je midden in de nacht hierheen moesten brengen, wetende dat ik dan geen bezwaar kon maken?'

'Je denkt toch niet werkelijk dat ik dit met opzet heb gedaan, of wel? Ben je helemaal gek geworden?'

Elliot staarde haar aan. Tot haar grote verbazing ademde hij diep uit, alsof ze een of andere test had doorstaan.

'Dan zie ik geen reden waarom we niet bij elkaar kunnen zijn. Kom op,' zei hij. Hij knoopte de hond los, draaide zich om en begon de heuvel af te lopen, terug naar het huis. 'Kerstmis is voorbij. En jij bent er nu toch. Laten we dit meteen oplossen. Ik ga het nu tegen Isabelle zeggen.'

Meende hij dat? Ze staarde hem verbijsterd aan. Dacht hij nou echt...

Ja, echt.

'Nee, Elliot!' schreeuwde ze. Ze rende achter hem aan. 'Dat wil ik niet.'

Ze trok hem aan zijn arm en keek hem aan.

'Je luistert niet naar me,' zei ze. 'Het is voorbij.'

'Maar dit is toch wat je wilt,' zei hij.

'Nee. Niet meer. Ik wil dat je bij je vrouw blijft.'

Hij keek haar verbijsterd aan. 'Maar hoe zit het dan met ons?'

'Ik hou niet meer van je, Elliot. Echt niet. Niet meer.'

Daar. Het was eruit. En nu pas realiseerde ze hoe waar het was. De man op wie ze verliefd was geweest, was verdwenen. Hoe meer ze over hem te weten was gekomen deze kerst, hoe meer ze begreep dat hij nooit echt bestaan had.

Ze rilde en vouwde haar armen over elkaar. Elliot staarde haar een hele tijd aan. Zijn argumenten waren op. Hij schraapte zijn keel.

'Nou, zo te horen staat je besluit vast,' zei hij. Zijn gezicht was hard. Hij staarde naar haar als naar een ondergeschikte. Had hij gebluft, vroeg ze zich af, toen hij zei dat hij het aan Isabelle ging vertellen? Het deed er niet meer toe. Ze had genoeg van zijn raadselachtigheid. Ze had genoeg van zijn spelletjes.

'Ik zou het op prijs stellen als je het terrein van mijn vader zou verlaten,' zei hij.

'Geen probleem. Dat was ik van plan.'

En dat deed ze ook. Ze wilde zo ver mogelijk weg. Haar kerst was een achtbaan geweest, maar nu kon ze eindelijk uitstappen uit deze waanzinnige rit. Het was voorbij. Het werd tijd om deze kleren uit te doen, dit eiland achter haar te laten en terug te komen bij wie ze was. Terug naar wie ze was voordat ze die verdomde Elliot Thorne had leren kennen.

'Zou je misschien als laatste gunst kunnen beloven dat je niets over ons tegen Isabelle zegt?'

'Ga toch gewoon terug, Elliot.'

Er was geen afscheid. Hij keek haar even aan, riep de hond en liep weg alsof ze slechts een vreemdeling was die hij net was tegen gekomen tijdens zijn boswandeling.

Ze keek hoe hij wegging. Ze vroeg zich af of hij zich nog om zou draaien, maar dat deed hij niet. Ze besefte dat ze geen idee had hoe hij zich voelde. Zou hij er spijt van hebben wat er gebeurd was? Of zou hij doen wat ze van hem verwachtte, doen alsof er nooit iets was gebeurd?

Even later verdween hij tussen de bomen. Ze verwachtte dat ze overvallen zou worden door emoties, nu er zo'n oneervol einde was gekomen aan hun verhouding, maar ze voelde alleen maar opluchting. Ze had het uitgemaakt met Elliot. En ze had geluk gehad. Niemand was erachter gekomen. De hele, verschrikkelijke, verachtelijke affaire was voorbij.

Waarom stond ze hier dan zo te glunderen? En waarom rende ze nu zo snel als ze kon terug naar het dorp?

Hoofdstuk 26

Ben was naakt en nat en hij bibberde. Hij was net uit de douche gekomen, die koud was geweest, omdat er nog steeds geen stroom was. Maar goed, in elk geval was hij er wakker van geworden en had het zijn slapeloze nacht weggewassen. Hij stond in de piep-kleine badkamer naast de slaapkamer boven aan de trap in het vakantiehuisje van de kroeg. Hij staarde naar zijn spiegelbeeld. Het was in tweeën gesplitst door een smerige, gekartelde barst die van boven naar beneden midden over de spiegel liep. Het deed hem denken aan het symbool voor theater, het masker in de vorm van een schild, in twee delen. De ene helft blij en de andere ver-drietig.

Eén gezicht, twee mensen... was Ben dat nu ook? Zo onzeker voelde hij zich. Van de ene minuut op de andere wist hij niet of hij moest lachen of huilen. Kellie had zijn hoofd in een wasmachine veranderd. Zijn gedachten draaiden rond als kleren die met elkaar in de knoop raakten, over elkaar heen vielen, in de war raakten.

Hij was tegelijkertijd blij en verdrietig. Hij was blij dat ze nog steeds in de buurt was, maar verdrietig dat ze binnenkort weg zou zijn. Hij was blij dat ze hem aardig vond, maar verdrietig dat ze hem niet aardig genoeg vond. En hij was blij dat hij haar had ge-vonden, maar verdrietig dat hij haar weer was kwijtgeraakt.

Hij wist, natuurlijk – ook door de therapeut die hij een paar keer had bezocht nadat hij achter de verhouding van Marie en Danny was gekomen – dat geluk niet iets was dat je kon vinden in andere mensen, maar in jezelf. Maar Ben wist ook dat het Kellie was geweest die hem geholpen had om zijn vermogen tot vreugde weer te vinden. Ze had gevoelens in hem wakker gemaakt die in een winterslaap waren geweest, begraven als zaadjes in de mod-der. Ze was zijn lente, zijn ontwaken geweest, zijn groeistimulator. Het kwam door haar dat hij zich nu zo springlevend voelde.

Tijdens het scheren begon hij een oud Soul II Soul-nummer te neuriën: 'Keep on moving', want dat was hij van plan te doen. Hij zou niet teruggaan naar de uitgebluste, sjofele figuur die hij was geworden voor de kerst. Nooit meer.

Kellies afwijzing deed pijn, maar hij was vastbesloten om positief te blijven, wat er ook gebeurde. Want wat er deze laatste paar waanzinnige dagen was gebeurd, *was* ook positief. Als hij dat besluit nooit had genomen om te stoppen met roken en weer *betrokken* te raken in zijn leven, zou hij Kellie nooit gevraagd hebben om een tochtje met hem op de boot te maken. Als hij dat nooit had gedaan, dan had hij nooit ontdekt wat hij nu wist: dat hij nog steeds die wonderbaarlijke capaciteit had om verliefd te worden. Met iemand die niet Marie was. En verliefder te worden dan ooit tevoren.

Hij kon het nog steeds. Het zat er nog steeds in. Het leven kon nog steeds fantastisch zijn. Deze wetenschap, deze zekerheid, had hem de kracht gegeven die hij was kwijtgeraakt. Kellie had een einde gemaakt aan zijn winter. Zelfs zonder haar zou hij teruggaan naar Londen en verder groeien.

Hij was klaar met scheren en spoelde de stoppels door het afvoergaatje. Hij keek nog eens naar zijn spiegelbeeld en deze keer lachte zijn hele gezicht terug. Hij was nog steeds een jongeman. Hij had nog heel veel in huis. Hij was dankbaar dat hij dat ontdekt had voordat het niet meer waar was.

Toen schrok hij. Hij had de voordeur van het huisje open horen gaan. Nu sloeg die met een klap dicht.

'Ben?' riep Kellie. 'Ben! Ben je hier?'

Hij greep zijn handdoek en wikkelde die haastig om zijn middel.

'Wat is er?' riep hij. Hij stapte de badkamer uit, de kleine overloop op.

Zijn eerste gedachte was dat er iets vreselijks gebeurd was. Weer een ongeluk misschien. Maar toen hij Kellie achter de trap tevoorschijn zag komen, van waaruit ze waarschijnlijk de keuken in had gekeken om hem te vinden, wist hij meteen dat er niets aan de hand was. Het tegenovergestelde juist. Ze zag er stralend uit, alsof ze net terugkwam van het sporten. Ze had modieuze en schone kleren aan, hij staarde ernaar. Ze glimlachte breed en keek hem aan. Maar de glimlach zakte in elkaar en vervaagde, en toen was hij verdwenen.

'Wat is er?' vroeg hij. 'Wat is er aan de hand?'

Ze liep langzaam en onzeker de trap op en stopte.

'Ken je dat moment in romantische films...' zei ze, '...als iemand besluit dat ze met een ander wil zijn... alleen weet ze niet zeker of die ander wel in haar geïnteresseerd is, of zelfs als dat wel zo is, hoe die ander zal reageren als die erachter komt...'

'Net als in *As good as it gets*,' zei hij automatisch. 'Of *An officer and a gentleman*, of –'

Ze duwde haar wijsvinger tegen zijn open mond om hem tot zwijgen te brengen. 'Of een van die duizenden andere films,' zei ze. 'Nou, dit is dat moment. Dit is dat moment voor mij. Ik weet niet of je dit wilt,' zei ze. 'Maar ik hoop van wel. Want ik weet dat ik het wil.'

Ze ging op haar tenen staan en bracht haar gezicht vlak voor het zijne. Ze kuste hem zacht op zijn lippen.

Hij stond stokstil, ogen wijdopen. Zijn lippen weigerden te reageren op haar. Zijn armen en rug leken te bevriezen. Daar stond hij, onbewogen, zonder met zijn ogen te knipperen, als een wachter bij Buckingham Palace, totdat Kellie ten slotte terugtrok.

'Ik geloof dat ik dit heb willen doen vanaf het moment dat ik je voor het eerst zag,' zei ze. 'Het heeft alleen zo lang geduurd voordat ik het besefte.'

Hij wist niet wat hij verwacht had dat ze zou zeggen, maar niet dit. Hoe kon hij deze vrouw ooit begrijpen? Elke keer als hij kop zei, kwam zij met munt.

Ze deed haar ogen dicht en probeerde hem opnieuw te kussen. Weer was hij niet in staat om te reageren. Hij kon haar alleen maar aanstaren. Hij had wel een bankbediende kunnen zijn met een pistool van een roofovervaller tegen zijn slaap gedrukt. Ze trok terug.

'Wat is er?' vroeg ze.

'Ik –'

Ze keek naar haar schoenen. 'Het is oké, hoor,' zei ze, 'als je niet hetzelfde voelt als ik. Ik dacht van wel, maar ik begrijp...'

'Je...' Maar zodra het woord zijn mond verlaten had, wist hij niet meer wat hij had willen zeggen.

'Ik heb niet het recht om iets van je verwachten,' zei ze tegen hem. Terwijl ze sprak nam ze zijn rechterhand tussen de hare en kneep er stevig in. 'Ik heb met je lopen sollen en het spijt me zo, en nu wil ik je alleen maar laten weten dat – '

Eindelijk schoot hem een logische vraag te binnen. 'En hij dan? De man, je zei toch dat je van die man hield...'

'Ik heb hem gezegd dat het uit is.'

'Uit?' Ben vroeg zich af of hij droomde. Zo voelde het wel langzamerhand.

'Ik heb hem gezegd dat ik niet meer van hem hield,' zei ze tegen hem. 'En dat is ook zo. Niet meer. Dat komt door jou.'

Door *mij*, dacht Ben. Wat bedoelde ze daarmee? Betekende dat dat ze nu op hem verliefd was in plaats van op die andere man?

'Waar is hij dan?' vroeg Ben. 'Heb je hem thuis opgebeld?' Hij dwaalde af. Wat deed het ertoe hoe ze hem had weten te bereiken. Het enige wat er toe deed was dat ze de relatie had verbroken. Het feit dat ze hier was, en hem net zo graag wilde als hij haar, meer hoefde hij niet te weten.

'Er zijn een paar dingen die ik je moet vertellen, Ben. Ik ben zo'n idioot geweest, als ik er alleen al aan denk – '

'Niet doen,' zei hij. 'Niet nu.'

'Maar het moet. Ik wil het.'

Hij kuste haar en ze draaiden zich om en om de slaapkamer in. Hij trok haar jas uit en haar trui, en knoopte haar bloes los. Ze ging met haar rug naar hem toe staan en maakte haar bh los. Hij duwde de bandjes langs haar armen naar beneden, en legde zijn handen om haar borsten. Langzaam, instinctief begon hij ze te masseren en kuste haar zacht in haar nek. Ze duwde zich hard tegen hem aan en draaide zich om en kuste hem, terwijl haar handen over zijn borst streelden.

'Je hebt geen idee hoezeer ik je wil,' siste ze in zijn oor.

Ze schopte haar schoenen uit en op de een of andere manier raakten ze allebei hun evenwicht kwijt. Ze struikelden lachend achterover, en kwamen boven op elkaar op het bed terecht.

Hij staarde haar aan en glimlachte. 'Dit is dus mijn nieuwe techniek om een meisje aan de haak te slaan, denk je niet?'

'Wat?'

'Ik laat haar stranden op een eiland, laat haar bijna doodgaan in een storm, en dan blijf ik bij haar in de buurt totdat ze midden in de nacht een hersenschudding krijgt. En dan, ziedaar, werpt ze zich eindelijk in mijn armen.'

'Misschien moet je er een boek over schrijven,' zei ze. 'Of een film maken. Je zou het *Tien neurotische stappen naar de vrouw van je dromen* kunnen noemen.'

'Of ik zou je gewoon weer kunnen kussen...'

Ze veegde haar haar uit haar gezicht en grijnsde naar hem. 'En alle kerstklokken bij me laten luiden...'

Ze trok hem voorzichtig naar zich toe en sloot haar ogen. Ze kusten elkaar opnieuw, lieten het duren. De onhandigheid waardoor ze een paar seconden geleden nog gestruikeld waren, smolt weg. Hun bewegingen verstrikten zich op een harmonieuze manier. Hij genoot overal van, van haar zachte lippen en de draaiende beweging van haar tong, tot de langzame sensuele lijnen die haar vingertopjes en nagels over zijn rug trokken.

Toen daalde hij langzaam over haar lichaam naar beneden. Hij streelde met zijn lippen langs haar nek en over de richel van haar sleutelbeen. Ze boog haar rug achterover en drukte zich tegen hem aan. Ze greep zich vast aan zijn schouders terwijl hij haar verder kuste langs de zachte deining van haar ribben en de zachte huid van haar buik. Hij gleed langzaam achteruit het bed af en ging overeind staan. Ze giechelde toen hij zijn handdoek liet vallen en zij zichzelf uit haar spijkerbroek en slipje wurmde. Hij trok ze over haar voeten en gooide ze achter hem neer.

Toen knielde hij voor haar op het bed, en streelde met zijn handen over haar bovenbenen. Haar vingers graaiden door zijn haar en ze trok hem naar beneden, boven op haar. Ze begon langzame, ritmisch ronddraaiende bewegingen te maken, tegen hem aan, ze begon te kreunen.

Later, toen ze tegen hem aan sidderde en zich aan hem vastklampte als een bankschroef, voelde hij een enorme golf door zich heen stromen, die alle oude stress en misère en onzekerheid uit zijn leven wegwaste. Dat had allemaal geen betekenis meer. Allemaal niet. Alleen dit. Alleen zij. Alleen nu en wat er verder nog mocht gebeuren.

Hoofdstuk 27

In Green Bay Harbour waaide een koude wind, maar de lucht was helder. Kellie liep arm in arm met Ben. Ze waren onderweg met Jack naar de ijzige scheepshelling. Ben had Jack gevraagd om hem te helpen de kapotte boot te halen die ze in de baai hadden achtergelaten. En hij had Kellie beloofd dat ze vanavond veilig het eiland konden verlaten. Kellie kon bijna niet wachten. Ze wilde het liefst meteen weg, maar ze wist dat ze nog maar een paar uur geduld hoefde te hebben.

'Weet je zeker dat het veilig is?' vroeg Kellie opnieuw.

'Dat heb ik toch al gezegd. Het ijs is gesmolten. Er kan niets misgaan.'

'Hij weet niks van boten,' zei Jack. Hij porde Ben tussen de ribben en leunde naar voren om naar Kellie te kijken. 'Er is waarschijnlijk helemaal niks mee aan de hand. Het was allemaal opzet om de kerst met jou te kunnen doorbrengen.'

'O ja?' zei Kellie. Ze wist dat hij haar plaagde, maar ze vond het leuk. Ze vond het leuk om er zo bij te horen. Het was een prettig gevoel dat andere mensen Ben en haar samen aanvaardden.

Ben rolde met zijn ogen. 'We hebben hem in een mum van tijd gerepareerd en hier naartoe gebracht.'

Kellie glimlachte. 'Oké, maar niet te lang, hè?'

Ze bleven alledrie staan boven aan de scheepshelling.

'Geef me een paar seconden?' zei Ben tegen Jack. 'Alleen.'

'Natuurlijk,' gniffelde Jack. Hij sloeg zijn arm om Ben heen en knipoogde naar Kellie. 'Maar denk je niet dat Kellie eenzaam zal zijn?'

'Grappig, hoor.'

Jack deed alsof hij zich afgewezen voelde. 'Je weet niet wat je mist,' zei hij. 'Ik kan geweldig goed kussen en fantastisch koken. Tot straks, meisie,' zei hij tegen Kellie. Hij hees zijn gereedschapskist over zijn schouder en liep voorzichtig de gladde scheepshelling af naar zijn rubberen bootje dat beneden op het troebele havenwater dobberde.

'Volgens mij kun jij veel beter kussen,' zei Ben tegen haar. En om het te bewijzen, kuste hij haar zacht op haar lippen.

Was het wel de bedoeling geweest dat het allemaal zo snel ging met Ben? Ze wist het niet. Het deed er niet toe. Het was fantastisch geweest. En dat was het nog steeds.

'Weet je nog wat ik daarstraks zei... over dat ik je nog iets moest vertellen... over – '

'Heeft geen haast,' onderbrak hij haar. 'Alles op zijn tijd.' Hij keek achter hen, naar het lege, winderige dorp. 'Nu niet dus.'

'Maar – '

'Misschien straks. Als we weer in Fleet Town zijn.'

'Dat is wel het laatste waar ik dan aan wil denken, als ik daar eenmaal ben...'

'Kom op, nou,' riep Jack.

'Maar serieus,' zei ze. 'We kunnen er wel over praten, hè?'

'Er is niets waar we niet over kunnen praten,' zei hij. Hij kuste haar weer.

Ze wist dat ze hem over Elliot moest vertellen. Ze besefte nu meer dan ooit dat ze schoon schip moest maken. Ze kon onmogelijk verdergaan met Ben, of een relatie met hem hebben, tenminste niet zo een die ze zo graag zou hebben, als hij de waarheid niet wist. Ze moest hem vertellen waarom ze überhaupt naar het eiland was gekomen en toegeven dat ze zich vreselijk had vergist door Elliot te vertrouwen.

Zou Ben kwaad op haar zijn dat ze hem misleid had, vroeg ze zich af? Zou hij het afschuwelijk vinden dat ze zich door Elliot had laten strikken? Toch niet als ze het fatsoenlijk kon uitleggen? Niet als deze middag net zoveel voor Ben betekende als voor haar. En niet als ze hem beter kon uitleggen wat ze voor hem voelde, zoals ze van plan was.

Want ze wilde Ben zeggen dat hij geweldig was. Dat hij meer dan geweldig was. Dat dit goed voelde. En dat het vooral ook heerlijk, spannend, opwindend, fantastisch *echt* voelde.

'Hé, neem deze zaklamp mee,' zei Ben. Hij haalde er een uit zijn zak. 'En haal wat batterijen in de kroeg. Zo meteen is het donker en als er nog steeds geen stroom is en ik nog niet terug ben, heb je hem misschien nodig.'

'Schiet maar gewoon op. Weet je zeker dat ik niet mee kan komen?'

'Nee, je hebt genoeg opwinding gehad voor vandaag.' Hij trok zijn wenkbrauwen op en keek haar aan. Ze bloosde en lachte. 'Nee, echt. Blijf gewoon hier en ga nergens heen totdat ik terug ben.'

'Maar ik ga deze kleren nog terugbrengen naar Isabelle,' zei ze. Ze knikte naar de plastic tas die bij haar voeten stond. 'Daarna zal ik op je wachten in de kroeg, dat beloof ik je.'

Ze wist niet hoe ze het af moest ronden. Ze wilde hem vasthouden en hem kussen.

'Oké. Tot straks,' zei hij.

'Tot straks.'

Ben liep weg, de scheepshelling af. Hij stopte weer, draaide zich om en hupte met grote passen de helling op om haar nog eens te kussen.

'Braaf zijn,' zei hij. Hij kuste haar, alsof ook hij haar niet los kon laten.

'Doe ik.'

Kellie kneep haar lippen samen toen hij naar de boot liep. Een glimlach verscheen op haar hele gezicht. Ze wilde met haar voeten trappelen als een opgewonden meisje.

De boot ronkte door de haven en ze zwaaide naar Ben. Geen wonder dat tweede kerstdag in het Engels Boxing Day heette, dacht ze. Ze had het gevoel alsof ze al een paar rondes in de boksring achter de rug had, maar na deze middag met Ben voelde ze zich de kampioen.

Ze wou dat ze even op de pauzeknop kon drukken, zichzelf kon knijpen om vast te stellen of ze niet aan het dromen was. Het leek bijna onmogelijk dat ze het binnen een uur uit had gemaakt met Elliot en een relatie had gekregen met Ben. Maar goed, om eerlijk te zijn, had ze Ben al onweerstaanbaar gevonden sinds hij haar hierheen had gebracht met zijn boot.

Ze zag het rubberen bootje om de havenkant heen varen en uit het zicht verdwijnen. Ze zuchtte tevreden en geeuwde.

Ze begon aan de terugweg. Ze was van plan om de tas met Isabelles kleren bij de voordeur van het huis van Gerry Thorne neer te zetten. Ze had al een briefje geschreven waarin ze Isabelle en Stephanie bedankte, en het in de tas gestopt. Als ze naar de deur rende en weer terug naar de weg, zou ze niemand zien en hoefde ze geen vragen te beantwoorden. Het zou de laatste keer zijn dat ze ooit bij de Thornes in de buurt hoefde te komen.

De tas woog zwaar in haar hand, alsof er net zoveel schuldgevoelens inzaten als kleren van de vrouw van haar ex-minnaar. Hoe sneller ze terugbezorgd zouden zijn, hoe beter ze zich zou voelen. Hoe sneller ze zich weer zichzelf zou voelen. Als de eerlijke, zorgzame, fatsoenlijke persoon die ze werkelijk was. Maar de belachelijke sofisterij met Elliot was in elk geval alvast voorgoed voorbij, stelde ze zichzelf gerust. En het was voorbij zonder dat iemand gekwetst was geraakt.

Het liefste wilde ze de hele, verachtelijke episode achter zich laten en verdergaan. Ze wist nu al wat ze het eerste zou doen als ze terug was in Londen. Ze zou ontslag nemen en gaan verhuizen. Ze kon onmogelijk nog met Elliot samenwerken en wilde nooit meer iets met hem te maken hebben.

Ze wist dat het niet makkelijk zou zijn. Ze zou een andere woonruimte moeten vinden en ze zou een geloofwaardige reden moeten verzinnen om haar baan op te zeggen, zonder haar referenties in gevaar te brengen. Zou Elliot haar in de weg gaan zitten, vroeg ze zich af?

Ze kon zich niet voorstellen waar ze rond deze tijd volgend jaar zou zijn. Zou ze aan het werk zijn voor een ander advocatenbureau? Misschien voor dat bureau dat haar een paar maanden geleden had benaderd? Of zou ze iets heel anders aan het doen zijn? Haar carrière was altijd zo uitgestippeld geweest dat het haar een vreemd, licht, drijvend gevoel gaf om geen vaste plannen te hebben.

Maar wie wist wat de toekomst zou brengen? Ze had een paar weken geleden zeker niet kunnen voorspellen dat ze zich in deze situatie zou bevinden, of zich zo zou voelen als nu. Ze had nu zelf gezien hoe onvoorspelbaar de dingen konden zijn. Ze zou de toekomst gewoon op haar af laten komen, besloot ze. Al die tijd had ze zitten wachten en wachten tot Elliot een beslissing zou nemen. Ze had alle macht over haar leven uit handen gegeven en daarmee het zicht verloren op wat ze werkelijk wilde. Maar door haar ontmoeting met Ben was er een wereld van mogelijkheden voor haar opengebarsten.

En Ben? Zou hij plannen met haar willen maken, vroeg ze zich af? Naar haar idee zaten ze plotseling in hetzelfde schuitje. Zou dit de kans zijn om samen een toekomst in Londen op te bouwen? Zou hij haar bij hem laten wonen? Of was dat dom om zo snel zo veel te veronderstellen? Misschien zou het beter zijn om te kijken of ze het weer goed kon maken met Jane en een paar weken bij haar te logeren totdat ze haar eigen plek had gevonden.

Ze was nu in de buurt van het huis. Ze kon het licht zien branden achter de ramen, haar hart begon sneller te kloppen. Ze stelde zich voor hoe Elliot binnen zat met Isabelle en voelde hoe blij ze was dat niemand het door had gehad wat er tussen hen was gebeurd. Ze mocht de familie van Elliot graag. Ze had respect voor hen. Hoe waagde Elliot het om zich zo laatdunkend over hen uit te laten. Hij had geen idee hoeveel geluk hij had. Hij had nergens enig idee over, zei ze tegen zichzelf.

Godzijdank was ze daar vanaf. En godzijdank was Ben er nu. Ze sprintte naar de deur, goed uitkijkend om niet over het ijs uit te glijden.

*

Twintig minuten later durfde Kellie pas weer adem te halen. Ze had het gered. Ze had de kleren van Isabelle bij de voordeur afgeleverd, zonder dat iemand haar had gezien. Het huis van de Thornes was ver achter haar. Ze draaide de weg op en zag het dorp voor haar liggen. Tevreden ging ze op weg naar het vakantiehuisje.

Toen pas hoorde ze dat iemand haar naam riep. Ze draaide zich om en zag Michael de heuvel afrennen, naar haar toe.

Eerst dacht ze dat hij onmogelijk haar kon bedoelen en ze bleef staan waar ze was. Maar toen hij op haar afrende, begon ze zich zorgen te maken.

Hij hijgde en probeerde op adem te komen. 'Vlug! Er is een ongeluk gebeurd,' zei hij.

Kellies hart sloeg een slag over. Ondanks haar eerdere mijmeringen, moest ze het eerst aan Elliot denken. Hij had toch niets stoms gedaan, of wel? Haar gedachten sloegen op hol.

'Wat is er? Wat is er gebeurd?'

'In de mijn,' zei Michael. 'Simon. Hij zit vast.'

'Welke mijn? Simon? Ik... ik begrijp het niet,' zei ze. Ze keek om zich heen of er geen hulp in de buurt was. Maar er was niemand anders op de weg.

'Kom op,' zei Michael. Hij begon terug te rennen naar de heuvel achter hem.

Verwachtte hij echt dat zij hem zou volgen, vroeg Kellie zich af. 'Michael? Michael?' riep ze hem achterna. 'Stop. Wacht. We moeten je ouders halen. Of de ouders van Simon?'

'Nee, nu,' schreeuwde hij over zijn schouder. 'We hebben geen tijd. Het is hier vlakbij.'

Dit was belachelijk. En waanzinnig. Waar kon zij nou mee helpen? Maar de oprechte paniek op Michaels gezicht was beangstigend. Wat als er echt iets ergs was gebeurd? Ze dacht aan Stephanie vanochtend en hoe aardig ze was geweest en zag haar leuke, lieve zoontje voor zich.

Ze keek achter zich naar de haven, en herinnerde de belofte die ze Ben had gemaakt dat ze braaf zou zijn. Ze zou zich niet meer moeten bemoeien met de familie Thorne. Het was te gevaarlijk. Ze had nu andere prioriteiten.

'Kom op!' schreeuwde Michael.

'Oké, oké, ik kom eraan,' zei ze. Ze beloofde zichzelf dat ze alleen zou gaan kijken of ze kon helpen en daarna meteen weer terug zou komen.

Tegen de tijd dat ze de mijn bereikt hadden, voelde Kellie zich misselijk. Ze stopte en zakte voorover om te proberen op adem te komen. Ze zat onder de modder omdat ze hem had gevolgd door stinkende, modderige plassen waar het ijs al begon te smelten. Ze was woedend dat Michael niet was gestopt terwijl ze het hem verschillende keren had gevraagd. Maar nu was ze overtuigd dat wat er met Simon gebeurd was wel serieus moest zijn, en ze was doodsbang dat ze te laat zouden komen. Daarom was ze achter Michael aan blijven rennen totdat haar hart in haar keel bonkte. Michael klauterde langs een helling omlaag, de schrik sloeg om haar bonzende hart.

Ze waren in een kleine kloof. De wind huilde erdoorheen.

'Deze kant op,' zei Michael. Waar ging hij in godsnaam naartoe? Ze kon hem nu maar half zien. Hij zocht zijn weg tussen de natte, met sneeuwbrij bedekte struiken.

'Michael. Stop. Wacht!'

Ze ging achter hem aan, ze baande zich een weg door de struiken en riep opnieuw. Doornatte, koude klonten sneeuwbrij doorweekten haar spijkerbroek. Plotseling doemde uit het niets de ingang van een tunnel op. Michael rende verder en verdween naar binnen. Ze volgde hem.

Ze stapte het donker in. Adrenaline joeg door haar lichaam. Hier stierf het geluid van de wind weg, alsof de buitenwereld was uitgeschakeld. De lucht was ijskoud. Ze had het gevoel dat ze door de berg was ingeslikt. In de stilstaande lucht vulde haar mond zich met speeksel.

Wat een afschuwelijke plek.

En er was nog iets. Er klopte iets niet. Ze had overal kippenvel.

'Michael,' zei ze. 'Waar ben je?' Haar stem klonk vreemd in het duister. Ze kon niet zien waar hij heen was gegaan, haar ogen waren nog niet aan het donker gewend.

Toen kwam Michael weer terug met Simon, hij had Simons arm vast.

'Maar er is niets met je,' zei Kellie tegen de kleine jongen. Hij keek haar niet aan. Ze begreep het niet.

'Michael?' zei ze. 'Wat is er in godsnaam aan de hand?' Maar zodra ze het had gezegd, wist ze dat haar instinct juist was geweest. Er klopte iets niet, helemaal niet. Hij duwde haar naar achteren, hard.

Ze kon de uitdrukking op zijn gezicht niet thuisbrengen. Ze struikelde achterover. Hij rende naar de tunnelingang en sleepte Simon achter zich aan.

'Wacht,' schreeuwde Kellie. Ze krabbelde overeind.

Maar het was te laat. Ze waren haar te vlug af. En in de verwarring struikelde ze opnieuw.

Voor haar hoorde ze iets in het slot vallen. Ze was net op tijd om te zien hoe Taylor een hangslot dichtdrukte, dat aan het gesloten hek hing.

'Wat doe je in godsnaam?' schreeuwde Kellie. Als een opgesloten beest rammelde ze aan de tralies van het hek.

Maar Taylor, Michael en Simon liepen al weg van haar.

Simon zag er doodsbenauwd uit.

'Taylor?' schreeuwde Kellie. 'Stop!'

Taylor staarde kalm en koud over haar schouder.

'Jij moet een lesje leren,' zei ze.

'Hoezo? Ik begrijp het niet.'

'Lieg niet.'

Kellie schrok van de uitdrukking op Taylors gezicht.

'Ik lieg niet. Waarom doe je dit? Laat me eruit. Nu. Alsjeblieft. Dit is niet grappig.'

'Het moet ook niet grappig zijn. Het is ook niet grappig dat jij een verhouding met mijn vader hebt.'

Kellie had het gevoel alsof er koud bloed naar haar voeten stroomde. Ze kon niet geloven wat ze hoorde. Hoe kon Taylor dat nou weten? Toen schoot haar een gedachte te binnen: had Elliot toch zijn dreigement uitgevoerd? Had hij thuis alles opgebiecht? Aan iedereen? Hadden Taylor en Michael haar daarom hierheen gelokt?

'Wat?' zei Taylor. 'Dacht je dat niemand het wist? Je bent niet zo slim als je denkt. We hebben je gezien... toen je hem ontmoette... bij de haven gisteren...'

De uitdrukking van Taylor daar bij de haven schoot haar weer te binnen. De hatelijke blik in haar ogen...

'En vandaag... in het bos... heb je hem weer ontmoet... en gepraat over afgelopen zomer in Italië... en hoeveel jullie van elkaar houden, vieze, vuile hoer.'

'Maar zo is het niet. Als je erbij was geweest,' zei Kellie met bonzend hart, 'dan zou je gehoord hebben dat – '

'Ik heb genoeg gehoord!' schreeuwde Taylor. 'Je hebt verdomme genoeg gezegd!'

'Maar ik heb hem gezegd dat het uit is. Ik heb hem gezegd – '

'Leugenaar! Verdomde leugenaar! Je hebt tegen iedereen gelogen. Je hebt zelfs tegen mijn opa gelogen. Over hoe je advocatenbureau heet. O jawel, dat heb ik nu ook door. Omdat je bij hem werkt, hè? Je werkt met mijn verdomde vader.'

'Ja, maar – '

'Nou, ik wil je één ding zeggen. Je denkt misschien dat je bijzonder bent. Maar dat ben je niet. Hij zal ons nooit in de steek laten voor jou. Niet nu mijn moeder in verwachting is.'

Kellie had het gevoel alsof ze een klap in het gezicht had gekregen. Isabelle was in verwachting? Van Elliot? En dat had hij al die tijd geweten? Had hij dat ooit tegen haar willen zeggen? Niet dat het nu nog iets uitmaakte.

'Taylor. Luister. Je hebt het mis – '

'Laat haar los, Taylor.'

Het was Simon. Hij huilde.

'Nee. Pas als ze haar les heeft geleerd.'

'Maar dat heeft ze toch, Taylor,' smeekte Simon. 'Mama en papa zullen ons vermoorden.'

'Nee, hoor. Want niemand zal het tegen hen zeggen.'

'Maar *zij* wel,' huilde Simon.

'Nee, hoor. Want dan moet ze hun vertellen waarom we het hebben gedaan. Niet waar, stomme trut?'

'Laat me er toch uit. Ik kan alles uitleggen. Ik zal geen woord zeggen. Ik beloof het je. Ik ga meteen weg en kom nooit meer terug.'

'Ik laat je er wel uit als ik dat wil. *Als* ik dat wil. En tot die tijd,' zei Taylor, 'kun je hier blijven en wegrotten.' Ze pakte Simon bij zijn kraag en draaide hem om.

'Taylor! Taylor!' schreeuwde Kellie, maar Taylor, Michael en Simon kropen weg door de struiken. 'Jezus Christus, Taylor,' gilde ze, 'Ben komt zo terug. Hij zal weten dat ik vermist ben.'

Maar ze waren al weg en Kellies smeekbede ging verloren in de wind. Ze haalde diep adem. Ze komen wel terug, dacht ze. Het waren maar kinderen, ze probeerden haar bang te maken. Ze zouden haar hier toch niet echt laten zitten, of wel? Of wel?

Maar ze wist het antwoord al. Ze wist hoe vastberaden Taylor was en ze wist precies waar die vastberadenheid vandaan kwam.

'Shit. Shit. Shit!' schreeuwde ze, ze rammelde aan de kooi zo hard als ze kon. Toen keek ze door de takken van de bomen en de struiken die om de ingang van tunnel heen stonden: het begon weer te sneeuwen.

Hoofdstuk 28

De kleine vingertjes van Nat piepten over het glas. Ze tekende lijntjes op het beslagen keukenraam. Ze leken op tralies. Wat toepasselijk, dacht Stephanie. Want sinds het weer was beginnen te sneeuwen, voelde het huis meer dan ooit als een gevangenis. Erger nog, het zou onmogelijk zijn om vandaag in dit weer te vertrekken.

Ze had een hekel aan tweede kerstdag. Dat had ze al sinds haar kindertijd. Het was de dag waarop iedereen een kater had en vol zat met te vet eten, en de beste films al op tv waren geweest. En dit jaar sloeg alle records van ergste tweede kerstdagen. Overal in huis lag troep en andere rommel van kerst en de lucht was bedompt en gespannen. Stephanie wist dat zij het meest verantwoordelijk was voor de slechte sfeer, maar ze wist niet wat ze moest doen om het te verbeteren. Ze had overwogen om het weer bij te leggen met Isabelle, maar het juiste moment had zich niet aangediend en ze had de moed verloren. Ze zou blij moeten zijn met de baby, dat Isabelle en Elliot weer een kans kregen na al die tijd, maar ze wist dat alles wat ze nu zou zeggen alleen maar over zou komen als een valse opmerking.

En ze zou blij moeten zijn dat David terug was, maar hij was in het slechtste humeur dat ze ooit had meegemaakt, en ze had liever gehad dat hij in de kroeg was gebleven. Hij had nauwelijks iets tegen haar gezegd sinds hij midden in de nacht terug was gekomen en haar met zijn dronken stem had gevraagd of ze Kellie wilde helpen. Het was nogal gespannen en onhandig geweest, en het feit dat David probeerde te doen alsof hij niet dronken was en zij ook maar half nuchter was geweest, had ook niet geholpen.

Eerst had ze zich geërgerd dat hij zomaar een stel vreemdelingen mee naar huis had genomen, maar toen had ze Ben herkend en was ze aan de slag gegaan met het verbinden van Kellies hoofd. Haar vader had erop gestaan dat Kellie zou blijven slapen en dat

Stephanie op haar zou letten. Toen Simon was opgestaan om te kijken waar al die drukte om te doen was, had Stephanie voorgesteld dat Kellie in zijn kamer kon slapen en had later Simon mee in haar bed genomen. Ze had geen idee waar David had geslapen, maar ze nam aan op de bank.

'Ah, dat moet goed zijn zo,' zei Gerald. Hij stond bij het fornuis, waarop een enorme ketel met vloeistof aan het borrelen was. Hij veegde zijn handen af aan zijn schort waarop een afbeelding stond van een rondborstige vrouw in bikini. Haar buik werd versierd door een grote klodder tomatenpuree, alsof het een steekwond was.

Stephanie keek naar de rotzooi op de tafel en het aanrecht. Het was elk jaar hetzelfde, hij wilde altijd zijn tweede kerstdag-ritueel doen. In een vlaag van culinaire activiteit kookte haar vader elk jaar het kalkoenkarkas om kalkoenbouillon te maken, die hij daarna in plastic potjes deed voor in de diepvries. Het rook afschuwelijk.

De moeite die het kostte was geenszins vergelijkbaar met de smaak van de nogal zoute, dunne soep, maar haar vader was overtuigd van de heerlijke en voedzame kwaliteit, en serveerde het als iemand in de familie ziek werd.

Stephanie had zich ontzettend in moeten houden om hem er niet op te wijzen dat hij waarschijnlijk een veel beter dieet zou hebben als hij al die moeite die hij in de keuken deed over een heel jaar zou uitspreiden, in plaats van zich uit te putten op tweede kerstdag.

Hij klopte op de bovenkant van de nieuwe broodmachine en keek tevreden op zijn horloge. Schijnbaar zou er ook nog focaccia met zongedroogde tomaten in de aanbieding zijn. Stephanie kon het niet over haar hart verkrijgen om hem te zeggen dat de mooie broden die hij gemaakt had met zijn nieuwe machine tot nu toe niet te eten waren geweest; aangebrand vanbuiten en nat als modder vanbinnen.

Maar na gisteren had ze het recht verspeeld om negatieve opmerkingen te maken. Haar vader was nog steeds ontdaan over wat er was gebeurd. Hij deed zijn best om haar op te beuren, maar Stephanie wist dat het allemaal te veel voor hem was, dat hij er niet aan gewend was om met emotionele situaties om te gaan. Ze voelde zich verplicht om zijn voorzichtige pogingen niet neer te halen, of commentaar te leveren op het feit dat hoe langer ze bij hem in de buurt was, hoe vreemder en excentrieker ze hem vond.

Ze glimlachte zwakjes. 'Ruikt lekker, pap,' zei ze.

'Ik dacht, ik ruim de boel hier op en maak dan een begin met het uitpakken van de dozen in het atelier. Wat vind je daarvan? Kom me maar helpen. Nat, kom ook mee.'

'Oké,' zei Stephanie. Ze was te moe om erover in discussie te gaan.

'Hallo, oom Elliot,' zei Nat. Elliot kwam de keuken binnen met een opgevouwen krant in de hand. Hij zag er vanmorgen onverzorgd uit, en boos. Hij maakte alle keukenkastjes open en dicht.

'Hoi snoezepoes,' zei hij, maar zonder de gebruikelijke genegenheid in zijn stem. Stephanie dacht dat hij ook moe was.

Ze zag dat Elliot een fles whisky onder de krant stopte. Hij ving Stephanies blik op.

'Wat?' zei hij.

'Niets,' antwoordde ze. 'Begin je niet wat vroeg?'

'Wat heb jij daarmee te maken?'

Stephanie merkte dat haar vader haar in de gaten hield. Ze wist dat ze niet opnieuw ruzie met Elliot moest maken.

'Ik ben in de eetkamer, als iemand me nodig heeft,' zei Elliot.

'Heb je zin in een kom kalkoenbouillon?' vroeg haar vader.

'Je weet toch dat ik een hekel heb aan dat vieze spul, pa.'

'Nou, je hoeft niet zo brutaal te zijn. Ik ga een kommetje naar Catherine brengen. Ik weet zeker dat zij het wel lekker vindt.'

'Ze is er niet meer,' zei Elliot, kortaf. 'Ze is teruggegaan naar het dorp. Ze is al een hele tijd weg.'

'O, dat heeft niemand tegen me gezegd,' zei Stephanie. Ze was behoorlijk beledigd dat Kellie niet eens gedag had gezegd. Het was al een paar uur geleden, realiseerde ze zich, dat ze Kellie voor het laatst had gezien. Ze was ervan uitgegaan dat ze boven een ontspannend bad aan het nemen was, maar blijkbaar was ze ervandoor gegaan. Ze zal zich wel geschaamd hebben, dacht Stephanie. Het is vast afschuwelijk om wakker te worden met een kater in een vreemd huis. Maar toch, het was vreemd dat ze weg was geslopen zonder zelfs Gerald te bedanken voor de goede zorgen.

'Wat jammer,' zei haar vader, duidelijk teleurgesteld. 'Ze wilde zeker terug naar Ben.'

Ze keken Elliot na die zonder een woord te zeggen de keuken uitliep.

Stephanie beet op haar lip. 'Die is ook niet in een goede bui, hè?'

'Dat is niemand, volgens mij,' antwoordde haar vader. 'Help je me even?'

Sorry, wilde ze zeggen. Maar dat deed ze niet. Ze kon het niet. Ze wist niet precies waarvoor ze zich moest verontschuldigen. Dat ze haar verdriet mee had genomen naar de kerst van haar vader misschien? Of dat ze een scène had geschopt. Aan de toon van haar vader kon ze horen dat de enige manier om het weer goed te maken was om ervoor te zorgen dat ze niet nog meer moeilijkheden veroorzaakte. Ze ruimde de keuken op en voelde zich weer net een tiener.

Boven in het atelier van haar vader was het koud. Nat ging naar beneden om een trui te halen. Ze had haar glinsterende Barbieprinsessenjurk nog geen moment uit gehad.

'Laten we maar met deze doos beginnen,' zei haar vader tegen Stephanie, nadat hij het licht had aangedaan. 'Kijk maar of er iets in zit dat je wilt bewaren. Ik heb zin in een grote opruiming. Het zijn vooral oude foto's.'

Stephanie maakte de doos open. Het zat vol met haar trouwfoto's en foto's van de kinderen toen ze klein waren. Ze zuchtte. 'Ik weet wat je van plan bent, pap.'

Hij haalde zijn schouders op en probeerde onschuldig te kijken. 'Ik dacht dat je misschien wilde kijken. Je kunt ze ook gewoon allemaal weggooien...'

Ze legde haar hand boven op de doos. 'Ik heb je gisteravond al gezegd, mijn besluit staat vast.'

'Dat weet ik. Maar ik dacht... nou, het zit namelijk zo,' hij wachtte even en liep naar haar toe. 'Ik wil je iets vertellen.'

'Wat dan?' Ze was doodmoe. Ging hij nu een preek houden over de onschendbaarheid van het huwelijk?

'Weet je, ik heb gewacht op het juiste moment. En ik wilde het gisteren al zeggen, maar...' Hij keek haar aan en wendde zijn blik snel weer af.

Hier komt het, dacht Stephanie. Ze vouwde haar armen over elkaar als een tiener die een reprimande zou krijgen.

'Ik heb iemand leren kennen. Hier.'

Stephanie bewoog zich niet. Ze staarde hem met open mond aan. Dit was wel het laatste wat ze ooit verwacht had van hem te zullen horen.

'Wat bedoel je met iemand leren kennen?' kreeg ze er uiteindelijk met veel moeite uit.

Gerald haalde diep adem. 'Ik heb het nog aan niemand verteld. Ik wilde het eerst aan jou vertellen.'

Stephanie voelde haar knieën trillen. Ze wilde dat het ophield. Hoe kon dit nou gebeuren? Waarom moest hij dit nu aan haar vertellen?

'Is het serieus?' vroeg ze.

'Behoorlijk serieus. Ze heet Tina Belling. Ze is vorig jaar in het oude huisje van de Steadmans komen te wonen. En... nou ja, ze vind dezelfde dingen leuk als ik en...' ging haar vader verder, maar Stephanie hoorde nauwelijks wat hij zei.

'Haar familie is hier met kerst. Haar dochter, Toni, en haar kleinzoon, Oliver. Ik heb hen nog niet ontmoet. Maar ik dacht erover om Tina morgen uit te nodigen voor een drankje. Als je dat goedvindt. Alleen nu dat David terug is, dacht ik – '

Het horen van de naam van David bracht haar aandacht weer terug naar wat hij aan het zeggen was. Dus deze grote bekentenis was alleen bedoeld zodat haar vader een minzame, gelukkige familie kon laten zien? De dokter en de advocaat. Gelukkig getrouwd. Dat is wat hij dacht. Ze kon het zien in zijn ogen.

Had hij geen idee waar zij juist doorheen was gegaan?

Ze veegde haar hand over haar mond. Was ze zo achterlijk? Nu hij het gezegd had, was het overduidelijk. De aanwijzingen hadden zo voor de hand gelegen, en zij had ze gemist. Ze dacht eraan hoe goed hij eruitzag, hoe vaak hij de hond had uitgelaten – toen ze net waren aangekomen en na de lunch gisteren. Ze had er verder niet over nagedacht. Maar nu vroeg ze zich af of hij allerlei stiekeme afspraakjes had gehad achter hun rug om. Was hij naar die Tina toegegaan om stoom af te blazen over zijn eigen familie? Was hij daarom zo rationeel en vol begrip tegen haar gisteravond? Had hij het er met Tina over gehad?

En vanmorgen – hij was steeds bij haar in de buurt gebleven. Ze snapte nu dat hij op hete kolen had gezeten om haar dit te vertellen.

'Nou, pa, eh...'

Ze wist niet wat ze moest zeggen. Ze had gedacht dat hij haar rots in de branding was. Maar dat was niet zo. Hij hoorde bij iemand anders.

'Je vindt haar vast heel aardig,' zei Gerald met een smekende blik.

Ze dacht na over hoe hij zich had gedragen deze kerst. Hij was zo tevreden overgekomen. Zo sterk. Lag dat aan Tina? Was hij hier daarom permanent komen wonen? Om bij haar te zijn? En al die tijd had ze zich zorgen om hem gemaakt...

Stephanie kreeg plotseling het gevoel alsof de wereld was veranderd zonder dat ze het in de gaten had gehad. Alles was anders. Alles wat ze had verondersteld over haar familie en hoe die altijd zou zijn, was ineens van haar weggerukt.

Ze probeerde een beeld van haar moeder op te roepen opdat dat haar zou helpen. Maar ze kon alleen haar vader zien die voor haar stond als een zenuwachtige tiener. Hij wreef in zijn handen.

'Ik zou willen dat je blij voor me was, Steph.'

Stephanie wist niet of ze moest huilen of hem een klap in zijn gezicht zou geven, of allebei. Maar ze dwong zichzelf om geen van beide te doen. Voor het eerst in haar leven zag ze in dat haar vader even niet de ouder wilde zijn en dat hij haar als volwassene nodig had. Tegen haar instinct in om weg te rennen, stapte ze op hem af en drukte hem tegen zich aan.

'Ik denk dat mama dit zou hebben gewild,' fluisterde ze. Er rolde een traan over haar wang. 'Ze zou vast niet willen dat je eenzaam bent.'

'Je kunt Tina ontmoeten. Dan zul je zien,' zei hij. Ze voelde hoe zijn lichaam zich ontspande in haar omarming. Stephanie dwong zichzelf om haar tranen in te slikken en liet hem los.

Achter haar ging de deur open. David stond in het licht.

'Ah, David. Kom binnen, kom binnen,' zei Gerald, alsof hij niet net iets wereldschokkends had gezegd en alles normaal was. En nu zag Stephanie dat dat ook zo was. Dit was *zijn* wereld. 'We hadden het net over...'

David schraapte zijn keel. Hij verroerde zich niet. Even vroeg Stephanie zich af of haar vader dit zo geënsceneerd had om hen twee weer aan het praten te krijgen.

'Ben is beneden,' zei hij, waarmee hij meteen alle twijfels verjoeg die Stephanie over haar vaders betrokkenheid had gehad. Hij klonk hard. Afstandelijk. Alsof hij niets gaf om Stephanie of haar vader. 'Hij zegt dat Kellie hem vanmiddag had opgezocht, voordat hij de boot ging halen. Maar toen hij terugkwam, was ze er niet. Hij maakt zich zorgen over haar en dacht dat ze misschien hierheen gekomen was.'

'Nee, we hebben haar niet gezien,' zei Gerald.

Stephanie liep langs David de overloop op en hij deinsde achteruit zodat ze hem niet zou aanraken. Ze vond het onverdraaglijk om zo dicht bij hem te zijn. Het leek net alsof ze allebei een magnetisch veld om zich heen hadden die elkaar afstootten.

Stephanie liep voor David de trap af.

'Ik vroeg alleen of je haar gezien had. Ik ben best in staat om dit zelf op te lossen, Stephanie,' zei hij.

Ze dacht aan de foto's die ze zojuist nog in haar handen had gehad. Waren dat echt de foto's van David en haar? Hoe konden twee mensen die zo gelukkig met elkaar waren, zo eindigen?

'Ik moet haar zoeken, of er in ieder geval achter komen wat er is gebeurd,' zei Stephanie. 'Ze is mijn patiënt. Als iemand haar moet vinden, dan ben ik het. Ze heeft flink haar hoofd gestoten. Het kan zijn dat ze is flauwgevallen of in elkaar is gezakt.'

'Nou, misschien had je haar niet zo snel moeten laten vertrekken.'

'En misschien zou jij wat beter voor je nieuwe vrienden moeten zorgen, David. Je hebt gisteravond immers zo'n openhartig gesprek met hen gehad. Het verbaast me dat je niet bij hen bent geweest om meer advies te krijgen.' Het ergerde haar nog steeds dat hij Kellie en Ben blijkbaar over hun problemen had verteld. Hoe kon Kellie anders zoveel over haar en haar familie weten?

Zodra ze het had gezegd, had ze er spijt van. Niet omdat het niet waar was, maar omdat haar commentaar Davids boosheid alleen maar zou voeden, waardoor dit gesprek zou voortduren. Ze had geen woorden meer voor hem. Ze had gisteren alles tegen hem gezegd wat ze kon zeggen. Ze haastte zich naar beneden voordat hij kon antwoorden.

Isabelle stond met Ben te praten in de hal.

'Ik heb deze plastic tas gevonden bij de voordeur met mijn kleren erin,' zei Isabelle. 'Met een briefje om ons te bedanken.' Ze keek op naar Stephanie.

'Nou, ik wou dat ze naar mij geluisterd had,' zei Stephanie. 'Ze moet rusten. Hallo, Ben.'

'Hoi, Stephanie. Ik heb al overal gezocht,' zei Ben. 'Ze zei dat ze Isabelles kleren zou terugbrengen en dan in de kroeg op me zou wachten, maar ze is er niet meer geweest. Ik dacht echt dat ze hier zou zijn.'

'Ik heb geen idee waar ze zou kunnen zijn,' zei Stephanie. Er was iets vreemds aan de hand. Ze kon het voelen.

'Maar ze kan toch niet gewoon verdwenen zijn. Mensen verdwijnen toch niet zomaar.'

'Maak je niet ongerust,' zei David. Hij kwam langzaam de trap af. 'Ze zal wel weer opduiken.'

'Ik begrijp het niet. We zouden vanavond weer teruggaan. Daarom ben ik de boot gaan halen.'

'Dat dacht ik al. Ik had je willen vragen om me mee te nemen,' zei David.

Hij keek niet naar Stephanie. Ze was ook van plan geweest om Ben te vragen om haar en de kinderen naar het vasteland te brengen. Maar als David bereid was om als eerste weg te gaan, des te beter. Dit was immers haar familiehuis, niet dat van hem. Ze dacht aan wat haar vader haar zojuist had verteld. Ze kon nu niet vertrekken, zelfs al zou ze dat willen.

'Ik ga in dit weer met de boot nergens naartoe,' zei Ben. 'Het is echt vreselijk daarbuiten. Daarom maak ik me ook zoveel zorgen over Kellie.'

Stephanie zag dat Elliot in de eetkamer de krant zat te lezen, alleen bij het haardvuur. Hij scheen zich niet bewust te zijn van alle commotie.

'Heb jij Kellie ergens gezien?' riep Stephanie door de deur.

'Niet sinds ik de hond heb uitgelaten,' zei hij, achter zijn krant vandaan. Hij ritselde ermee om aan te geven dat hij het niet op prijs stelde om gestoord te worden.

In de tv-kamer keken Michael en Taylor naar een film. Taylor keek haar niet aan, maar staarde recht vooruit naar het beeldscherm. Stephanie zag dat het *Finding Nemo* was. Het was het stukje waar Nemo probeert te ontsnappen uit de viskom in de wachtkamer van de tandarts.

'Hebben jullie Kellie gezien?' vroeg Stephanie.

'Nee,' zei Taylor. Ze keek niet eens op. 'Waarom zouden wij haar gezien moeten hebben?'

'Michael?' vroeg Stephanie.

Hij haalde zijn schouders op, zijn blik dwaalde van haar af naar het beeldscherm.

Stephanie liep terug naar de hal. 'Niets, helaas. Je kunt gerust even rondkijken, maar ik denk echt niet dat ze hier is.'

'Waarom blijf je niet hier?' stelde Isabelle aan Ben voor. 'Wacht tot het ophoudt met sneeuwen.'

'Nee, ik moet blijven zoeken.'

'Simon?' riep Stephanie. 'Nat?'

Nat verscheen boven aan de trap met Gerald.

'Waar is Simon?' vroeg Stephanie.

'Ik weet het niet,' zei Gerald. 'Ik dacht dat hij beneden was.'

Stephanie besefte dat ze hem al een paar uur niet gezien had.

'Ik ga wel even boven kijken,' zei David. Hij wierp Stephanie een blik toe waarmee hij duidelijk wilde zeggen dat zij Simon ook in de gaten had moeten houden.

Ze deed de deur van de tv-kamer weer open. Ze had het warm en voelde zich schuldig. Michael ging plotseling op de bank zitten met zijn armen over elkaar. Zijn wangen waren rood. Taylor bleef naar het beeldscherm staren en negeerde Stephanie.

'Waar is Simon?' vroeg ze aan hen.

Ze voerden iets in hun schild. Ze wist het.

'Wat? Ben je die nu ook al kwijt?' zei Taylor.

Stephanie had er genoeg van. Ze marcheerde naar de televisie en schakelde hem uit.

'Wat is hier aan de hand?' vroeg ze dringend. 'Waar is Simon?'

'Dat weten we niet,' zei Michael. Zijn stem klonk vreemd.

'Nou, ga hem dan maar eens zoeken,' zei Stephanie.

Plotseling begon haar hart te bonzen. Waar zou Simon zijn? En waarom gedroeg iedereen zich zo raar? Was zij de enige die ongerust was?

Terug in de hal trof Stephanie David onder aan de trap.

'Hij is er niet,' zei David.

Het was de eerste keer dat Stephanie weer oogcontact met hem had sinds hun ruzie gisteren. Nu hun ogen elkaar ontmoetten, sloeg haar hart een slag over van angst.

Hoofdstuk 29

'Het moet mogelijk zijn,' zei Kellie, hardop, voor de zoveelste keer, maar ze wist dat ze hysterisch begon te klinken.

Het was een uur geleden sinds Taylor, Michael en Simon weg waren gegaan. Het was steeds harder gaan stormen. En nu was het donker.

Ze hield de zaklamp die Ben haar gegeven had met één hand vast en probeerde de steen die ze gevonden had tegen het hek te slaan op de plek waar het aan de wand vastzat met het hangslot. Maar er was geen beweging in te krijgen en door de kou voelde ze zich steeds zwakker. Ze strompelde achteruit, uit de buurt van de sneeuwvlagen die door het hek waaiden, ze ging tegen de wand zitten, vlak bij wat gebroken glas.

Denk na, zei ze tegen zichzelf. Ze moest nadenken.

Ze had nu wel door dat Taylor en Michael niet meer terug zouden komen. Zelfs als ze wel wilden terugkomen, sneeuwde het waarschijnlijk te hard.

Wat waren ze aan het doen? Zouden ze in het huis van Thorne zitten en doen alsof er niets aan de hand was?

Bij die gedachte wilde ze het uitschreeuwen. Hoe durfden ze zich zo onverantwoordelijk te gedragen? Beseften ze niet dat ze hier dood zou kunnen gaan van de kou? Ze was dankbaar voor haar jas en dat ze haar eigen kleren weer aanhad.

Maar toen dacht Kellie aan de manier waarop Taylor haar had aangekeken. Ze zou niet opgeven. Ze zou het aan niemand vertellen wat ze had gedaan. Want ze geloofde dat ze gelijk had. Ze geloofde dat Kellie gestraft moest worden.

Wat verdomd ironisch, dacht Kellie. Net nu ze gerealiseerd had dat ze Elliot niet meer wilde, en dat ze geen toestanden wilde creëren binnen zijn familie, en hij waarschijnlijk ook niet, had zijn psychotische dochter besloten om het heft in eigen hand te nemen. En dan te bedenken dat Kellie een paar dagen geleden nog had geloofd dat Taylor en zij op een dag dikke vriendinnen zouden zijn.

'Jakkes!' zei ze hardop. Waarom was ze zo'n enorme idioot geweest? Hoe had ze dit kunnen laten gebeuren?

Ze moest hieruit zien te komen. En iemand moest haar komen redden. Ben moest er nu toch achter zijn gekomen dat ze verdwenen was.

Of niet? Want ze had nog iets anders bedacht. Wat als Taylor naar Ben was toegegaan en hem een hoop leugens had verteld? Wat dan? Wat als ze hem ervan had weten te overtuigen dat Kellie op een veilige plaats was? Want daar was ze toe in staat, of niet dan? Precies zoals ze Kellie voor schut had gezet en haar zover had gekregen om hierheen te komen.

Kellie wou dat het allemaal anders was gelopen. Ze wou dat ze haar instinct had gevolgd en er op gestaan had om Ben alles te vertellen over Elliot voordat er iets tussen hen was gebeurd. Want nu, als Taylor onverwacht de waarheid zou vertellen en zou opbiechten wat ze gedaan had en waarom, dan zou Ben sowieso een hekel aan Kellie hebben. Hij zou erachter zijn gekomen dat ze gelogen had over Elliot. En dan zou alles wat er tussen hen gebeurd was ongeldig verklaard worden.

Dat was het ergste wat er kon gebeuren, of niet? Maar toen kwam er een andere gedachte in haar op. Wat als Ben met zijn boot in de sneeuwstorm terecht was gekomen? Wat als hij zelf in de problemen zat? Wat als er iets met hem was gebeurd?

Ze werd gegrepen door de angst, maar ze forceerde die uit haar gedachten. Ze zou ervoor zorgen dat ze dit zou overleven, zei ze tegen zichzelf.

En de enige manier om dat te doen was om te ontsnappen. Ze moest hier uit zien te komen. En snel. Ze wist zeker dat ze hier niet de nacht kon doorbrengen. Als ze dat deed, zou ze het nauwelijks overleven. Ze keek om zich heen.

Dit moest een of andere mijn geweest zijn, want dat had Michael naar haar geroepen toen hij voor het eerst alarm had geslagen. Hij had gezegd dat Simon vastzat in de mijn. Maar waar in de mijn? Dit leek niet echt op een mijnschacht. Gingen die niet recht naar beneden? Niet dat ze ooit zelf in een mijn was geweest. En de enige die ze op school had bestudeerd waren opaalmijnen, geen tinmijnen. Ze scheen met de zaklamp naar binnen. Nou, één ding was zeker, dacht ze, het moest ergens naartoe leiden. En ergens was beter dan hier.

Ze herinnerde zich dat Ben had verteld dat er diepe tunnels onder het eiland waren gegraven. Wat als ze zou vallen? Wat als ze zo diep in een schacht viel dat niemand haar ooit zou vinden? Ze keek de duisternis in en was doodsbang.

Ze dwong zichzelf om het tegenovergestelde perspectief te nemen. Maar goed, dacht ze, aan de andere kant, wat als er om de hoek een uitgang was? Wat als er een makkelijke manier was om naar buiten te komen? Wat als ze hier hopeloos in paniek raakte en doodvroor, gewoon omdat ze te bang was om zich te bewegen?

Ze scheen het zwakke licht van de zaklantaarn door de tunnel. Het werd opgeslokt door de duisternis. Als ze daar doorheen ging, zou ze dan ook opgeslokt worden?

Ze keek achter zich naar de tralies. Er zou niemand komen. Dat wist ze zeker. Ze moest gewoon moedig zijn. Ze moest positief blijven denken. Ze had haar grote jas om warm te blijven, ze had een zaklamp en ze had muziek. Warmte, licht, muziek. Waar was ze eigenlijk bang voor?

Ze voelde in haar zak en trok er haar iPod uit. Ze stopte de oordopjes in haar oren. Muziek. Dat zou nog het meeste helpen. Dat wist ze zeker. Maar haar handen trilden toen ze een playlist uitzocht. Wat jammer dat ze de filmmuziek van *Batman* gewist had. Ze voelde zich net een vleermuis, die hier alleen door het duister fladderde. Zat er maar een rode noodtelefoon aan de wand en een Bat Mobile kon ze ook wel gebruiken.

Madness 'It must be love' was het eerste nummer. Het gaf haar zelfvertrouwen. Het bracht alles wat normaal was in de wereld bij haar terug. Ze stapte het duister in. Waar een wil is, is een weg naar buiten, zei ze tegen zichzelf.

Ze was vastbesloten. Ze zou hieruit komen, en dan teruggaan naar Ben.

Ben. Dat was alles wat ze wilde. Ben zien. Alles goedmaken tussen hen twee.

Vóór haar begon de tunnel smaller te worden. Ze hield de zaklamp in haar mond, en tastte haar weg met beide handen. De wanden waren glibberig en ijskoud.

Even deed ze haar ogen dicht en zegde een gebedje op. Luister je, God? *Want ik wil hier graag levend uitkomen.* Wat vreemd, dacht ze, dat ze toch nog religieus was geworden met kerst.

Zou deze tunnel haar de weg naar buiten wijzen? Ze moest erachter zien te komen. Ze schuifelde langzaam door het donker, haar hart bonkend van de angst.

Toen gleed haar voet uit.

Hoofdstuk 30

Michaels keel was kurkdroog. Zijn huid jeukte over zijn hele lichaam van het opgedroogde zweet.

'Wat moeten we nu doen?' vroeg hij aan Taylor.

'Hou je mond.'

'Maar – '

'Geen woord meer, verdomme.' Ze had haar tanden op elkaar geklemd. 'Geen woord, anders horen ze je.'

Het geluid van haastige voetstappen klonk door de hal en kwam in hun richting. 'Simon?' riep een mannenstem.

De storm woedde om het huis van de Thornes. De ramen van de tv-kamer waren net patrijspoortjes van een schip dat heen en weer werd geslingerd: het licht kwam erdoorheen met flitsende bewegingen vanwege de sneeuw en bescheen een donkere, gevaarlijke wereld. Michael dacht aan Kellie, alleen daarbuiten, gevangen achter dat metalen traliehek. Wat was er gebeurd – wat hadden ze haar aangedaan – hij wilde het allemaal ongedaan maken. Hij wilde dat het niet waar was. Het was te echt, te volwassen. Hij wilde geen volwassene zijn, niet meer.

Taylor zei tegen hem: 'Vooruit.'

Ze duwde hem van zich af, naar de deur.

'Hoi, oom David,' zei ze met een onschuldige glimlach toen David in de deuropening verscheen.

'Heeft een van jullie – '

'Simon gezien?' onderbrak Taylor hem. 'Nee. Tante Stephanie vroeg dat net ook al. Al een poosje niet meer, maar we komen jullie helpen zoeken.'

'Ik ga in de garage kijken,' zei David.

'Goed idee. Wij gaan boven zoeken. We hebben daar gisteren sardientjes gespeeld. Misschien is Simon zich gewoon aan het verstoppen, weet je.'

'Ik weet het,' zei David. De kalmte in zijn stem klonk geforceerd en zijn ogen verraadden hem. 'Maar we proberen hem zo snel mogelijk te vinden, goed?'

Taylor draafde de trap op, gevold door Michael.

'We moeten erover praten,' siste Michael toen ze de overloop bereikt hadden.

'Eerst Simon vinden. Als hij zich aan het verstoppen is, dan doet hij dat omdat hij bang is. En als hij bang is dan gaat hij het waarschijnlijk voor ons allemaal verknoeien. We moeten hem te pakken zien te krijgen, voordat hij begint te blubberen en ons verraadt. Ga jij die kant op,' zei ze. Ze wees naar rechts. 'Dan ga ik deze kant op. En kijk in alle kasten en onder de bedden.'

Ze gingen uit elkaar en doorzochten de kamers. Michael had niet gedacht dat hij er nog de kracht voor zou hebben – niet na het koude zweet en het zwijgen van de afgelopen twee uur, sinds ze Kellie in de mijn hadden achtergelaten – en toch was het er weer: de paniek, die geleidelijk toenam als een elektrische lading binnen in hem. Hij wilde het uitschreeuwen. Hij had het gevoel dat zijn hoofd op barsten stond.

Hij zag steeds Kellies gezicht voor zich, dat angst en woede uitstraalde, en ongeloof over wat ze hadden gedaan. Hij kon het zelf ook nauwelijks geloven. Tot op het moment dat ze het hangslot hadden dichtgeklikt was het allemaal gewoon opwindend geweest, alsof het een uitdaging was. Taylor had het voorgesteld en ze waren het gaan doen. Taylor had alleen het hangslot uit de garage van haar opa gehaald, de rest hadden ze niet eens hoeven plannen. Het was een spel geweest, niet anders dan de andere spelletjes die Taylor, Simon en hij hadden gespeeld. Alleen was het dit keer niet *alsof* geweest. Want Kellie had *echt* iets verkeerds gedaan. Ze had Taylor gekwetst en daardoor Michael ook. Kellie had het over zichzelf afgeroepen.

Maar nu besefte Michael iets anders. Wat ze Kellie hadden aangedaan om haar het betaald te zetten was erger, *veel* erger dan wat zij had gedaan. En elke nieuwe seconde die voorbijging, maakte het nog erger.

'Gevonden?' vroeg Taylor aan hem toen ze elkaar weer troffen boven aan de trap.

'Nee.'

David verscheen onder aan de trap. 'Is Simon daar?' riep hij naar boven.

'Nee,' zei Taylor.

Stephanie botste bijna tegen David op. Haar huid was blauwgrijs, als een blauwe plek. 'Blijf daar nou niet gewoon staan, doorzoeken,' riep ze naar boven.

Michael en Taylor deden een stap terug uit haar blikveld.

Nu hoorden ze Ben praten beneden aan de trap.

'Ik ga terug naar het dorp,' zei hij. 'Om te kijken of Kellie daar is.'

'Toe nou, Ben.' Het was de oude Thorne. 'Wacht nog vijf minuten. Misschien is de storm dan wat afgezwakt.'

'We hebben nog niet in mijn kamer gekeken,' zei Taylor tegen Michael. 'Die kleine schijter zal zich daar wel verstopt hebben.'

Ze draaide zich om en rende de trap op naar de zolder. Michael rende achter haar aan. Taylor gooide de deur open en riep Simons naam. Er kwam geen antwoord. Taylor ging op haar handen en knieën zitten en opende een van de diepe kasten die langs de hele lengte van de kamer liepen tot aan het dak.

'Kom op, Simon,' riep ze de donkere, stoffige ruimte in, 'we weten dat je hier ergens bent...'

'Dit gaat nu echt te ver,' zei Michael. Hij wou dat hij vanochtend nooit was wakker geworden. 'We moeten bekennen.'

'Ben je verdomme gek geworden?' zei Taylor. 'Weet je wel wat ze dan met ons doen? Heb je enig idee hoe mijn moeder zal reageren als ze er achter komt waarom? Waag het niet om nu de lafaard uit te hangen,' zei ze tegen hem.

'Maar je hebt gehoord wat Ben zei. Hij *weet* dat er iets mis is. Ze komen erachter.' Dat wist hij zeker. Michael voelde het diep vanbinnen.

'Niet waar. Niet als we ons aan ons plan houden. Niet als we haar daar laten zitten tot de storm gaat liggen en haar er dan uit gaan halen. Ben is een idioot,' zei Taylor. 'Hij denkt dat Kellie hem aardig vindt, dus hij is al net zo'n sukkel als mijn vader. Hij komt er heus niet achter wat er is gebeurd. Niemand niet.' Ze trok een andere kast open. 'Kom op, Simon!' riep ze.

Michael gooide het slaapkamerraam open. Een ijzige wind woei naar binnen en blies de as van de bierblikjes op de vensterbank. Eén kletterde op de vloer. De lucht zag zwart en dreigend. Als een oceaan in het donker leek het aan te zwellen met een onbegrensde kracht. Het was alof er leven in zat.

'Kijk,' zei hij tegen haar. 'Kijk hoe koud het is daarbuiten.'

'Nou en?'

'Nou en, wat dacht je dan, verdomme? Kellie bevriest. We moeten haar eruit laten. Anders raakt ze onderkoeld. Hypothermie, of hoe dat ook heet.'

'Zo lang zit ze daar nog niet.'

'O ja?' Hij barstte in woede uit. 'En dat weet je zeker? Je bent zeker een dokter, of zo? En dat enorme gat in de tunnel dan, verdomme? Waar Simon bijna in was gevallen... Wat als Kellie daar in terechtkomt? Wat als ze erin valt en doodgaat, verdomme?'

'Het is pikkedonker daarbinnen en ze heeft geen zaklamp. Ze blijft precies waar ze is. Ze wacht tot wij terugkomen.'

'Dat weet je niet. Je – '

'Dat weet ik wel,' zei ze tegen hem. 'Jij bent degene die nergens iets vanaf weet.'

Michael wilde schreeuwen. Ze had altijd haar antwoord klaar. Wat er ook gebeurde. Ze keerde hem de rug toe en opende weer een andere kast en tuurde naar binnen.

'Ik begin nu echt boos te worden, Simon...' riep ze.

'Laat me er een eind aan maken,' smeekte Michael. 'Nu meteen. Ik ga wel terug om Kellie te halen. Ze zal heus niets zeggen. Je hoeft niet eens mee te komen. Geef me de sleutel van het hangslot en dan ga ik haar halen en breng haar terug naar het dorp.'

'Dat red je nooit in die storm. Zelfs als ik zou willen dat je erheen ging, zou je moeten wachten tot het voorbij is.'

Ze kroop naar de laatste kast en keek naar binnen.

'Je wilde haar toch bang maken?' zei Michael. 'Nou, dat heb je nu gedaan. Denk je echt dat ze nog ooit in de buurt van je vader zal komen? Zeker weten van niet. Je hebt nu wat je wilde, dus laat haar gaan.'

Taylor keek hem met een woeste blik aan over haar schouder. 'Ik wilde haar niet alleen bang maken. Ik wilde haar straffen.'

'Wat bedoel je daar nou weer mee?'

Taylor kwam overeind en veegde het stof van haar spijkerbroek. 'Daarmee bedoel ik dat ík het zeg wanneer het tijd is om haar eruit te laten,' zei ze.

'Maar als we het nou mis hebben?' zei Michael. Daar ging het om. Dat was waar hij zo bang voor was. Wat als de reden waarvoor ze het gedaan hadden niet waar was, nooit was geweest? 'Wat dan als ze wel de waarheid heeft verteld? Wat dan als ze niet met je vader uitgaat, of niet meer?'

Anders gezegd, wat had het voor zin om Kellie een lesje te leren, dat ze al had geleerd?

Maar Taylor wilde het niet horen. 'Dat maakt geen bal uit,' zei ze. 'Ze heeft het gedaan. Dat is wat telt. Zie je dat dan niet, verdomme? Het komt allemaal door haar. Allemaal. Mijn vader en moeder waren helemaal niet van elkaar aan het vervreemden. Dat is niet de reden waarom ik werd weggestuurd. Mijn vader moest nooit laat op kantoor werken. Hij neukte met haar. Dat was wat hij aan het doen was. Al die tijd neukte hij met Kellie. Hij heeft me weggestuurd vanwege haar. En nu wil hij ook van mijn moeder af.'

Taylor liep met grote passen naar Michael toe. 'We moeten bij elkaar blijven,' fluisterde ze. 'Jij en ik, Michael.' Ze drukte haar lippen op de zijne. 'Zolang we bij elkaar blijven, kan er niets verkeerd gaan.'

Hij duwde haar weg.

'Ik wil er niets meer mee te maken hebben,' zei hij.

Ze lachte hem uit, ze *lachte* echt. En hij moest denken aan toen ze beneden in de tv-kamer waren, nadat ze terug waren gekomen van de mijn. Ze hadden er zwijgend gezeten en naar *Finding Nemo* gekeken. En gedaan alsof er niets gebeurd was, dat was Taylors idee geweest. De seconden minuten laten worden, de minuten uren, zodat Kellie genoeg tijd zou hebben om na te denken over wat ze had gedaan.

Taylor had gelachen, echt *gelachen* om de grapjes in de film. Alsof Kellie haar niets kon schelen. Het was een mechanische lach geweest, alsof ze hem aanzette, en weer uit. Hoe kreeg ze dat voor elkaar? Dat wilde Michael graag weten. En hoe kreeg ze het voor elkaar om het nu nog te doen? Hoe kon ze hem uitlachen, terwijl dit het meest serieuze moment van zijn leven was?

'Daar is het nu te laat voor,' zei ze tegen hem. 'Je was erbij. Bij mij. Nog erger zelfs, jij hebt haar daarheen gelokt. Als jij er niet was geweest, zou ze nu niet eens verdwenen zijn. Je zit er tot je nek in. Precies zoals ik. En precies zoals Simon.'

Hij keek haar vol afschuw aan. Hij keek in haar ogen en probeerde het meisje te vinden met wie hij was opgegroeid, het meisje dat hem gisteren voor het eerst had gekust, het meisje op wie hij tot over zijn oren verliefd was geworden. Maar hij kon haar niet vinden. Ze was er niet meer.

Op dat moment stierf alles wat hij ooit voor haar gevoeld had.

'Tja,' zei hij, 'dat is nu net het probleem, hè? We zijn er niet allemaal.'

Taylor draaide zich om en trapte het laatste kastje dicht. 'Nee,' gaf ze toe, 'die kleine schijter moet ergens anders zijn...'

Plotseling wist hij het.

'O, God nee,' zei hij.

'Wat?'

'Daar is hij. Daar is hij heen gegaan. Naar de mijn. Hij is ernaartoe gegaan om haar eruit te laten.'

'Doe niet zo belachelijk. Kijk eens wat voor weer het is buiten. Hij is nog zo klein. Hij zou niet durven. Hij weet dat hij het niet mag.'

Maar Michael was al ergens anders met zijn gedachten. Bij de mijn. Bij de grot die ze de vorige dag hadden gevonden. Wat had Simon ook alweer gezegd? Over zijn broer Paul? Over dat hij hem alleen maar wilde redden... dat hij wilde dat hij zijn leven kon redden om alles weer goed te maken...

Dat had hij niet kunnen doen voor Paul, maar wat als hij had besloten om het voor Kellie te doen?

'De sleutel,' zei Michael. 'De sleutel voor het hangslot. Waar is die?'

'Als jij denkt dat ik je ga vertellen – ' Maar toen zag hij het ook in haar ogen, de twijfel, de angst. Ze was bang dat hij gelijk had.

'Zeg het nou gewoon,' schreeuwde hij. 'Anders ga ik naar beneden en vertel alles. Ik zweer het je. Waar is – '

'In mijn jaszak. In mijn jas, bij de voordeur...'

Michael duwde zich langs haar heen en rende naar de deur. Ze riep hem iets na, maar hij hoorde niet wat ze zei en het kon hem ook niets meer schelen. Hij denderde de eerste trap af, liep bijna Isabelle omver, en racete de andere trap af naar de hal. Hij zocht door de jassen op de kapstok naast de deur, totdat hij die van Taylor vond. Hij draaide de zakken binnenstebuiten, en wist onmiddellijk dat hij gelijk had gehad.

Taylor was nu ook bij de kapstok gekomen.

'Hij is weg,' zei hij. 'En de zaklampen? Waar waren die?'

'In die tas,' zei ze. Ze wees naar de Peter Jones-tas naast zijn voeten.

Hij raapte hem op. Hij was leeg.

'Ik ga,' zei hij.

'Nee.' Ze greep hem bij zijn schouders. 'Dat gaat niet.'

'Laat me los, verdomme!' schreeuwde hij. Hij duwde haar van zich af zo hard hij kon. Ze viel achterover op de grond, net toen Isabelle de hoek om kwam.

'Wat is hier aan de hand?' vroeg Isabelle streng.

'Ik ga weg,' zei Michael.

'Nee, niet met dit weer,' Isabelle sprong op hem af. 'Niet voordat je me vertelt – '

'Laat me los,' zei Michael tegen haar. Hij schudde zich los. 'Nu.'

Maar ze liet hem niet los. 'Hoe waag je het zo tegen me te spreken,' snauwde ze. 'En hoe durf je mijn dochter omver te duwen, kleine schurk!'

Elliot rende door de hal naar hen toe.

'Wat is hier in godsnaam aan de hand?'

Taylor was alweer opgestaan. 'Laat hem los,' zei ze tegen haar moeder.

'Nee, niet voordat – '

'Laat hem los!' gilde Taylor.

Er kwamen nog meer voetstappen op hen af. Het geschreeuw werkte zoals rook mensen naar het vuur toe trekt. Plotseling stond iedereen in de hal op elkaar gepropt als in de gang van een school nadat de laatste bel gegaan was. Gezichten drongen zich in het blikveld van Michael. Elliot en Isabelle, Ben en David, en nu Stephanie en de oude Thorne. Het was de stem van Stephanie die uiteindelijk boven alle andere uitkwam. Ze duwde Isabelle opzij en keek Michael strak in de ogen.

'Jij weet waar hij is, of niet? Jij weet waar Simon is.'

Zodra Michael zijn mond opendeed, schreeuwde Taylor: 'Hou je kop! Hou je kop, vuile verrader!' Spuug vloog uit haar mond en landde op zijn wang.

Stephanie draaide zich naar haar om. 'Hou *jij* je kop.'

'Taylor?' vroeg Elliot.

'Rot op! Ik haat je,' zei ze tegen hem en begon te snikken. 'Ik haat je, stomme klootzak.'

Isabelle sloeg haar armen om haar dochter heen, Elliot draaide zich naar Michael toe met een plotselinge blik van angst in zijn ogen.

Maar Michael staarde in de wanhopige, hongerige ogen van Stephanie.

'Zeg het,' zei ze tegen hem. 'Zeg me waar hij is.'

Hoofdstuk 31

'Hij is naar de mijn gegaan,' zei Michael.

Stephanie greep hem bij zijn schouders. Hij keek Stephanie recht aan. Hij was doodsbang.

'Wat hebben jullie gedaan?'

'Simon is naar de mijn gegaan,' herhaalde hij.

'Hoe weet je dat?'

'Omdat de sleutel van het hangslot weg is. En de zaklampen.'

Stephanie kon haar oren niet geloven. 'Maar hij kan toch niet met dit weer naar buiten zijn gegaan? Waarom zou hij dat doen? Waarom zou hij daarheen gaan? Weet je het zeker?'

'Hij wil alles weer goedmaken,' zei Michael. Hij begon te huilen.

'Goedmaken?'

'Hij wil een leven redden. Vanwege Paul.'

Plotseling stond David naast Stephanie. Ze deinsde terug van Michael en legde haar hand over haar mond. Ze voelde de hand van David op haar schouder.

'Michael,' zei hij. 'Wat is er aan de hand?'

Taylor gilde iets achter hen.

'Hou je mond!' schreeuwde Stephanie naar haar, 'laat hem praten.'

'Michael. Wat hebben jullie gedaan?' vroeg David streng.

'We hebben Kellie in de mijn opgesloten.'

'*Wat hebben jullie gedaan?*' zei Ben.

'We wilden haar alleen maar bang maken. En toen begon het te stormen.'

'Stomme idioot,' zei Elliot plotseling. Hij sprong op Michael af. 'Dit is allemaal jouw schuld.'

'Maar waarom?' vroeg Ben. Hij stak zijn arm uit om Elliot tegen te houden.

Taylor draaide zich om, duwde zich door haar familie heen en rende de hal uit. Haar voetstappen weerklonken door de hal en donderden de trap op.

Michael keek ellendig naar de grond. 'Omdat Elliot en Kellie een verhouding hadden,' zei hij. 'We hebben ze samen gezien. We hoorden hoe ze plannen maakten.'

Elliot sprong opnieuw op Michael af, maar Isabelle ging net op tijd voor hem staan en sloeg Elliot zo hard in zijn gezicht dat hij bijna achteroverviel.

'Hoe durf je?' schreeuwde ze.

Elliot hield zijn wang vast. Hij zag er verschrikt uit. 'Liefste, dit is nooit de bedoeling geweest. De kinderen hebben het helemaal mis. Het is voorbij tussen Kellie en mij. Ik houd van *jou*.'

'Ik geloof er niets van,' schreeuwde Isabelle. Ze stormde hem voorbij. 'Ik wist wel dat zij het was!'

Elliot strompelde schreeuwend achter haar aan. Maar Stephanie luisterde al niet meer. Binnen in haar oren hoorde ze een rood gebrul. Die verachtelijke verhouding van haar broer kon haar geen zak schelen.

David moest hetzelfde hebben gedacht. Want hij had hun jassen al in de hand. Zonder iets te zeggen, pakte ze haar jas en trok hem haastig aan. Ben volgde zwijgend hun voorbeeld. Achter hen schreeuwden Elliot en Isabelle verder.

'Jij komt met ons mee,' zei David tegen Michael. 'Om ons de weg te wijzen.'

Michael zei niets, maar pakte zijn jas.

'Heb je een paar zaklampen, Gerald?' vroeg David. 'En touw. Haal ze snel.'

*

Buiten was het ijskoud. Het sneeuwde niet meer zo hard, maar de wind was nog steeds sterk.

'Deze kant op,' zei Michael. Ze leunden voorover in de wind en liepen in ganzenmars, eerst Michael, dan Ben, dan David, dan Stephanie, de oprijlaan af naar de weg.

Had Simon hier ook gelopen? Hoe lang geleden? Hoe had hij het alleen kunnen redden?

Honderd meter lang volgden ze de weg. Ze stopten even. Michael en Ben schreeuwden iets naar David boven de gierende wind uit. David ging vooroplopen en op dat moment, het moment dat hij van de derde plaats naar de voorste plaats ging, herinnerde Stephanie zijn kracht weer.

Hij zou hen daarheen brengen. Hij zou haar naar haar zoon brengen.

David voerde hen richting oosten, de heuvel op en over Solace Hill heen. Het was de kortste weg naar de rotsen die uitkeken over Hell Bay. En naar de mijn. Haar voeten werden zwaar van de sneeuw. Haar spieren deden pijn. Maar ze wilde niet stoppen. Ze zou nooit stoppen.

Buiten de deur had Ben Michael verhoord en hij had gezegd dat het niet langer dan twintig minuten zou duren voor ze er waren. Twintig minuten? Met dit weer? Hoe had haar kleine jongen dat in godsnaam voor elkaar moeten krijgen?

Maar hij *zou* het voor elkaar hebben gekregen. Stephanie wilde per se dat het zo was. Hij zou het gered hebben door de sneeuw. Net zo goed als dat ze hem nu zouden vinden. Hoop. Ze hield het stevig vast vanbinnen, als een brandend kaarsje. Ze zou het hoe dan ook beschermen tegen de wind. Ze zou niet toelaten dat het uit zou gaan.

Maar Michaels woorden resoneerden nog steeds door haar hoofd. *Hij wil een leven redden. Vanwege Paul.*

En al strompelend door de sneeuw, besefte ze de gruwelijke waarheid. Dit was haar schuld. Het was niet de schuld van David. Het was niet de schuld van Simon. Het was allemaal haar schuld. Het feit dat zij iedereen de schuld gaf, moest zwaar op de schouders van Simon hebben gedrukt.

Hoe had ze haar kleine jongen het gevoel kunnen geven dat hij een held moest zijn? Hij kon Paul niet terugbrengen. Dat kon niemand. Dat begreep ze nu. Al die tijd was ze zo in het verleden verwikkeld, maar nu was ze plotseling doodsbang voor de toekomst. Want als er iets met haar gezin gebeurde...

O god. Wat had ze gedaan?

Ze voelde zich ziek van angst. Haar zoon was Kellie gaan redden. Omdat Taylor Kellie alleen in de mijn had achtergelaten.

Stephanie kon niet geloven wat Taylor had gedaan en waarom. Kellie en Elliot. Het leek allemaal te belachelijk om waar te zijn. Al die leugens. Affaires. Wraak. Woede. Het betekende allemaal niets als je het vergeleek met het leven zelf. Met het leven van haar dierbare, dierbare kleine jongen.

Stephanie strompelde verder door het duister. Het leek wel een nachtmerrie. Alsof ze in de ruimte was, sneeuwvlokjes die op haar afkwamen als meteoren. Ze verdrong de gedachte aan zinkputten.

Had Simon deze tocht echt alleen kunnen maken, vroeg ze zichzelf opnieuw af. En als zij al zo bang was, hoe voelde hij zich dan?

Ze stopten.

'Hoe ver nog?' schreeuwde David.

'We zijn er bijna,' schreeuwde Michael terug.

Stephanie liep naar David toe, haar hand gleed in de zijne. Ze zouden dit samen aangaan. Wat hen ook te wachten stond. David kneep in haar hand.

'We zijn er,' schreeuwde Michael even later. Hij duwde een paar takken opzij.

David keek haar aan en ze renden allebei vooruit.

'Simon,' riep ze. 'Simon?' Maar haar stem werd weggeblazen door de wind.

Ze kwamen bij een metalen hek. Wat was dit voor een plek? Hoe hadden de kinderen dit überhaupt kunnen vinden? Ze had gedacht dat ze gewoon buiten aan het spelen waren geweest. Hoe hadden ze dit ontdekt? Het was angstaanjagend.

'O god, waar zijn ze?' vroeg Stephanie. Ben trapte tegen het hangslot en het hek zwaaide open.

David en Ben renden naar binnen. Ze riepen om Simon en Kellie en beschenen de ingang van de tunnel met hun zaklampen. De wind huilde om hen heen.

Stephanie begon in paniek te raken.

'Hij zou hier moeten zijn,' zei Michael. 'Zij allebei.'

'Kalm blijven,' zei Ben tegen hem. 'Het komt allemaal goed.'

Plotseling hoorde Stephanie een zwak stemmetje uit de duisternis komen. 'Mama?'

Het was Simon.

'David! Hij is hier,' schreeuwde ze. Ze rende in de richting van het geluid van zijn stem.

Simon zat in elkaar gedoken in het donker. Ze viel op haar knieen en tilde hem op. Hij was zo klein en kwetsbaar. Hij voelde piepklein in haar armen.

Ze hield hem vast en snikte. Hij huilde en klampte zich aan haar vast. Hij rilde heftig.

'Je bent veilig, je bent veilig,' zei ze en kuste zijn gezicht en zijn haar. 'We zijn bij je.'

David rende naar hen toe en hield Simon vast. Ze drukten Simon tussen hen in.

'Mijn liefste, liefste jongen,' zei Stephanie. Ze zette een stap achteruit en streelde Simon over zijn gezicht.

'Kellie is er niet. En ik was te bang om verder te gaan. We hadden haar niet hier moeten laten. Ik zei nog tegen Taylor – '

'Shh,' zei Stephanie. Ze probeerde zijn angst te sussen. 'We zijn er nu. Alles komt in orde.'

'Maar Kellie? Wat als er iets met haar gebeurd is?' snikte Simon.

Stephanie drukte hem stevig tegen zich aan. David aaide hem over zijn hoofd.

'Dankzij jou zijn we nu hier,' zei David. 'Je bent heel erg moedig geweest.' Hij keek Stephanie aan over het hoofd van Simon, en ze voelde iets hards in haar verschuiven.

'Ik ga verder,' zei Ben. Hij haastte zich verder de tunnel in.

'Vergeet niet wat ik je gezegd heb over het gat. Je moet over de richel heen. Wil je dat ik met je meega?' riep Michael hem na.

'Blijf waar je bent,' schreeuwde Ben terug.

'Zijn jullie boos op ons?' vroeg Simon, toen Ben weg was.

'Nee hoor, liefste,' zei Stephanie en drukte hem tegen zich aan.

'Het spijt me zo,' huilde Simon. 'Ik heb overal zoveel spijt van. Ik wilde Kellie redden. Ik wilde alles weer goedmaken – '

'Shh,' zei David.

'O, Simon, het is allemaal mijn schuld,' zei Stephanie. 'Het enige wat telt is dat jij nu in veiligheid bent. Dat is het enige wat telt.'

Ze hield hem stevig vast en reikte haar arm uit naar David en hield ook hem stevig vast. Ze wilde hen nooit meer loslaten. Davids ogen glinsterden van de tranen toen ze elkaar aankeken. En Stephanie besefte iets wat ze lang niet voor mogelijk had gehouden: ze hield van hem. Het was David die haar rots was. En niemand anders. Ze wilde hem niet kwijtraken. Ze *kon* hem niet kwijtraken. Als hij haar weer terug zou nemen, zou ze er alles voor overhebben om hen allemaal gelukkig te maken.

'Gaan we samen naar huis?' vroeg Simon. 'Wij allemaal?'

Hij keek omhoog van Stephanie naar David. Ze staarden elkaar nog steeds aan.

'Kan dat?' vroeg ze.

Hoofdstuk 32

Kellie zag het niet meer zitten. Het was alsof ze in een computer-spelletje zat, dat op elk niveau een nog grotere nachtmerrie werd.

Ze had nooit gedacht dat het zo slopend zou zijn om door de tunnel te gaan. Als ze eraan terugdacht was het bijna nog angst-aanjagender dan het in werkelijkheid was geweest. Toen ze zich vastgeklampt had aan de richel en dat zwarte, zwarte gat achter haar in keek, wist ze dat één foute beweging haar dood kon bete-kenen. Ze had zichzelf moeten dwingen om haar voeten centime-ter voor centimeter vooruit te schuiven. Ze had zichzelf moeten dwingen om niet verlamd te raken van angst. In haar hoofd bleef ze het herhalen, steeds opnieuw, dat ze een weg naar buiten moest en zou vinden. Ze had zichzelf gedwongen te geloven dat er een einde moest komen aan de tunnel.

En dat was ook zo.

En hier was het.

Het was alleen geen uitgang. Het was een gemene grap. Want ze was in de ingang van de grot, hoog boven in de rotsen, die ze had gezien met Ben toen ze een paar dagen geleden de boot aan land hadden getrokken. En het was minstens honderd meter hoog. En er was geen weg naar beneden.

De afnemende maan scheen door de wolken en verlichtte de grot en het water ver beneden. Het zag er zwart en angstaanjagend uit, de golven zwollen aan en sloegen op de rotsen. Was het Ben gelukt om bij de boot te komen? Was hij in veiligheid?

Ze leunde over de rand. Kellie kon de vissershut zien waar ze met Ben was geweest. Maar de boot was weg.

Als ze niet een uur had geprobeerd om het hangslot open te wrikken, dan was ze hier misschien op tijd geweest om Ben met Jack te zien vertrekken. Dan hadden ze haar misschien gezien. Dan was ze hier misschien ondertussen uit geweest.

Nu zat ze nog steeds gevangen.

Ze kroop snel naar achteren, uit de wind. Ze zakte in elkaar tegen de wand van de grot. Op de wand aan de overkant las ze de honende graffiti nogmaals. Er stond: SIMON EN TAYLOR EN MIKEL 4EVER. Degene die het geschreven had, kon in elk geval niet Michaels naam spellen. Ze was erin geluisd door een stel stomme kinderen.

Maar nu besefte ze dat als zij hier waren geweest, ze er ook weer uitgekomen waren. De maan verdween achter de wolken. Hoopvol probeerde ze nog eens de zaklamp aan te knippen, maar hij deed het niet meer. Haar vingers trilden zo erg dat de zaklamp uit haar handen viel en over de vloer van de grot kletterde. En dan te bedenken dat ze een paar uur geleden nog had gedacht dat haar niets meer kon gebeuren, dat ze aan het web van de Thornes was ontsnapt en op het punt stond het eiland voorgoed te verlaten.

In plaats daarvan zat ze hier vast op een plek die zo dicht in de buurt van de hel kwam als ze zich maar voor kon stellen. Werd ze gestraft door een of andere boosaardige god voor haar heidense gedrag? Kwam dit allemaal omdat ze niet in Kerstmis geloofde?

Of kwam dit door die verdomde Elliot Thorne? Achterbakse, arrogante, ontrouwe, leugenachtige, bedrieger van een klootzak die hij was.

Ze rukte de ketting die Elliot haar had gegeven van haar hals en slingerde het ding de nacht in. Ze hoorde hem niet op de grond terechtkomen. En het kon haar niets schelen. Ze wilde Elliot nooit meer zien. Ze kon niet verantwoordelijk zijn voor wat ze hem zou aandoen. Als een volgende logische gedachte pakte ze haar portemonnee en haalde er de foto van Elliot uit. Ze herinnerde zich hoe Ben de foto van Marie in de wind had gegooid en dat deed zij nu ook. Maar in plaats van dat hij wegwaaide, fladderde de foto voor haar voeten. Grommend van woede en frustratie stampte ze erop met haar hak, net zo vaak tot hij helemaal uit elkaar was gevallen.

Kellie boog voorover en raapte de zaklamp op. Ze friemelde aan het batterijdekseltje. Op het gevoel in het donker, likte ze de puntjes van de batterijen en stopte ze weer in de zaklamp. Gingen ze dan niet langer mee? Ze wou dat ze beter had opgelet bij die survivalprogramma's op televisie. Ze had bij lange na niet genoeg kennis voor de hachelijke situatie waarin ze zich bevond. Maar het hielp niet. De zaklamp deed het echt niet meer.

Ze trok de capuchon van haar jas helemaal over haar hoofd en dook ineen in het donker uit de wind. Ze wist niet meer wat ze moest doen. Ze kon niet weer teruggaan door de mijn. Ze kon niet terug naar dat gapende gat in de grond dat haar bijna had opgeslokt. Als ze zonder zaklamp in het donker over de richel zou proberen te komen, zou ze bijna zeker doodgaan.

Dus moest ze wachten tot de ochtend, tot het licht was en hopen dat er dan genoeg licht door de tunnel kwam, zodat ze terug naar de ingang kon komen.

Maar wat als ze het vannacht zo koud kreeg dat ze dood zou gaan? Wat als ze in slaap viel en niet meer wakker werd?

De duisternis leek op haar af te komen. Ze deed haar ogen dicht, maar de angst bleef. Als niemand haar vond en zij ging dood, dan zou ze sterven zonder ware, duurzame liefde te hebben ervaren, zonder de plekken in de wereld te zien die ze nog wilde zien, zonder dat ze zelf kinderen had gehad, zonder oud te zijn geworden...

Ze dwong zichzelf om zich te ontspannen, want als ze zo doorging met bibberen, zou ze nog sneller uitgeput zijn. Ze moest aan iets moois denken. Iets positiefs.

Ben.

Ze legde haar voorhoofd op haar knieën. Haar iPod kwam plotseling tot leven in haar oren. Blijkbaar een stuk dat verborgen was geraakt. Het was een droevig nummer met akoestische gitaar dat ze nog nooit eerder had gehoord.

En plotseling speelde zich een film in haar hoofd af. Ze zag zichzelf foto's maken van zeehonden met Ben, ze zag hun sneeuwballengevecht en zichzelf karaoke zingen in de kroeg, ze zag de papieren letters die hij had opgehangen en de kerstlunch die hij voor haar gemaakt had. En in elk shot was ze aan het lachen.

Ze zag hen in bed, afgelopen middag. Ze herinnerde zich hoe ze zich gevoeld had. Hoe ze zich bij hem gevoeld had. Want bij hem had ze zich helemaal zichzelf gevoeld. En hij had haar het gevoel gegeven dat hij haar helemaal wilde. En zij wilde zichzelf helemaal aan hem geven. Alles. Haar gedachten, haar gevoelens, haar hoop, haar toekomst. Al die dingen die ze nooit aan Elliot had gegeven.

Ze legde haar gezicht in haar handen en accepteerde de waarheid.

Ze had het verknald.

Ze barstte in huilen uit, haar tranen veranderden in zielige, hartverscheurende snikken.

Plotseling merkte ze dat ze vastgegrepen werd door iets.

Ze gilde. Doodsbang.

Er was licht.

De oordopjes vielen uit haar oren.

En alsof er een engel was neergestreken, zat Ben voor haar neergeknield en hield haar armen vast. De zaklamp lag naast hem op de grond.

'O god, je leeft nog. Ik dacht dat je verder de mijn in was gegaan. Ik dacht dat je dood was.'

Hij was echt. Hij was geen droom. Ze schreeuwde het uit van opluchting en schrik en viel in zijn armen.

'Is alles goed met je? Ben je gewond?' vroeg hij.

Ze schudde haar hoofd, ze kon bijna niet praten. 'Hoe heb je me kunnen vinden?'

'Simon kwam je redden. Heb je niet gehoord dat hij je naam riep?'

Simon. Ze herinnerde zich hoe hij Taylor had gesmeekt om haar te laten gaan.

'Hij is hiernaartoe gekomen?' vroeg ze. 'Is alles goed met hem?'

'Ja, hoor. Hij is bij zijn vader en moeder.'

'Hoe heb je me gevonden? Ik begrijp het niet. Ik dacht dat niemand me zou vinden, ooit. Ik dacht – '

Ze rilde, te geschokt en opgelucht tegelijkertijd om iets te zeggen.

'Michael heeft alles bekend,' zei Ben.

Kellie ademde diep in. Het was dus gebeurd. Een van hen had zich niet in kunnen houden.

'Heeft hij verteld waarom ze me opgesloten hebben?'

'Ja.'

'Alles?'

'Ja.'

'O god, o god.' Ze begroef haar gezicht in haar handen. 'O Ben.

Het spijt me zo. Ik schaam me zo.'

'Ja, nou... ik geloof dat het maar goed was dat je er niet bij was. De vrouw van Elliot had er wel het een en ander over te zeggen...'

'Je zult nu wel een hekel aan me hebben. Dat ik tegen je gelogen heb. Ik wilde het uitleggen. Ik wilde het je vertellen.'

Ben zei niets. Hij hielp haar overeind. Haar benen trilden.

'Kom op. We moeten je hier uit krijgen,' zei hij.

Maar ze wilde niet gaan. Nog niet. Niet voordat ze alles had uitgelegd. Dit was te belangrijk.

'Nee, Ben, luister nou, je moet echt luisteren. Ik moet het uitleggen. Weet je, toen ik jou ontmoette, begon ik te beseffen dat ik een vreselijke fout had gemaakt met Elliot. Maar ik heb hem vandaag gezegd dat het voorbij was, voor altijd, maar de kinderen, ze begrepen het verkeerd. Ze hadden me niet horen zeggen dat het voorbij was. Want dat is zo. Afgelopen middag... ik...'

Ze keek hem aan, haar ogen gevuld met tranen. Ze kon er niet tegen dat ze hem was kwijtgeraakt. Maar als ze het verknald had, en dat wist ze zeker, dan had ze niets te verliezen. Ze moest zorgen dat hij het begreep.

'Wat ik wilde zeggen, ik weet dat ik je pas net ken, maar vandaag dacht ik dat ik doodging. En ik kon alleen maar aan jou denken en hoe ik me bij je gevoeld had,' ze pauzeerde. 'En ik weet dat ik het helemaal totaal naar de klote heb geholpen tussen ons beiden, maar – '

Ben legde zijn vinger zachtjes op haar lippen. 'Sjj,' zei hij. 'Ik denk dat totaal naar de klote een beetje te veel gezegd is.'

Ze stopte. Staarde in zijn gezicht. Zou hij dat echt menen? Zou hij haar echt vergeven hebben?

'Wat?' vroeg ze.

'Ik heb er ook over nagedacht op weg hiernaartoe. Je hebt niet tegen me gelogen. Je hebt me alleen niet de waarheid verteld. En ja, daar moet je iets aan doen. Ik had geen idee dat je zo iets groots voor me verborgen hield. God, wat ben jij handig. Je zult wel een geweldige advocaat zijn.'

'Nee, hoor. Kijk maar waar het me gebracht heeft. Dit allemaal. O, Ben,' snikte ze. Ze veegde haar gezicht af aan de mouw van haar jas. 'Het spijt me zo verschrikkelijk.'

'Hé, weet je wat ik denk? Volgens mij ben je wel genoeg gestraft.'

Hij duwde haar haar naar achteren en glimlachte naar haar. Haar hart maakte een sprong.

'Dus ik heb het niet helemaaltotaalnadeklote geholpen? Of totaalhelemaal, ik weet niet meer welke?' vroeg ze.

'In dit geval, zou ik zeggen, slechts voor een deel.'

Ze gooide haar armen om zijn nek. 'O Ben, o Ben, dank je,' huilde ze.

Ze draaide haar hoofd omhoog en kuste hem. Hij trok haar in zijn armen en hield haar stevig vast, en kuste haar terug. Ze had het gevoel alsof ze zijn ziel kuste, ze werd helemaal warm vanbinnen. En ze wist dat ze hem nooit meer zou teleurstellen.

Eindelijk pakte hij haar handen en warmde ze tussen de zijne.

'Weet je, ik wou dat we gewoon in dat hutje waren gebleven,' zei ze.

'Ik niet. Dan had ik je nooit in je blootje gezien,' plaagde hij.

'Daar heb je nu toch geen spijt van, hè?'

'Jezus, nee.'

'Goed. Ik ook niet. Helemaal niet. Het is het beste wat me ooit overkomen is. Behalve dan dat jij hier nu bent.'

Ze kuste hem opnieuw.

'Wat gaan we nu doen?' vroeg hij.

'Ik wil hieruit en dan zo ver mogelijk hier vandaan.'

'Waar naartoe?'

'Ik wil naar huis. Naar Australië. En dan... dan overal heen.'

Hij lachte. 'Klinkt goed.'

'Bedoel je dat je met me meekomt?'

'Je dacht toch niet dat ik het meisje alleen red en dan niet meevlieg naar de horizon, of wel? Zo eindigen toch alle goede films?'

'Geloof me. Dit is veel, veel beter dan een film.'

'Hallo?'

Ze draaiden zich allebei naar het geluid toe. Het was de stem van David.

'Gelukkig. Gaat alles goed hier?' vroeg David. Hij stapte uit het donker de grot in. Hij bescheen hen met een felle zaklamp.

'Ja, hoor. Ik heb haar eindelijk gevonden,' zei Ben.

'Dat heb je inderdaad,' zei Kellie.

Ze glimlachte naar hem en sloeg haar armen weer om hem heen. Samen liepen ze naar het licht.

Dag 4

Een nieuwe dag

Hoofdstuk 33

Michael staarde uit zijn slaapkamerraam naar beneden. Het zee-ijs was gesmolten en had zich teruggetrokken in de zee. De ijspegels waren van de dakgoot gevallen, en op een paar plekken lag nog wat sneeuw, doorzichtig op het asfalt, vies van de modder op de bloemperken. De lucht was blauw en helder, zonlicht schitterde over de ruwe bruine golven in de haven.

In Michaels kamer was het zo heet als op het strand in de zomer. Gistermorgen had Roddy, geholpen door een klusjesman uit St. John's, eindelijk de generator weten te repareren, en sindsdien had de verwarming vol aangestaan.

De laatste maten van 'New Born', van Muse, bonkten uit de boxen achter Michael, daarna begon 'Yesterday', van de Beatles. De kamer veranderde in een troostrijke omgeving en nu kon Michael zich eergisteravond weer voor de geest halen, waarop hij Ben en de anderen naar de vluchttunnel van de Wilson-mijn had geleid. Net als de herinnering aan een verwonding, of pijn op zich, kon Michael de reeks gebeurtenissen in zijn geheel niet bevatten. Hij kon het alleen maar in fragmenten onder ogen zien, in flitsen, alsof hij alles bekeek door de flikkerende lichtstraal van een zaklamp die het bijna begaf.

Flits: hij herinnerde zich de tocht naar de mijn door de sneeuw, met Ben naast hem, geen moment langzamer lopend, zonder pauze. Flits, flits: over de top van de heuvel; door het spookdorpje; langs de machinekamer de heuvel af. En Simon: een glanzende bundel tegen de witte sneeuw, leunend tegen de wand van de ingang van de tunnel als een verzameling oude spullen naast de deur van een tweedehandswinkel. Nog een flits: dieper in de mijn. De wind die wegstierf. De echo van Bens stem die Kellies naam roept. Schijnsel van de zaklampen in het pikzwarte niets van de gapende scheur in de vloer van de tunnel... zoekend naar aanwijzingen van een val. Later. Kellie. Hier terug in de kroeg. Ben die

Roddy en zijn moeder alles vertelt.

Het belangrijkste wat er uit de hele avond was voortgekomen was dit: Simon leefde. Simon had het overleefd. Simon en Kellie en iedereen had het overleefd.

Zelfs nu fladderderden er vlinders door Michaels buik bij die gedachte. Zijn hart klemde zich eromheen, alsof het de hoop wilde vasthouden.

Simon en Kellie hadden het overleefd. Geen van beiden was gewond geraakt. Gisteren de hele dag, en vandaag ook moest Michael er steeds weer aan denken hoe makkelijk het allemaal anders had kunnen zijn. Simon had kunnen vallen op weg naar de mijn. Of hij had verder naar binnen kunnen gaan en opgeslokt kunnen worden door de mijn. Hij had in het ravijn kunnen vallen, en ze zouden hem nooit meer hebben gevonden. Dat had ook met Kellie kunnen gebeuren, en met Ben, toen hij haar ging halen.

En dan? Waar zou Michael dan geweest zijn? Dan was het voorbij geweest met zijn leven. Werkelijk. Helemaal voorbij. Omdat hij laf was geweest. Omdat hij zich niet tegen Taylor had verzet. Omdat hij haar geholpen had met de dingen die zij wilde doen.

Maar feit bleef – godzijdank – dat niemand was omgekomen. Ze hadden het overleefd. En uiteindelijk was dat aan hem te danken. Hij had Ben en de anderen op tijd naar de mijn geleid. Hij had zijn eerdere zwakte en lafheid weer goedgemaakt. Toch? Hij had het weer goedgemaakt dat hij Kellie voor Taylor naar de mijn had gevoerd. En hij had het weer goedgemaakt dat hij te bang was om Taylor kwijt te raken door zich tegen haar te verzetten. En hij had het weer goedgemaakt dat hij niet zo moedig was geweest als Simon, die in zijn eentje de storm had getrotseerd om alles weer recht te zetten. Die dingen kon Michael niet veranderen, en hij zou ermee moeten leren leven, maar hij had tenminste schoon schip gemaakt, een schip dat anders onder het bloed zou hebben gezeten. Hij had tenminste uiteindelijk het juiste gedaan, door alles op te biechten aan Stephanie, voordat het te laat was.

Hij had het weer goedgemaakt wat betreft Kellie, maar hij werd nog steeds achtervolgd door een ander soort schuldgevoel. Want hij wist dat Taylor ook gelijk had gehad toen ze hem een verrader noemde. Ze had hem voor de keuze gesteld, haar of hen. En hij had niet voor haar gekozen.

De moeder van Michael en Roddy gaven Taylor de schuld. Roddy zei dat Taylor gek was. Hij zei dat ze hulp nodig had. Taylor gaf de schuld aan Kellie. Isabelle aan Elliot. Elliot aan Michael.

Ze hadden gereageerd als een stel ronddraaiende honden, zij allemaal, iedereen probeerde de ander in de staart te bijten. Niemand wilde de verantwoordelijkheid nemen voor wat er was gebeurd. In plaats daarvan hadden ze elkaar de schuld gegeven.

Maar Stephanie en David hadden gezwegen. Ze hadden niemand beschuldigd, niemand verantwoordelijk gemaakt en niemand bedreigd. Op het moment dat ze hun zoon weer terug hadden, was het alsof hij nooit was weggeweest.

Eigenlijk waren het Ben en Kellie die nog het meeste recht hadden op een proces, Ben als slachtoffer van bedrog, Kellie van wraak. Maar ze hadden ervoor gekozen om geen aanklacht in te dienen. Er was niemand gewond geraakt, had Kellie tegen Ben en Michaels moeder gezegd. Ze wilde de politie er niet bij betrekken. Ze wilde dit deel van haar leven hier achterlaten. En Ben was het met haar eens geweest. Want Ben was nu onderdeel van haar nieuwe leven.

Michael had hun gezichten geobserveerd toen ze de mijn uit waren gekomen. Hij had gezien dat hun vingers in elkaar verstrengeld waren. Kellie liet dit allemaal achter zich, simpelweg omdat ze het allemaal achter haar *kon* laten, omdat ze ergens anders heen kon, en iemand anders had.

Michael en Taylor hadden ongelijk gehad wat betreft Kellie, maar ook gelijk. Ze hadden gelijk gehad dat ze een verhouding had met Elliot Thorne, maar ongelijk dat ze er geen einde aan had gemaakt. Dat had ze wel, en ze was meteen een nieuwe aangegaan. Ze hadden gelijk gehad dat ze verliefd op iemand was geworden op het eiland, maar ze hadden de verkeerde man in gedachten gehad.

Kellie en Ben waren uit de diepte van de mijn tevoorschijn gekomen. Stephanie had Kellie onderzocht, maar had haar verontschuldigingen weggewuifd. Op hun beurt hadden Ben en Kellie de uitnodiging om mee terug te komen naar het huis van Thorne

345

afgewezen. Tegen die tijd sneeuwde het niet meer. Kellie en Ben hadden ervoor gekozen om terug te gaan naar het dorp met Michael. Michael had al meteen geweten dat geen van beiden ooit nog een voet in het huis van Thorne zou zetten.

Michael had geprobeerd om zijn verontschuldigingen aan te bieden aan Kellie, later, buiten *The Windcheater*, voordat ze naar binnen waren gegaan om zijn ouders onder ogen te komen. Niet dat hij om vergiffenis wilde vragen. Hij wilde er niet eens de boosheid mee voorkomen die als een orkaan door de kroeg zou razen. Hij wilde het alleen doen omdat hij wist dat wat hij gedaan had verkeerd was geweest.

'We doen allemaal wel eens stomme dingen,' was het enige antwoord van Kellie geweest. 'Maar het enige echte stomme ding dat je kunt doen is om niet te proberen het weer goed te maken.'

Hij hoopte dat hij dat gedaan had. Hij hoopte dat hij dat zou blijven doen. Samen met Taylor had hij Kellie een lesje willen leren, maar uiteindelijk had hij er zelf een geleerd. Gisteren had hij Ben en Kellie in de boot van Ben zien vertrekken. Kellie had zich omgedraaid en naar hem gezwaaid. Hij meende dat hij haar had zien glimlachen.

Nu opende hij het raam en keek naar buiten. Hij kon ze daar zien, de rest van de Thornes. Ze zaten op een hoopje bij elkaar naast de scheepshelling van de haven, te wachten op de boot die hen op zou komen halen. De oude Thorne leunde tegen zijn groene Landrover. Stephanie, David, Simon en Nat stonden boven aan de verharde scheepshelling en keken uit over de zee.

Simon zag er plotseling zo jong uit, zoals hij naast zijn vader stond. David tilde hem hoog de lucht in alsof hij van piepschuim was. Terwijl David hem in het rond draaide. Michael hoorde zijn lach als de gil van een meeuw. Stephanie tilde Nat op en liep naar haar man toe.

De ruimte tussen hen werd steeds kleiner en verdween helemaal. Ze leunden tegen elkaar aan, met hun kinderen in hun armen.

De enige mensen die ontbraken in het familieportret waren Elliot, Isabelle en Taylor. Twee silhouetten zaten ineengedoken achter in de auto, Taylor en Isabelle, dacht Michael. Elliot was al een dag eerder naar het vasteland teruggegaan. Hij was met de concurrent van de taxiservice van Bens vader meegegaan, alleen.

Simon slaakte nog een hoge gil en Michael keek uit over de zee en zag een rode rubberboot botsend over de golven aan komen varen. Michael pakte zijn verrekijker en speurde over het wateroppervlak. Een dikke man met grijs haar, die Michael niet kende, zat aan het roer. Michael draaide de verrekijker terug naar de haven en zag nog net hoe David en Simon de tassen uit de auto laadden. De deur aan de passagierskant ging open en Isabelle stapte naar buiten.

Michael dacht aan Isabelle en de baby in haar. Hij stelde zich haar weer naakt voor, in haar kamer, en hoe ze zichzelf bestudeerde voor de spiegel. Hij begreep nu wat hij toen nog niet begrepen had, dat ze al wist dat ze zwanger was, dat ze zichzelf bekeek in de wetenschap dat ze binnenkort zou veranderen. Had ze gehuild vanwege het kind? Of omdat ze al een vermoeden had dat ze Elliot kwijt zou raken en bang was dat het kind hem verder en sneller weg zou jagen, in plaats van naar haar terug zou brengen?

Maar toen vergat Michael Isabelle. Hij zag alleen nog Taylor. Hij pakte de verrekijker op en zoomde op haar in. Ze kwam de auto uit en liep naar de scheepshelling. Hij vroeg zich af of ze zich om zou draaien en of het zonlicht dat afketste op zijn verrekijker hem zou verraden. Maar ze draaide zich niet om naar het gebouw waarvan ze wist dat hij daar was.

Hij zag haar nu van opzij. Hij vond haar nog steeds mooi. Maar ze was niet langer *zijn* Taylor, het perfecte meisje met wie hij ooit verkering hoopte te krijgen. Met loeiende motor sneed de rubberboot de haven binnen.

Michael wist dat hij beter kon blijven waar hij was. Zijn moeder had hem verboden om naar de Thornes toe te gaan – niet dat hij dat van plan was geweest, nog in geen honderd jaar.

Maar tegelijkertijd voelde hij de behoefte om dichterbij te zijn. Er gebeurde iets belangrijks. Hij voelde het in zijn bloed. Het was hetzelfde gevoel als hij had gehad op de dag dat zijn vader was vertrokken, hetzelfde gevoel dat hij had gehad toen Roddy bij hen was komen wonen, en hetzelfde gevoel dat hem beslopen had toen hij voor de laatste keer het hek van de lagere school uit liep.

Het was het gevoel van het heden dat in het verleden veranderde, recht voor zijn neus.

Hij haastte zich naar beneden, de achterdeur uit. Hij stopte aan de voorkant van het huis, waar Taylor en hij hadden gestaan die kerstochtend en hun gestolen alcopops hadden gedronken en sigaretten hadden gerookt. Hij ging onder de takken van de hulst staan zodat ze hem niet konden zien.

Alles zou helemaal anders zijn geweest als ze hun sigaretten ergens anders hadden gerookt en ze Elliot en Kellie nooit naar het boothuisje hadden zien lopen. Alles, behalve dit. Want Taylor zou sowieso vandaag zijn vertrokken. En Michael zou sowieso zijn achtergebleven. De wereld zou zijn blijven ronddraaien. Dat begreep hij plotseling. Wat ze ook gedaan hadden, ze zouden hoe dan ook uit elkaar zijn gegaan.

Het was er niet meer van gekomen om Taylor te vertellen over zijn moeder en Roddy, dat ze de kroeg gingen verkopen, dat hij binnenkort zelf ook het eiland zou verlaten. En nu zou het er nooit van komen. Hij wist dat als hij eenmaal weg zou zijn, hij nooit meer terug zou komen. Nu hij haar was kwijtgeraakt, was er niets meer om voor terug te komen.

Hij bleef daar staan, de takken van de hulst zwaaiden om hem heen in de wind en krasten met hun scherpe bladeren over zijn oren en kleren en door zijn haar als vingernagels van kleine handjes. Hij bleef doodstil staan totdat de boot met de Thornes de haven verliet en de open zee opging.

Toen pas kwam hij uit zijn schuilplaats tevoorschijn en rende en gleed langs de scheepshelling, langs de auto van de oude Thorne en het maakte hem nu niet meer uit of hij gezien werd. Hij rende verder langs de boothuisjes en klauterde de havenmuur op. Hij klampte zich vast aan de stenen en kroop eroverheen. Een aalscholver schrok op en vloog krijsend de lucht in.

Hij kwam overeind en zag hoe de boot vaart begon te maken en over de golven schoot. Zijn hele lichaam was gespannen, alsof hij een atleet was die al zijn krachten verzamelde, zich voorbereidde op de sprint, zich voorbereidde op een grote sprong om bij hen te komen.

Hij veegde een enkele traan van zijn wang. Hij wilde niet huilen om Taylor. Er zouden andere meisjes voor hem zijn. Zo voelde het nu misschien niet, maar het was wel zo. Hij dacht aan Kellie en Ben. Maar vooral aan Kellie, hoe ze naar dit eiland was gekomen om bij die ene man te zijn, en uiteindelijk met een andere man wegging, hoe ze die ene avond uit de mijn was komen strompelen, en de volgende dag over de horizon was verdwenen.

'Mensen kunnen vaker dan één keer verliefd worden,' had de vader van Michael ooit tegen hem gezegd. Dat was zijn verontschuldiging geweest op de dag dat hij vertrok.

Michael had hem destijds veracht om zijn egoïsme. Maar nu hoopte hij dat zijn vader gelijk had. Hij hoopte dat zijn vader nog steeds verliefd was en zijn moeder ook – ook al waren ze nu verliefd op andere mensen. Hoop, dat was alles wat hij had, maar misschien was dat ook het enige dat bestond – hoop dat de dingen op hun pootjes terecht zouden komen.

Die kus, die *echte* kus, die Taylor hem in de mijn had gegeven, onder de fonkelende lichtjes van hun eigen hemel, *die* herinnering zou hij bewaren. Hij hoopte nog steeds dat die kus echt uit haar hart was gekomen. Niet zoals die andere kus, brandend van woede, bitter van het gif van de wraak, bij de deur van het huis van Thorne, nadat Taylor en hij Elliot en Kellie in het bos hadden bespied.

Michael zou die ene kus in zijn hart bewaren. Want al het andere dat was gebeurd, of dat hij gewild had dat er was gebeurd tussen Taylor en hem, hun geflirt, hun lol, zijn hoop dat ze bij elkaar zouden zijn, verliefd en in bed – hij wist niet meer wat daar van waar was geweest, en wat hij had aangedikt zodat het in zijn fantasie zou passen. Ze begon nu al een droom te worden, net als de gebeurtenissen van deze drie dagen kerst.

Hoe verder de boot de zee opvoer, hoe kleiner hij werd en hoe minder echt. Al snel leek het op een plastic modelbootje op een zee van plastic. Daartegenover voelde Michael zich een reus, alsof hij zijn arm uit kon strekken en de boot met iedereen erin uit de oceaan kon plukken tussen duim en wijsvinger. Daar stond hij, met zijn gezicht in de wind en voelde het eiland rondom hem kleiner worden, alsof hij eruit was gegroeid. Met één stap, dacht hij, kon hij St. John's bereiken. Met de volgende stap, het vasteland. Hij zou de boot met zijn passagiers inhalen. Hij zou de plek waar hij opgegroeid was achterlaten. Hij zou er alleen op uitgaan. De wereld was groot genoeg. Dat begreep hij nu. Hij zou er zijn plek wel in vinden.

Heel veel dank aan onze geweldige redacteur Susan Sandon, en iedereen van Random House, vooral Georgina Hawtrey-Woore en Cassie Chadderton. Ook, zoals altijd, veel dank aan onze fantastische agenten, Vivienne Schuster en Jonny Geller van Curtis Brown, voor al hun steun. En de lieve Carol Jackson, Stephanie Thwaites en Doug Kean niet te vergeten. Dank aan Andrea die zo goed met Roxie wist om te gaan. En, natuurlijk, aan onze families en vrienden en onze prachtige dochters, die ons hielpen het hoofd koel te houden.